Para D. Elza,
com todo meu afeto.

Lia Luiza
Dez/06

O preço da paz

Revisão e Editoração Eletrônica:
João Carlos de Pinho

Direção de Arte:
Luiz Antonio Gasparetto

Capa:
Kátia Cabello

2ª edição
Agosto • 2006
10.000 exemplares

Publicação, Distribuição
Impressão e Acabamento:
CENTRO DE ESTUDOS
VIDA & CONSCIÊNCIA EDITORA LTDA.

Rua Agostinho Gomes, 2312
Ipiranga • CEP 04206-001
São Paulo • SP • Brasil
Fone / Fax: (11) 6161-2739 / 6161-2670
E-mail: grafica@vidaeconsciencia.com.br
Site: www.vidaeconsciencia.com.br

MARCELO CEZAR

ditado por MARCO AURÉLIO

O preço da paz

EDITORA VIDA & CONSCIÊNCIA GRÁFICA

Para
Mônica de Castro e Leonel,
pelo carinho, pela amizade, por tudo.

Prólogo

Em meados da década de 1980, o Brasil passava por profundas, sucessivas e até mirabolantes mudanças no terreno da economia. A cada troca de governo, a população era brindada com um conjunto de planos econômicos que prometia equilibrar as contas públicas e acabar de vez com os efeitos nocivos da inflação. Todos esses planos fracassavam, não davam resultado, como se houvesse uma ziquizira, uma tremenda falta de sorte pairando sobre a economia brasileira.

Para se ter uma idéia, a inflação medida no período de março de 1989 a março de 1990 chegou a 4.853%. Isso mesmo, quase cinco mil por cento! Uma loucura. Os trabalhadores recebiam seus salários e corriam ao mercado, a fim de pelo menos conseguir comprar o básico para suas famílias antes que os preços sofressem os aumentos galopantes da inflação em franco descontrole. As empresas deixaram de produzir e passaram a aplicar seu dinheiro, porquanto os juros das aplicações diminuíam a corrosão efetiva da moeda.

Assim que tomou posse, o então presidente Fernando Collor de Mello anunciou um pacote econômico, mais um daqueles *temíveis* planos, oficialmente chamado Plano Brasil Novo — popularmente conhecido como Plano Collor. Esse plano tinha como objetivo colocar fim à inflação, ajustar a economia e elevar o país do Terceiro para o Primeiro Mundo. A moeda vigente, o cruzado novo, foi substituída pelo cruzeiro, totalizando a sétima troca de moedas ocorrida em menos de cinqüenta anos. O governo bloqueou por dezoito meses os saldos das contas-correntes, cadernetas de poupança e demais investimentos superiores a cinqüenta mil cruzeiros.

A título de curiosidade, a fim de que o leitor entenda esses valores, sem ser *expert* em números ou fissurado por economia, finanças ou contas matemáticas, cabe ressaltar que esses mesmos cinqüenta mil cruzeiros eram equivalentes a cinqüenta cruzeiros reais em menos de três anos e, logo em seguida, com o advento do Plano Real, um real em valores de hoje valia 2.750 cruzeiros reais. Confuso? Bastante, mas o brasileiro, como sempre acostumado a adequar-se rapidamente a grandes mudanças, tirou mais essa de letra. Muito cálculo? Talvez, entretanto não estamos aqui para dar aulas de matemática, mas simplesmente para informar o leitor de que o valor livre deixado pelo governo Collor no banco era muito pouco.

Os preços foram tabelados e depois liberados gradualmente. Os salários foram pré-fixados e posteriormente negociados entre patrões e empregados. As empresas foram surpreendidas com o plano econômico e, sem liquidez, demitiram funcionários.

Resultado de toda essa explanação: Otávio, que em dois anos iria se aposentar, não foi demitido. Em todo caso, poderia acontecer-lhe coisa pior? Sim. A empresa em que ele trabalhava, famosa pela fabricação de componentes eletrônicos, foi à falência, da noite para o dia.

Otávio não recebeu um tostão, e, o pouco que tinha guardado no banco, o governo acabara de reter por conta *desse* plano econômico. Aos 48 anos de idade, sem curso superior, seria impossível arrumar emprego que lhe pagasse tão bem e lhe permitisse sustentar, sem preocupações, uma família composta de uma esposa e duas filhas.

Mariana, de vinte anos recém-completados, teria de deixar a faculdade. Letícia, de apenas dezoito anos de idade, teria de esperar para ingressar numa faculdade até sabe lá Deus quando e teria de ir à caça de serviço. E o que seria de Nair, a esposa de Otávio?

Ela mal concluíra os estudos, muito embora fosse excelente dona de casa. Mas donas de casa não têm função, pelo menos que possa ser remunerada. O que a pobre Nair poderia fazer para ajudar no orçamento doméstico?

A cabeça de Otávio latejava; ele sentia pontadas violentas na fronte. Eram muitas as inquietações, e, parado em frente ao portão lacrado da firma, não sabia nem mesmo qual rumo tomar. Inácio aproximou-se e abraçou por trás o colega de trabalho. Otávio estava desesperado, não tinha coragem de voltar para casa.

— Não sei o que fazer, Inácio. A falência da empresa e o plano do governo arruinaram minha vida. Tudo isso vai cair como uma bomba sobre a minha família. Eu sou o chefe do lar, eu banco tudo na minha casa. Minhas filhas e minha esposa não estão preparadas para uma mudança tão radical em nossas vidas.

— Acalme-se, homem — tornou Inácio, tentando dar tom despreocupado à voz. — Em breve tudo isso passa, o dinheiro retido no banco voltará gradualmente para o nosso bolso e arrumaremos novo emprego.

Otávio esbravejou:

— Mentira! A mais pura mentira! Eu tenho quarenta e oito anos, não tenho especialização. Você é jovem, tem vinte e seis, uma vida inteira pela frente.

— Você também.

— Não! Estou velho.

— Qual nada!

— Emprego não vai lhe faltar. Já eu estou quase para sair do mercado de trabalho. Ia me aposentar em dois anos. E agora?

— Calma, Otávio. Sei que, por enquanto, nada que eu lhe disser vai acalmá-lo. Entretanto, de que vai adiantar o desespero? Não vai ajudá-lo em nada.

— E minha família? — Otávio não conseguiu conter as lágrimas.

— Nair é mulher maravilhosa, e suas filhas também. Tenho certeza de que vão ajudá-lo, e vocês, juntos, vão superar esta crise.

Inácio era um bom moço e belo tipo. Na flor de sua juventude, não deixava de ser notado. Por onde passava, sempre arrancava suspiros femininos. Alto, forte, ombros largos, possuía pele bem clara, quase rosada. Os lábios eram finos, embora bem desenhados. Os dentes eram perfeitos e seus olhos azuis contrastavam harmoniosamente com os cabelos fartos, ondulados e alaranjados. Combinação formidável, resultado do cruzamento de um pai goiano, criador de gado e também bem bonitão, e uma mãe linda, alta, loira e filha de suecos.

O jovem crescera na fazenda, no interior de Goiás, e com sete anos de idade instalou-se com a família no Rio de Janeiro. Os anos passaram e, assim que concluiu os estudos na universidade, recebeu proposta para trabalhar numa empresa em São Paulo.

O casamento de seus pais, Ingrid e Aluísio, chegara ao fim, de uma hora para outra, sem traumas, aparentemente. Após amigável divórcio, sua mãe decidiu mudar-se do Rio e vir para São Paulo morar com o filho. Ingrid e Inácio instalaram-se numa bela casa no Jardim Europa. Nessa época, Inácio fora recrutado pela fábrica de componentes eletrônicos tão logo graduou-se em engenharia eletrônica. Fazia dois anos que era chefe e amigo de Otávio. Inácio gostava muito dele. A amizade estreitou-se, e logo o rapaz foi convidado a participar da vida íntima de Otávio e conhecer sua família.

Inácio tornou-se bastante inseguro após o divórcio dos pais. A separação caíra como uma bomba sobre sua cabeça, porquanto ele acreditava que Ingrid e Aluísio viveriam felizes para sempre. Diante da efetiva separação, o jovem não quis mais saber de namorar, de assumir compromisso sério. Paquerava as garotas, saía com elas, flertava e mais nada. Quando o coração começava a pulsar, Inácio pulava fora. Fugia do compromisso afetivo assim como o diabo foge da cruz.

No entanto, ao conhecer Mariana, Inácio sentiu ser impossível ocultar seus sentimentos. Isso ficou patente num domingo ensolarado, quando Inácio foi almoçar na casa de Otávio e encantou-se imediatamente com Mariana, a filha mais velha.

Romântico inveterado, o coração de Inácio amoleceu no instante em que Mariana lhe mostrou sua coleção de discos. Além da atração mútua, sentiram algo mais em comum: o gosto por músicas brasileiras, especialmente as cantadas por Maria Bethânia. Mariana displicentemente colocou o disco no aparelho e cantaram *Cheiro de Amor*.

Os olhares foram correspondidos e Inácio, pela primeira vez em anos, pensou na possibilidade de namoro sério. Depois da tarde agradável, da troca de olhares e das músicas de Bethânia, ele tencionava seriamente conversar com Otávio sobre a possibilidade de namorar sua filha. Entretanto, não queria confundir as coisas e estava esperando o momento certo para abordar o amigo e dizer-lhe o que ia em seu coração. Na verdade, o que Inácio tinha de bonito, tinha de inseguro. O jovem tinha medo de que as moças só se acercassem dele por conta de sua beleza e dinheiro, mais nada.

Otávio agarrou-se ao portão da fábrica. Tentou inutilmente arrancar o lacre e vociferou:

— Quero meu dinheiro!

A cena era muito triste. Outros colegas da fábrica também choravam e balançavam a cabeça para os lados, incrédulos, não querendo aceitar a dura realidade que a vida lhes havia imposto. Otávio parecia estar fora de si. Gritava cada vez mais alto:

— Exijo meus direitos! Foram vinte anos aí dentro... Não posso voltar para casa sem nada...

Inácio procurou acalmá-lo:

— Tudo vai se resolver. Recebi excelente proposta para trabalhar na Centax. Está quase tudo acertado. Vou coordenar os novos projetos no escritório central e, se eu pegar esse cargo de chefia, poderei contratá-lo.

— Mas isso demanda tempo. Enquanto isso, eu e minha família vamos viver de quê?

— Eu posso ajudá-los. Sabe que minha família tem muitos bens, bastante dinheiro. Posso arranjar-lhe alguns trocados até que arrume novo emprego.

Os olhos de Otávio injetaram-se de fúria.

— Isso nunca! Nunca precisei do dinheiro dos outros.

— Um empréstimo, então. Depois você me paga, como puder, do jeito que der.

— Não!

— Não seja orgulhoso numa hora destas.

— Eu sempre me virei. Não vai ser agora que vou depender de alguém.

— Pense na sua família. Orgulho besta não põe comida na mesa, oras.

Inácio falava, mas Otávio não registrava uma só palavra. Sua cabeça continuava latejando, seus olhos estavam querendo saltar das órbitas.

De repente, seu braço esquerdo começou a formigar. Logo veio a falta de ar, o mal-estar e, num estalar de dedos, uma terrível dor apossou-se de seu peito, como se o coração tivesse sofrido uma explosão, um ataque devastador.

E sofreu mesmo. O nervoso fora tanto, que Otávio teve um infarto fulminante.

Inácio tentou acudir o amigo, que caiu abruptamente sobre si mesmo, mas em vão. Não adiantou a gritaria, os poucos colegas de trabalho ao redor, os transeuntes que paravam na tentativa inútil de acudi-lo, a chamada por socorro, a chegada do resgate, nada.

Otávio morreu ali mesmo, nos braços de Inácio, bem defronte ao portão da empresa onde trabalhara por tantos anos. Uma cena triste e deprimente.

capítulo 1

Nair caminhava a passos lentos, quase estáticos. Sentia ser arrastada, mal se sustinha em pé. Passara a noite inteira acordada e logo cedo tomara dois calmantes para agüentar o tranco, afinal o dia lhe parecia infindável. O calor infernal naquela manhã dava-lhe a nítida impressão de que ela iria derreter.

— Podia me derreter mesmo — suspirou aflita. — Assim eu sumiria de vez. Minha vida se tornou um pesadelo, isso sim.

Mariana e Letícia estavam cada uma ao lado da mãe, seguindo o cortejo fúnebre. O caixão com o corpo de Otávio seguia mais à frente e as meninas davam suporte e alento à mãe. Eram muito unidas as três, entretanto Mariana era mais ligada à mãe, sua maneira de ser e pensar era semelhante à de Nair. Passando delicadamente a mão no rosto da mãe, a fim de secar o suor que escorria pela sua fronte, Mariana tornou:

— Não é o fim do mundo, mamãe. Formamos um belo trio, somos mulheres fortes.

— Isso mesmo — ajuntou Letícia. — Unidas venceremos essas adversidades.

— Será? — suspirou Nair, hesitante.

— Confie na vida, mamãe. Tudo vai dar certo.

Nair suspirou profundamente. Não tencionava, naquele

momento, confiar na vida, ou raciocinar, ou mesmo concatenar pensamento que fosse. Para ela, o futuro parecia algo nebuloso, totalmente incerto, bastante escuro mesmo.

Na verdade, Nair não estava pensando na falta que o amor de Otávio iria lhe fazer dali em diante. Longe disso. Davam-se bem, respeitavam-se, eram amigos... E mais nada. Nunca houve amor entre os dois a ponto de fazê-la, agora, chorar de saudade. O que a fazia sentir-se vazia naquele momento era perceber como havia levado uma vida oca e sem emoção nos últimos vinte anos. Como isso fora possível?

Aos dezoito anos, Nair apaixonou-se por Virgílio, homem feito, e uns doze anos mais velho que ela. Diziam ser amor passageiro, de interesses — por parte dela — e de brincadeira — por parte dele. Mas não era. Eles se amavam de verdade.

Infelizmente, por conta dos desvarios do destino, Virgílio casou-se com Ivana, uma conhecida da família. Nair ficou chocada, triste e sem opção. Desiludida e cansada de lutar contra aqueles que julgava serem mais fortes, Nair envolveu-se com Otávio. Era melhor esquecer logo seu amor por Virgílio; metida num casamento, não teria tempo para lembranças, pensou. Ela e Otávio casaram-se, constituíram família e viviam seu mundo, com suas filhas, suas rotinas, com tudo acontecendo do mesmo jeito, da mesma maneira, mês após mês, ano após ano.

Pobre Nair... Aos dezenove anos já era mãe. Ela abandonou a idéia de continuar a estudar, embora tivesse completado o curso de modista. Ela era muito boa de corte e costura. Quando quis aperfeiçoar-se no estudo de costura e aviamentos a fim de colaborar no orçamento doméstico, nova gravidez.

No meio de tanta fralda para lavar e passar — o casal não podia dar-se o luxo de comprar fraldas descartáveis —, Nair foi levando sua vidinha de dona de casa, cozinhando, lavando e passando, fazendo feira e mercado, cuidando do marido e das filhas. E agora Otávio morria, sem mais nem menos.

De que teria adiantado casar-se sem amor? Teria valido a pena? A vida fora generosa, dera-lhe duas filhas lindas, saudáveis e amorosas. Entretanto, ela, sem mesmo chegar aos quarenta anos de idade, sentia-se acabada, a pele sem viço, os primeiros fios de cabelo branco despontando na fronte. Ganhara bastante peso nos últimos anos, perdera a vontade de se cuidar.

Tratava-se de uma mulher viúva, sem profissão definida, sem pensão, sem economias guardadas no banco, sem amor, sem nada. O medo do futuro tinha razão de existir. A morte súbita de Otávio era castigo, e dos grandes. Agora Nair tinha certeza de que estava pagando, e muito caro, por ter trocado o amor de sua vida por um punhado de dinheiro.

— A justiça divina tarda mas não falha — disse para si, aflita, mordendo os lábios, impregnada de culpa.

Inácio andava logo atrás delas. Estava acompanhado de sua mãe, Ingrid. Ela era mulher distinta, muito bonita, alta, loura e de andar muito elegante. Andava de salto alto com a maior desenvoltura do mundo, causando inveja em muitas amigas. Ingrid sabia do sentimento do filho por Mariana e apoiava-o na decisão de namorá-la. Sentia carinho pela garota e acreditava que o filho seria muito feliz ao lado da jovem. Por isso fez questão de acompanhar o cortejo, dar os pêsames à família e oferecer todo e qualquer tipo de ajuda a Nair e suas filhas.

Depois de quase uma hora, muito sol e muito suor, o caixão de Otávio foi depositado no jazigo da família, num cemitério popular, localizado na periferia da cidade. Os presentes, na maioria amigos do trabalho e poucos vizinhos, vagarosamente começaram a se retirar. Despediam-se da família do morto e retiravam-se do local, tristes, acreditando que a vida havia sido muito injusta com aquelas pobres mulheres e que dali para a frente as três teriam de ralar muito para manter a vida que Otávio lhes proporcionara.

Inácio e Ingrid, após cumprimentarem rapidamente Nair e Letícia, aproximaram-se de Mariana.

— Sinto muito, minha filha — declarou Ingrid.

— Estou muito triste. Mas o que fazer? Temos de tocar a vida. De nada vai adiantar reclamar, brigar com Deus.

— Isso é verdade: brigar com Deus não vai trazer seu pai de volta.

— Concordo com a senhora.

— Torço sinceramente para que a vida de vocês volte ao normal o mais rápido possível.

— Por mim, tudo bem. Estou na faculdade, iniciei meu estágio. Letícia também é jovem e pode lidar melhor com a perda. Contudo, mamãe não merecia ficar assim. Ela perdeu o marido, o companheiro e, o pior de tudo, perdeu o sustento. O pouco que tínhamos ficou retido no banco, por conta desse plano econômico. Eu e Letícia podemos nos virar, mas o que será de minha mãe?

— Ora, minha filha, sua mãe é jovem, está vendendo saúde. Sinto que ela é forte o suficiente para driblar as adversidades e crescer por si. Nair me inspira força. Talvez sinta-se melancólica no início. Vocês deverão ter paciência com ela. Depois, com o tempo, tudo volta ao normal e, quando menos se esperar, sua mãe estará envolvida em outras atividades. Acredite.

Mariana concordou com a cabeça, mas nada disse. O calor era demasiado, e ela não via a hora de sair do cemitério, chegar em casa, tomar um bom banho e descansar. Seus pés inchados doíam vertiginosamente.

Inácio aproximou-se e abraçou-a. Mariana sentiu-se confortável. Desde o almoço naquele distante domingo, sentira estar gostando de Inácio. Esperava uma oportunidade para que pudessem trocar confidências, mas agora o momento era inoportuno para uma declaração de amor.

— Você pode contar comigo para o que der e vier — disse ele, sinceramente emocionado. — Fui amigo de seu pai e gosto de sua família. E gosto muito de você — falou, sem tirar seus olhos dos de Mariana.

Ela sentiu um brando calor invadir-lhe o peito. Suspirou e abraçou-o novamente. Ficaram assim por alguns instantes.

Ingrid interveio:

— Nosso motorista nos espera. Vamos levá-las até sua casa.

— Não precisa se incomodar, Dona Ingrid — tornou Mariana. — Pegamos o ônibus. Tem um ponto próximo ao portão de entrada do cemitério.

— Não — protestou Ingrid.

— Mas...

— Levaremos as três para casa. É o mínimo que posso fazer. Não arredarei pé daqui sem que venham comigo.

Mariana não teve outra alternativa. Aceitou de pronto. Não

estava para ataques de orgulho, nem tinha mais forças para discutir, ou mesmo pensar. O pai havia morrido na tarde anterior, ela estava acordada desde então. Ela, a mãe e a irmã estavam visivelmente cansadas.

Letícia foi se despedir de algumas colegas do colégio. Nair ficou parada, sozinha, próxima ao jazigo. Olhava para a mistura de cal e cimento que encobria o humilde túmulo e, em sua mente, desfilavam cenas da vida em comum com Otávio. Tanto sacrifício, tanto esforço... E agora? Teria valido a pena? Essa pergunta martelava sua mente. Uma lágrima escorreu pelo canto do olho.

Nair passou delicadamente a mão sobre o olho e, num movimento natural, ergueu o rosto. Foi tudo muito rápido. Petrificada, seus olhos voltaram-se para o lado e ela o viu.

— Não pode ser... — murmurou.

Será que era? Estaria alucinando? O calor a estaria fazendo ver coisas?

Mas era ele. Um pouco mais velho, mas era ele. Nair beliscou-se e ele continuava em pé, olhar sério, atrás daquela lápide, encarando-a com pesar. Quis chamá-lo, mas não teve forças, a voz sumira. Suas pernas falsearam e ela caiu sobre si ali mesmo.

Inácio e Ismael, o motorista, correram e a acudiram. Pegaram Nair delicadamente pelos braços e a conduziram até o carro. As meninas correram atrás preocupadas. Ingrid considerou:

— Está muito quente. Vamos até o pronto-socorro. Nair deve estar desidratada.

Ismael ajeitou o corpo fatigado de Nair no banco de trás. Ingrid sentou-se no banco da frente. Mariana e Letícia foram com Inácio no carro dele.

Nenhum deles viu o causador do desmaio. Não se tratava de espírito ou alma penada, embora o cemitério estivesse repleto dessas entidades que podiam ser sentidas ou vistas por quem tivesse sensibilidade suficiente para percebê-las. Mas não era o caso. Tratava-se de um legítimo ser encarnado.

Num canto do cemitério, atrás de uma lápide, estava Virgílio. Depois que Nair fora acudida, escondido atrás de uma árvore, ele levou as mãos ao rosto e não conteve o pranto.

Virgílio estava muito triste. Os anos passaram, Nair não era mais a menina linda e magrinha com quem ele se entusiasmara e se apaixonara um dia. Entretanto, ele continuava amando-a como se nunca tivessem se separado, como se o tempo jamais tivesse passado.

Nair, dentro do veículo, acordou e, retomada do susto, sentenciou:

— Leve-me para casa, por favor.

— Você não tem condições, Nair. Deve estar desidratada. Não custa nada passarmos no pronto-socorro.

— Não quero.

— Tem certeza?

— Sim. Sinto-me melhor. Preciso ir para casa, tomar um banho e descansar.

— Posso lhe fazer uma proposta?

— Qual?

Ingrid voltou-lhe o rosto e, entre sorrisos, indagou:

— Vamos até minha casa.

— Não.

— Por quê?

— Por favor, não queremos incomodar, de maneira alguma.

— Não será incômodo. Vocês estão cansadas. Se forem para sua casa, não terão disposição para cozinhar.

Ingrid ergueu os olhos na direção do vidro retrovisor, encarando o motorista.

— Ismael?

— Sim, senhora?

— Encoste o carro e faça sinal para Inácio emparelhar. Mudança de planos. Vamos para casa.

— Sim, senhora.

Ismael diminuiu a marcha, baixou o vidro e, com o braço para fora, fez sinal para que Inácio se aproximasse com seu carro.

Alguns minutos depois, estavam todos na casa de Ingrid. Ela conduziu Nair e as meninas até uma saleta bem aconchegante. Cerrou as persianas, tornando o ambiente acolhedor e sem o incômodo do sol. As três sentaram-se e imediatamente tiraram os sapatos.

— Isso mesmo — disse Ingrid, sorridente. — Fiquem à vontade. Vou até a cozinha pedir para que nos preparem uma refeição leve.

— Não tomaremos seu tempo, Dona Ingrid — tornou Mariana.

— Hoje estou ao dispor de vocês. Fiquem à vontade. Mais tarde, quando desejarem, Ismael as levará para casa.

— Muito obrigada — respondeu Letícia.

— Não estou fazendo nada por obrigação. Estou adorando ser-lhes útil de alguma maneira. Agora tratem de descansar, fiquem à vontade. Volto num instante.

Inácio aproximou-se e sentou-se ao lado de Mariana.

— Sente-se melhor?

— Hum, hum. Sua mãe é muito legal. É simpática, e seu sorriso expressa sua bondade.

— Mamãe é espontânea, verdadeira. Jamais faria jogo de cenas com vocês. Sinto que ela está solidária, triste e de alguma maneira quer lhes ajudar neste momento tão difícil.

— Assim que as coisas melhorarem, vamos lhes preparar um almoço — sugeriu Letícia.

— Isso, sim, era só o que me faltava — objetou Nair.

— O que é isso, mamãe?

— Mal sabemos o que será de nossas vidas daqui para a frente e vocês me vêm com essa de almoço? Francamente!

— Mamãe, estamos tristes e perdidas. Também não sabemos o que será de nossas vidas daqui por diante. Mas francamente digo eu! De que adianta essa amargura? Precisamos nos manter unidas.

— E ser fortes — acrescentou Letícia.

Nair nada disse. Baixou a cabeça, esticou as pernas sobre uma banqueta e cerrou os olhos. Estava se sentindo amarga, azeda, e não queria discussão. Estavam todas exaustas, e o melhor era procurar não pensar em nada. Mas ela não conseguia evitar o fluxo de seus pensamentos. A imagem de Virgílio veio-lhe forte, e Nair não conseguia desvencilhar-se da cena. Seu corpo estremeceu levemente.

— Meu Deus, quantos anos! — suspirou.

Anos atrás ela participara de um joguete por conta de dinheiro, uma quantia suficiente para comprar bom sobrado em simpático bairro na zona leste da cidade. No momento, de que adiantava lembrar-se desse período negro de sua vida? O passado havia acabado e estava morto, enterrado para sempre.

Mesmo abatida, cansada e esgotada, algo dentro dela tinha forças para lembrar-se com ternura de seu grande, único e inesquecível amor: Virgílio Gama.

Capítulo 2

Ivana andava de um lado para outro da sala, esbaforida, praguejando, rangendo os dentes de ódio, puro ódio. Acabara de chegar de uma loja chique na rua Oscar Freire e sentia-se indignada, a última das criaturas.

— Bloquearam meu cartão de crédito! — bramiu. — Isso é um absurdo, um acinte à minha pessoa.

Ivana só queria saber de gastar, e mais nada. Para ela, Virgílio teria de tomar satisfações com a gerente, deveria até processar a loja por danos morais. Entretanto, ela não conseguia falar com o marido. Daí sua irritação descomunal. Ela ligara para o escritório, e Virgílio havia saído para uma reunião. Reunião? Essa era boa! Ela sabia que o marido não queria atendê-la.

Além de neurótica, Ivana era mulher extremamente desconfiada. Desconfiava de Deus e do mundo, inclusive de sua melhor amiga, Otília Amorim. Ivana só confiava em si mesma. Dessa vez estava espumando de ódio, e por dois motivos.

Primeiro, pelo vexame na loja de roupas. Na hora de pagar, o cartão fora recusado. Um constrangimento sem tamanho. E segundo porque Virgílio era quem resolvia esses problemas e, para variar, ele não estava, ou mandava a secretária dizer que não estava em sua sala.

Ivana odiava ser preterida pelas amigas de seu círculo social. Soubera no dia anterior que conhecida *socialite* não a convidara para um almoço beneficente em prol de crianças carentes de renomada instituição. Ivana pouco se importava com a finalidade dos eventos, desde que pudesse ser fotografada e aparecer em todas as colunas ou revistas da moda. Mas justamente *esta socialite* podia ver o capeta na frente, menos Ivana. Fuxicos de alta sociedade, digamos assim. Nem mesmo sua poderosa amiga Otília pôde interceder a seu favor. Impedida de ir ao almoço, resolveu fazer compras. Isso sempre aliviava sua tensão.

Assim que chegou da loja e não conseguiu falar com o marido, Ivana fora acometida de forte enxaqueca — o que ocorria sempre que era contrariada — e passou a tarde em casa, afundada na cama, numa mistura interessante de barbitúricos, bombons e vodca.

No finalzinho da tarde, irritada — como de costume —, ela ligou a televisão e ficou apertando o controle remoto do televisor à deriva. Numa dessas trocas de canais, deixou-se entreter por aqueles programas vespertinos, estilo mundo-cão, sensacionalistas de cabo a rabo.

Ivana gostava de ver o sofrimento exacerbado das pessoas. Isso a confortava. Ela começou a rir com a história de uma mulher que havia perdido tudo numa enchente, quando outro repórter, num tom exageradamente dramático, começou a relatar a morte do ex-funcionário de renomada empresa, fabricante de componentes eletrônicos, que acabara de falir.

Enquanto ele entrevistava algumas pessoas, o programa mostrava uma foto da identidade de Otávio, amarelada, tirada há mais de vinte anos, e em seguida uma imagem rápida de Nair tentando ser entrevistada na porta de casa sobre a tragédia que se abatera sobre sua família.

A cena foi bem curtinha, rápida, mas o suficiente para que Ivana imediatamente se lembrasse de Nair.

— Não pode ser...

Seus olhos arregalaram-se e seu corpo estremeceu.

— Ela ainda mora neste planeta? — indagou para si, em tom de horror mesclado com ironia.

Ivana esboçou sorriso sinistro. Lembrou-se de anos atrás, quando obrigou o pai de Virgílio a fazer proposta irrecusável a Nair, desde que ela se afastasse do namorado e deixasse o caminho livre para Ivana. A tonta aceitou rapidinho e sumiu da vida de Virgílio, permitindo a união dele com Ivana. Contudo, ela tinha certeza de que Nair pegara o dinheiro e sumira, fora para outra cidade, talvez até outro Estado. E agora a televisão diante de seus olhos mostrava-lhe que Nair nunca saíra da capital. No entanto, ela deu de ombros:

— Se Virgílio quiser, pode ficar com ela, mas só depois que nosso trato terminar.

Ivana desligou o aparelho e correu ao telefone. O desbloqueio do cartão de crédito era algo de suma importância para sua existência. Sem o cartão de crédito, Ivana não era nada, sentia-se impotente, órfã.

Assim que a secretária lhe disse que Virgílio estava em reunião, Ivana sentiu o sangue ferver. Despejou toda a sua ira sobre a garota, bateu o telefone com força e ruminou:

— Ele adora me tirar do sério!

Ficou aguardando o marido chegar do trabalho, mas nada. Eram quase oito da noite quando a secretária ligou:

— Seu Virgílio precisa tratar de assunto urgente e pegou um vôo para o Rio de Janeiro e...

Ivana nem terminou de ouvir. Desligou e em seguida atirou o aparelho contra a parede, espatifando-o sem dó.

— Meu Deus! Vou ficar sem cartão e sem dinheiro — exagerou.

Ela tinha o dom de dramatizar as situações. Era só pedir para a secretária de Virgílio ou mesmo pedir dinheiro ao filho. Mas Ivana era turrona e, quando ficava irritada, perdia o controle de si mesma.

Virgílio tivera mesmo de resolver assunto urgente no Rio de Janeiro e mandara avisar a esposa por mera questão de formalidade. Estava acostumado a fazer isso, via secretária, pois ele e Ivana mal se falavam. Entretanto, ela não conseguira pregar o olho, e já passava das seis da tarde do outro dia e nada de Virgílio dar o ar da graça. Nem ao escritório ele tinha ido.

Bruno adentrou a sala e aproximou-se dela.

— Oi, mãe, tudo bem?

— Tudo bem uma ova!

— O que foi?

— Seu pai, para variar.

— Papai viajou de novo?

— Sim.

— Já sei... — Bruno coçou o queixo e finalizou: — O seu cartão foi bloqueado de novo, certo?

— Não brinque comigo quando estou nervosa, Bruno. Meu humor hoje não está para isso.

— E quando seu humor está bom?

Ela não respondeu. Quis revidar, mas estava sem vontade. Embora não fosse dada a demonstrações de afeto, como abraçar ou beijar, gostava do filho, mas não discutia com ele ou mesmo com Nicole, a caçula. Jamais discutira com os filhos. E jamais participara de suas vidas.

Ivana sempre tivera horror a crianças, e não foi diferente quando teve as suas. Criara Bruno e Nicole por intermédio de babás, empregadas e educadoras. Ivana nunca teve jeito para assumir o papel de mãe. Achava que tinha feito sua parte carregando-os no ventre e colocando-os no mundo. Cumprira seu papel e até pagara alto preço por ele, literalmente.

Sim, porque, depois da segunda e última gestação, ela gastou os tubos para deixar o corpo em ordem, sem um resquício dos tempos de gravidez. Até o minúsculo corte da cesariana desaparecera sob os cuidados de renomados e experientes cirurgiões plásticos.

— Ele sempre vai e volta, mãe. Tem sempre assuntos urgentes a tratar.

— Ele poderia me ligar, dizer que estava de viagem, deixar-me algum dinheiro.

— Se quiser, eu lhe dou algum. Ou mesmo ligo para a administradora do cartão e tento desbloqueá-lo.

— Isso é dever de seu pai. Ele tem de me dar satisfações. Afinal, não gasto tanto assim.

Bruno não conseguiu evitar o riso. Ivana não tinha noção do que estava dizendo. Ele procurou mudar o assunto.

— Por que não pediu para ele ligar? Não disse à secretária que era urgente?

— Disse, mas seu pai não gosta de falar comigo quando está no trabalho. Não sei por quê.

— Eu sei.

— O que é?

— Você sempre o trata aos berros.

— Eu, aos berros? — indagou, surpresa.

— Você poderia tratá-lo com um pouco mais de respeito.

— Não agüento mais este casamento.

— E por que ainda permanecem juntos?

— O que disse? — indagou ela, na tentativa de ganhar tempo e arrumar uma desculpa bem esfarrapada.

— Peça o divórcio.

— Não diga uma coisa dessas — esbravejou Ivana.

— É loucura a maneira como ambos vivem. Isso não pode fazer bem. Eu e Nicole somos adultos, vocês podem se separar.

— Tenho medo de ser achincalhada pela sociedade.

— Nos dias de hoje? Todo mundo casa e separa. Esse preconceito faz parte do passado.

— Isso é problema meu.

— Sim, mas...

Ivana atalhou o filho:

— Trate de sua vida.

— Só estou tentando compreender.

— Disso trato eu — finalizou ela, ao mesmo tempo em que consultava o relógio. — O que está fazendo em casa tão cedo? Não tem aula de esgrima? — indagou, contrariada.

— Parei com a esgrima há seis meses.

— Nem tinha percebido.

— Creio que fosse demais para você perceber alguma coisa.

— Por quê?

— Você mal nos dá atenção.

Ivana fez muxoxo.

— Não me venha com choramingas. Você é adulto e sabe cuidar de sua vida. Não tem mais idade para ficar preso à barra da saia da mãe.

— Não é isso. É que você podia pelo menos ser um pouco mais amorosa, só isso.

Bruno abaixou-se e pegou nas mãos dela. Ivana sorriu para o filho. Entretanto, não podia contrariar sua natureza. Ela tinha dificuldade de lidar com demonstrações de carinho e afeto, não só com os filhos, mas com todos ao seu redor. Fazia parte de seu temperamento.

Ela alisou a mão do filho de maneira pouco carinhosa.

— Não tenho culpa de ser o que sou.

— Poderia tentar mudar. O que acha?

Ivana se desvencilhou das mãos do filho e levantou-se.

— Não me amole.

Ela não gostava desse tipo de assunto. Mudou a postura de voz e retrucou:

— E a ajuda aos necessitados? Não tem com quem brincar? — perguntou, em tom de desdém.

— Está com dor de cabeça de novo?

— Sim.

Ivana vinha tendo fortes dores de cabeça nos últimos tempos, enxaquecas que a deixavam mais irritada que de costume. Virgílio pedira-lhe para consultar um especialista, visto que aquilo não era normal. Ivana retrucava e dizia que não era velha, tampouco doente, para ir atrás de um médico. Afirmava que as dores de cabeça persistiam porque ela era naturalmente nervosa.

Para que a dor de cabeça não a incomodasse tanto, Ivana adorava ficar em casa sozinha, sem ninguém por perto, sem um pio. Os empregados estavam acostumados e procuravam fazer o mínimo barulho possível. Em casa, a presença dos filhos, principalmente Nicole, irritava-a sobremaneira. Sua filha, nos últimos tempos, vivia trancada no quarto, ouvindo música pesada — *rock*, estilo *heavy metal* —, e isso atrapalhava seu descanso.

Bruno aproximou-se por trás e delicadamente massageou suas têmporas. Ivana fechou os olhos e sentiu alívio imediato. Enquanto massageava a mãe, ele comentou:

— Estou preocupado com Nicole.

— Por quê?

— Ela não dormiu em casa esta noite.

Ivana deu de ombros:

— Nicole é adulta, dona de seu nariz.

— Mãe, sabe que sempre me preocupei com ela. E se lhe aconteceu alguma coisa?

— Notícia ruim chega rápido. Tenho certeza de que Nicole está bem. Provavelmente foi assistir a algum show de *rock* pauleira e dormiu na casa de alguma amiga.

— Acha isso normal?

— Sua irmã não dorme em casa desde os quinze anos de idade. Ela é crescidinha, adulta, tem vinte e um anos. Nessa altura de minha vida não vou preocupar-me com filho.

— Estou cismado. Nicole tem andado com pessoas que não me agradam.

— Se está incomodado, que tome as providências.

— Ela não me escuta.

— Nicole não escuta ninguém. Só dá ouvidos àquele namoradinho dela, o Artur.

— Sabe, mãe, eu não gosto desse tal de Artur.

— Por quê?

— Ele tem uma turma barra-pesada.

Ivana abriu os olhos e afastou-se. Acendeu um cigarro. Tragou e deu uma baforada.

— Até que enfim sua irmã arrumou alguém que goste dela. Ela tem de levantar as mãos para o céu.

O tom de Bruno era de pura preocupação:

— Artur é mau-caráter, rapaz sem moral. Ele está com Nicole porque ela paga as noitadas, as bebidas. Por favor, mãe, garanto que, se você conversar com ela...

Ivana cortou o filho:

— Nem por decreto! Não tenho essa... essa... habilidade, é essa a palavra. Não sei lidar com educação de filho. Nicole que não venha reclamar que não tem com quem desabafar. Pago muito bem pelo seu desabafo, três vezes por semana.

— Sim, mas...

— Mas nada. Eu pago preço salgado para sua irmã fazer terapia, e você vem me dizer que está preocupado com ela?

— Receio que ela esteja metida com droga pesada.

— Só porque aquele motorista desconfiou que aquele pacotinho de maconha* era dela? Faz tanto tempo...

— Mãe, é sério.

— A maconha é inofensiva. Era vendida em farmácias sob o nome de *cigarros índios*. Seu avô a vendia para curar sintomas da asma e para insônia.

— Disse bem: *era*. Sua venda é proibida no País desde fins da década de 30.

Ela não respondeu.

— Mãe, não acho que a maconha seja inofensiva. Os olhos de Nicole estão sempre avermelhados, sua boca sempre seca. Outro dia eu a peguei com taquicardia.

Ivana preferia não encarar a realidade. Era melhor fazer de conta que nada estava acontecendo. Desconversou:

— Ora, Bruno, por que você também não vai fazer análise?

O rapaz baixou os olhos pensativo. A mãe não dava a mínima para ele ou para a irmã. A bem da verdade, Ivana não dava a mínima para ninguém. Tudo girava em torno dela, de seu mundo, de seus desejos e caprichos. Ela não enxergava um palmo diante de si. Era ela, depois ela e, mais adiante, ela.

— Seu pai já devia estar em casa — desconversou Ivana.

— Você nunca controlou os horários dele. O que a aflige?

— Nada, absolutamente nada.

Por coincidência, naquele exato instante Virgílio adentrou a sala. Estava cabisbaixo. Murmurou um boa-noite, subiu rapidamente as escadas e dobrou o corredor, indo direto para o quarto. Bruno foi até o bar e serviu-se de refresco, enquanto Ivana, bufando, pulava os degraus numa rapidez incrível. Alcançou Virgílio entrando no banheiro. Acendeu novo cigarro. Tragou nervosa e, ao expelir a fumaça, perguntou:

— Onde esteve?

— Trabalhando, como sempre.

---

*Maconha *(Cannabis sativa)* é uma planta herbácea amplamente cultivada em muitas partes do mundo, dotada de propriedades estupefacientes — sensações semelhantes às produzidas pelo ópio. Também é conhecida pelos nomes de cânhamo, marijuana e erva. (N.A.)

— Onde esteve? — Ivana parecia não escutar e insistia na pergunta.

— Já disse...

— Não faça com que eu me sinta estúpida.

Virgílio baixou os olhos e lentamente foi tirando a roupa.

— Preciso de um banho. Dê-me licença.

— Por quê?

— Oras, estou cansado, Ivana. Tive de resolver assunto sério no Rio, viajei ontem à noite e trabalhei o dia inteiro hoje e... — Ele engoliu as palavras.

— E?

— Nada.

Ivana cerrou os punhos e rangeu os dentes. Apagou o cigarro na pia do banheiro, irritada. Precisava atirar alguma coisa contra a parede para aliviar sua tensão. Ela sempre atirava alguma coisa contra a parede quando sentia raiva. Chilique total e absoluto. Era a maneira de aplacar sua ira.

Ela olhou ao redor e encontrou sua vítima: o secador de cabelos. Avançou sobre o objeto, pegou-o sobre a pia e atirou-o com força contra o espelho. Um estrago só.

— Está muito nervosa — rebateu Virgílio, acostumado àqueles ataques da mulher. — Já disse que precisa consultar um especialista, talvez um neurologista.

— Não mude de assunto.

— Amanhã mando consertar o espelho. Depois você compra outro secador. Ainda tem limite no cartão de crédito, não tem?

Ivana uivou:

— Argh! Fico maluca quando você desconversa.

Virgílio nada respondeu. Ela continuou:

— Fiquei aqui sozinha, sem marido e sem cartão de crédito.

— Bloquearam seu cartão de novo?

— Sim. Imagine a saia justa que passei na loja.

— Você precisa medir mais os seus gastos.

Ivana estava cansada e farta de tudo e de todos.

— Não agüento mais esta vida.

— É mesmo? — perguntou Virgílio, tom jocoso.

— Não vejo a hora de ficar livre de você.

— Sinceramente, minha cara, eu penso o mesmo em relação a você. Em todo caso, amanhã cedo pedirei o desbloqueio de seu cartão.

— Você controla tudo, eu não posso mexer no nosso dinheiro.

— Faz parte do acordo.

Ela o encarou com olhos injetados de rancor.

— Tem certeza de que não tem mais nada a me dizer?

— Não, não tenho. Por quê?

Ivana deu uma gargalhada.

— A sua namoradinha pré-histórica apareceu na televisão. Está morando aqui na cidade e ficou viúva. O que acha?

Virgílio engoliu seco. Meteu a cabeça sob a ducha morna para disfarçar.

— Não lhe devo satisfações.

— Ah, não? Você sabe muito bem que não podemos pular a cerca. Isso arruinaria nosso contrato. Só estou lhe avisando, Virgílio: cuidado com quem você anda. Não deixarei que nada nem ninguém atrapalhe nossa vida. E, depois de tanto sacrifício, não acho justo entregar todo o nosso dinheiro de mão beijada aos nossos filhos. Quero minha independência.

Virgílio pendeu a cabeça para os lados, enquanto a água escorria por seu corpo.

— Não entendi o que meu pai nos fez.

— Como, não entendeu? Ficamos ricos.

— Ricos e infelizes. Perdemos a chance de sermos felizes. Mas agora isso não tem mais importância. Agüentei você por quase vinte e quatro anos.

— Você é bom de cálculo.

— Falta pouco mais de um ano para eu me livrar de você. Ambos fomos idiotas e irresponsáveis. Sacrifiquei meu amor e casamo-nos, expandi os negócios da família. Tudo por dinheiro.

— E não foi bom?

— Veja como estamos infelizes.

Virgílio falou e terminou de lavar-se. Fechou o chuveiro e pegou a toalha. Vagarosamente foi enxugando o corpo, o pensamento alheio, distante. Ivana voltou para o quarto, pensativa.

"Tantos anos de sacrifício!", pensou ela. "Espero que ele não vá atrás daquela mulher. Não, por enquanto. Precisamos cumprir nosso trato. Depois ele pode fazer com ela o que bem entender. Mas Virgílio que não queira me enganar. Se eu descobrir que ele a procurou de novo, não respondo por mim."

Capítulo 3

Nair terminou de tomar sua sopa, descansou a tigela sobre a mesinha e recostou-se na poltrona. O caldo quente lhe caíra bem, e agora seu corpo reclamava-lhe do cansaço.

— Sinto que está na hora de partirmos — disse, enquanto bocejava.

— Também creio estar na hora, mamãe — tornou Letícia, corpo alquebrado.

— Ismael vai levá-las — sentenciou Ingrid.

— Não será necessário. Vocês nos acolheram, e não queremos mais dar trabalho.

Ingrid ignorou-a:

— Vou chamá-lo.

Ela saiu à procura do motorista, enquanto Letícia e sua mãe colocavam os sapatos. Mariana e Inácio estavam no jardim de inverno. Passaram boa parte da tarde em agradável conversação.

— Sabe que gosto muito de você, não?

— Sei. Não paro de escutar nossa música.

— Eu também — sorriu ele, emocionado.

— Mas sinto-me insegura.

— Insegura? Como assim?

Mariana hesitou. Baixou a cabeça envergonhada.

— Eu moro na periferia, minha família é humilde. E, agora que perdemos papai, não sei ao certo qual será o rumo de nossas vidas.

— E daí?

— Faço parte de um mundo bem diferente do seu. Você é rico, mora na área nobre da cidade, freqüenta ambientes sofisticados, bem diferentes daqueles por onde transito.

— Não sou bairrista e preconceituoso. Às vezes encontro alguns amigos na Toco, e, pelo que notei, fica perto de sua casa.

— É uma onda, uma moda. Montaram essa danceteria na Vila Matilde, mas isso logo passa.

— Não. As pessoas estão cansadas de freqüentar os mesmos lugares. O lazer não se concentra mais somente nos Jardins e no centro da cidade. Eu vou com freqüência à zona leste. — Ele riu. — Talvez porque meu coração já soubesse que você estava por perto.

— Eu tenho medo.

Inácio balançou a cabeça para os lados.

— Quando duas pessoas estão apaixonadas e percebem que esse sentimento é verdadeiro, nada mais lhes importa.

— Como não?

— Juntos poderemos passar por cima das diferenças sociais.

— Acredita mesmo nisso?

— Eu não me importo com essas coisas; minha mãe, também não. E tenho certeza de que meu pai e minha irmã, lá no Rio de Janeiro, também não se importam.

— Não? — indagou Mariana, surpresa.

— De maneira alguma. Papai não dá a mínima para os valores cultivados pela sociedade. Tem maneira própria de encarar as coisas, e jamais se envolveu em minha vida, porquanto está sempre viajando e cuidando de nosso patrimônio. Mamãe gosta muito de você e já me confessou que ficaria muito feliz se namorássemos.

— Não sei...

— Eu a entendo. Quando meus pais se separaram, fiquei muito triste. Sempre acreditei que um dia viveria uma linda história de amor, igual à deles. Quando recebi a notícia do divórcio, fiquei chocado. Era como se o meu sonho de amor tivesse ido por água abaixo. Jurei não mais me apaixonar ou me envolver afetivamente com uma garota. Embora ainda esteja emocionalmente fragilizado, um pouco confuso, sinto que vale a pena namorar você. Acredite.

— Aprecio sua sinceridade. No entanto, somos muito diferentes, pertencemos a mundos distintos. Isso pode atrapalhar.

— Olhe, Mariana, temos apoio da família e nos gostamos. Qual o problema? Acredita que sua mãe possa interferir?

— De maneira alguma. Isso, não. Mamãe jamais interferiria em minhas decisões. Ela também simpatiza muito com você.

— Então façamos um trato.

— Qual? — perguntou ela, em tom surpreso.

— Deixemos as nossas inseguranças de lado.

— Posso pensar, mas...

— Mas?

Mariana pousou suas mãos nas de Inácio. Mordeu levemente os lábios.

— Tem outro ponto — suspirou ela, por fim.

— O que a aflige?

Mariana sentiu-se embaraçada. Inácio prosseguiu:

— Se nada pode impedir nosso namoro, o que a deixa tão insegura?

— Teresa...

— Que Teresa?

— Teresa Aguilar. Está sempre grudada no seu pé.

Inácio deu uma gargalhada. Mariana fez bico.

— Do que é que está rindo?

— Está com ciúmes?

— Não, bom... é que...

Inácio não a deixou terminar de falar e delicadamente beijou-lhe os lábios. Mariana estremeceu de prazer.

— Sei que você gosta de mim, Inácio. Mas sempre sinto aperto no peito quando o vejo ao lado dessa patricinha de araque.

— Teresa é só uma amiga do Rio. Ela não é apaixonada por mim, nunca rolou nada entre nós.

— Às vezes sinto que ela tenta dar suas investidas.

— Problema dela, porque meu coração já tem dona.

Beijaram-se novamente. Mariana estava apaixonada, queria muito namorar, sonhava até mesmo casar-se com Inácio. Contudo, ao lembrar-se de Teresa, seu peito se fechava, ela sentia um aperto estranho, uma sensação muito desagradável.

Ismael dobrou a esquina e diminuiu a marcha no meio do quarteirão, defronte a um conjunto de sobradinhos geminados, com a mesma cor, e até mesmo com pessoas parecidas. Algumas crianças brincavam na rua. Algumas mães, encostadas em suas portas, ficavam de olho nos filhos.

Em toda vizinhança há aquela vizinha bisbilhoteira, do tipo que adora cuidar da vida alheia, conferir horários de chegada e saída das pessoas, observar atentamente quem bate à porta de quem. No quarteirão onde Nair morava havia duas dessas vizinhas. Salete e Creusa davam palpites na vida de tudo e de todos. Quando interpeladas, juravam que queriam ajudar, ser amigas, solidárias. Qual nada! Elas sentiam um prazer indescritível em vasculhar a vida íntima dos vizinhos.

Elas pareceram adivinhar que Nair chegaria naquele momento. Salete e Creusa estavam debruçadas sobre o portãozinho de ferro da casa desta última, impacientes. Assim que avistaram Ismael estacionar no meio-fio da calçada e Nair saltar do carro, correram em sua direção.

— Querida, sentimos muito — declarou Salete, tentando imprimir pesar na voz.

— Não pudemos ir ao enterro porque o cemitério é muito longe, não tínhamos como pegar condução e — a voz de Creusa soava fria e esganiçada — eu sou sozinha e solteira, não tenho ninguém para me acompanhar. Pensamos que talvez, se ficássemos aqui à sua espera, bem, sabe...

Nair as interrompeu com gentileza:

— Sei, sei, obrigada por tudo. No entanto sinto-me exausta e preciso descansar. Poderíamos nos falar uma outra hora?

— Claro, claro — tornou Salete, tentando esconder a contrariedade.

— Precisa mesmo descansar. Depois de tudo que passou...

Pobrezinha! — emendou Creusa, abraçando Nair de maneira ostensiva e chorando em seu ombro.

— Preparamos um jantar para vocês. Afinal de contas, sabíamos que chegariam arrasadas e, bom, tenho certeza de que você vai ter um ataque daqueles quando entrar em casa. Quando fiquei viúva, custei a adentrar minha casa, sabe...

Nair suspirou e fechou os olhos. Estava tão cansada que parecia não ter mais lágrimas, por ora. Letícia e Mariana desceram do carro e juntaram-se à mãe. Letícia, sempre a mais ousada, tomou a dianteira. Falou, decidida:

— Por favor, senhoras. Estamos muito cansadas e queremos ir para casa. Daqui a uns dois ou três dias passem por aqui, visitem-nos, e serão bem recebidas. No entanto, agora queremos ficar sós.

— Eu fiz janta, oras...

— Dona Salete — Letícia estava séria e sua voz era firme —, por favor, deixe-nos sozinhas, sim? Agradeço sua preocupação, mas já nos alimentamos e queremos descansar, ficar sós. Respeite nossa dor.

Letícia falou enquanto puxava o braço de Nair. Mariana despediu-se de Ismael e, sem graça, despediu-se das vizinhas.

— Até mais.

As duas fizeram bico e balançaram a cabeça para o lado. Salete estava indignada.

— Veja só quanta ingratidão!

— Pois é, Salete. Você passou a tarde toda no fogão cozinhando para elas, e veja como foi tratada. Não acho isso justo.

— Eu também não acho justo. Somos vizinhas há tantos anos, e essa fedelha da Letícia me esnoba desse jeito.

— Essa menina é jovem, inconseqüente. Fiquei sabendo — Creusa baixou a voz — que tem gente drogada morando aqui no quarteirão.

Salete levantou as mãos para o alto, em tom desesperador.

— Era só o que me faltava. Quem lhe contou isso?

— O pessoal da delegacia. Disseram que estão de olho, fazendo ronda aqui na nossa rua.

— Que horror! Você sabe quem é?

— Ainda não descobri. O pessoal não me contou. Eles têm medo de que eu fique preocupada.

Salete anuiu:

— Eles têm razão. Você mora sozinha, é solteira, não tem parentes, não tem ninguém. A equipe do delegado quer que se sinta segura.

— Aonde foi que chegamos, hein? Estou indignada.

— E por acaso você acha...

— Acho, não! Eu tenho certeza. A Letícia sempre teve uns amigos esquisitos. Vai ver, até o pai sabia de alguma coisa e morreu por conta de desgosto — dramatizou.

Salete estava boquiaberta.

— Pode ser verdade. Deus me livre e guarde. Ainda bem que meu filho nunca se meteu com elas.

Creusa continuou a falar, e sua voz saía cada vez mais esganiçada, tamanha euforia em falar mal da vida alheia.

— Seu filho é um tesouro, Salete. Nunca queira compará-lo a essas duas aí. A Nair sempre teve a mão solta na educação das meninas. Otávio bem que sabia botar ordem na casa. Agora quero ver com vai ser. Talvez se tornem duas perdidas, pobrezinhas.

— Confesso estar ainda chocada. Precisamos conversar com o delegado, obter mais informações, manter a vizinhança em estado de alerta. Vamos embora.

— Vamos, sim — anuiu Creusa, acrescentando: — Não ligue, não, Salete. A Letícia sempre foi metida, esnobe mesmo. Quero ver agora, que o pai morreu, como elas vão se virar! Pago para ver toda essa banca delas ir ao chão, num estalar de dedos.

— Bem feito para todas elas. Nair nunca foi de muita conversa, sempre bastante reservada, e agora está sozinha. Vai correr e pedir ajuda para nós, mas também não facilitaremos.

— É isso mesmo. Que elas paguem o preço por serem tão metidas.

As duas foram se afastando, gesticulando, ruminando algumas palavras, e logo a atenção de Salete foi desviada para outro vizinho que elas juravam estar traindo a esposa. Elas cochicharam, desceram a má língua sobre a vida do pobre rapaz e esqueceram Nair e suas filhas, por ora.

Nenhuma delas percebeu uma massa cinzenta que pairava sobre suas cabeças, tamanha a quantidade de pensamentos negativos que emanavam acerca dos outros. Tanto Salete quanto Creusa possuíam comportamento típico de gente que não tem o que fazer e cuja tentativa de olhar para dentro de si é coberta pelo mais absoluto pavor. Esse era o caso delas e muitas outras vizinhas espalhadas pelo mundo afora: preocupar-se com a vida alheia a fim de não ter de encarar a sua própria vida e tomar as atitudes necessárias para mudar, amadurecer e crescer.

Dentro de casa, Nair teve um choque. O ambiente parecia triste, sem vida, um silêncio aterrador. Enquanto Mariana e a mãe se puseram a chorar, Letícia foi abrindo as cortinas, permitindo que um restinho de sol atravessasse a fresta da janela e iluminasse a sala, tornando a casa mais acolhedora.

— Ficamos sozinhas, mas temos de continuar a viver. Uma tragédia dessas pode acontecer com qualquer família. Uns perdem o pai, outros a mãe, outros ainda perdem seus filhos. Faz parte da vida, é algo natural.

— Você vê tudo com muita naturalidade — esbravejou Nair. — Não sente dor? Não está triste?

Letícia aproximou-se da mãe e pegou em sua mão. Enquanto falava, uma lágrima escorreu-lhe pelo canto do olho.

— Claro que sinto dor, é óbvio que estou muito triste. Perdi meu pai, ele morreu. É difícil continuar vivendo e saber que aqueles que amamos não estão mais aqui. Mas, com o tempo, a dor diminui, a saudade aumenta e a gente se acostuma.

— Para você é tudo muito fácil. Acredita em vida depois da morte, em reencarnação.

— Isso me conforta.

— A morte para você tem outro significado — comentou Mariana. — Parece ser menos trágica.

— Você também tem o direito de pensar assim.

— Pois eu — declarou Nair, em tom decidido — digo a você que acho isso tudo fantasioso demais.

— Ora, mãe, por que pensa assim?

Nair deu de ombros. Sentenciou:

— Porque, para mim, depois da morte não existe mais nada. Morremos e pronto: está tudo acabado.

— Você pensa e acredita que a vida seja assim? Para você, a gente nasce, vive e morre?

— Sim. O resto é fantasia.

Letícia meneou a cabeça negativamente para os lados. Levantou-se e, encarando tanto a mãe quanto a irmã, perguntou:

— E o caso de crianças que morrem cedo demais?

As duas deram de ombros. Não sabiam o que responder.

— Se Deus é tão justo e bom quanto se diz, por que Ele permitiria que uma criança vivesse meses ou poucos anos de vida e lhe tirasse a oportunidade de crescer, de estudar, de namorar, de constituir família, de progredir pelos seus próprios esforços...

— Não sei. Nunca parei para pensar nisso — disse Nair.

— Cada um de nós abriga um espírito dentro do corpo físico. Um bebê recém-nascido, por exemplo, abriga um espírito.

— Será? — indagou Nair, pensativa.

— Até mesmo um feto. A partir do momento em que você está gerando um ser, ele já possui alma.

— Isso, não. Um feto é um feto, oras!

— Não, mãe. Um feto é vida. E vida abriga espírito, não importa a forma.

— E um feto pode sentir dor?

— Claro!

Nair levou a mão à boca. De repente, lembrou-se do passado, do acidente. Nunca pensara que um feto pudesse sentir dor. Aquilo a desestabilizou profundamente. Sentiu uma culpa muito grande, lembrou-se do passado, e não conseguiu evitar o choro.

Mariana abraçou a mãe e lançou olhar raivoso à irmã.

— Veja só o que você fez.

— Eu?!

— Sim. Vem com essas bobagens de espíritos, morte, dor, numa hora destas?

— Eu só estava...

Mariana cortou-a:

— Letícia, pare com esse papo. Não toque mais nesse assunto aqui dentro de casa. Eu e mamãe não gostamos de falar sobre espíritos.

Mariana ajudou Nair a levantar-se e subiram os degraus vagarosamente em direção aos quartos.

— Vamos, mãe. Está na hora de se trocar e descansar. Não deixarei ninguém perturbá-la — falou e voltou a cabeça para trás, fuzilando a irmã com o olhar.

Letícia deu de ombros. Mais cedo ou mais tarde elas teriam de lidar com o assunto. Ela sabia que um dia Nair e Mariana seriam obrigadas a despir-se do orgulho e de seus preconceitos para encarar as verdades da vida.

Capítulo 4

Virgílio apanhou a pasta e caminhou em direção à garagem. Ivana colocou-se à sua frente.

— Acordou com as galinhas? Ultimamente não estava saindo tão cedo assim. Algum problema com as nossas farmácias?

— Não, absolutamente nenhum. Muito trabalho, como de costume. Viajo quinta à noite e vou esticar o fim de semana.

— Vai para onde?

— Não interessa. Já faz anos que cada um de nós cuida da própria vida.

Ivana mordeu o lábio.

— Não estou gostando nada disso. Se você for atrás daquela fulana...

Virgílio riu:

— Fulana? Nem fulana nem sicrana. Você sabe, tanto quanto eu, que somos impedidos de ter amantes. Faz parte do nosso castigo. Às vezes penso por que meu pai seria tão ardiloso a ponto de fazer com que nós dois, que nunca tivemos nada em comum, ficássemos juntos por vinte e cinco anos, sem direito ao menos a puladas de cerca. Ainda é difícil entender uma atitude insana como essa.

— Atitude insana é aturá-lo por todos esses anos. Estou farta de você, de seu azedume, de sua palidez.

— Pois então aproveite minha escapada de fim de semana e remodele os quartos. Transforme o quarto de hóspedes no meu quarto e fique sozinha. O nosso quarto pode ser só seu. O que acha?

— Patético, isso sim.

— Nada patético. Temos dois quartos de hóspedes. Deixar só um para visitas já está bom demais. Eu fico com o quarto no canto do corredor e ficamos mais afastados um do outro.

— Preciso de dinheiro para fazer as mudanças.

— Dinheiro não é problema, Ivana. Gaste o que achar necessário. Aliás, por conta de nosso casamento, seu patrimônio só aumentou e talvez nesta vida você nunca saberá o que é viver apertado.

— Ainda bem. Não nasci para ser pobre.

Virgílio nada disse. Baixou a cabeça e entrou no carro.

— E não se esqueça de desbloquear meu cartão, ou pagar a fatura, ou mesmo aumentar o meu limite. Não quero mais passar constrangimentos em lojas ou restaurantes.

Virgílio assentiu com a cabeça. Entrou no carro, deu partida e se foi. Ivana ficou pensativa por instantes. Resolveu:

— Ligarei para minha amiga Otília.

E assim o fez. Correu até a sala e discou o número. Ivana e Otília eram amigas de longa data. Otília não era fútil como Ivana e também não era de chiliques. Tampouco vivia em eterno estado de tensão pré-menstrual, como Ivana. Otília queria mais era viver a vida, aproveitando o que ela podia dar-lhe de melhor. Fazia bom uso de seu dinheiro. Ela adorava participar de leilões de arte, por exemplo. Comprava quadros de artistas famosos e também apostava em jovens pintores. Otília já havia lançado dois rapazes no mundo das artes, e no momento ambos estavam excursionando pela Europa, expondo e vendendo seus trabalhos.

Otília estava sempre de olho em novos talentos. Viajava bastante, sabia efetivamente curtir a vida. Filha de rico industrial, casara-se com outro rico empresário e tinha dinheiro suficiente para manter uma família por mais de três gerações seguidas. Não tivera filhos porque descobriu que o marido era estéril. Adamastor também não queria adotar uma criança. Se Deus o havia feito estéril, então a vida do casal deveria ser diferente — ele assim pensava.

Otília Amorim acatou, frustrada, a decisão do marido. Com os anos, descobriu que poderia usar seu instinto materno reprimido na busca, orientação e promoção de jovens artistas. Ela descobrira nova vocação e podia extravasar suas qualidades maternais. E também era conhecida da sociedade pelos saraus que promovia, ora em seu casarão próximo ao Parque do Ibirapuera, ora em seu suntuoso chalé localizado em Campos do Jordão.

Otília atendeu o telefone ofegante.

— O que foi? — indagou Ivana. E brincou: — Peguei-a num momento impróprio?

— Longe disso, amiga. Adamastor saiu para trabalhar faz uma hora. Acabei de chegar do parque. Fui fazer minha caminhada diária.

— Você e essa mania de andar, correr, nadar.

— Precisamos exercitar o corpo, minha amiga. Ainda mais na idade em que estamos.

— Deus me livre! Prefiro pagar bons profissionais. A plástica supre tudo isso.

— Até certo ponto. O organismo precisa ser estimulado, precisa de exercícios.

— O meu, não.

— Caso mude de idéia, venha dia desses caminhar comigo.

— Agradeço o convite, mas prefiro meu cigarro e minha vodca.

— Não sei como consegue se entupir com tanta besteira, Ivana.

— Sou forte.

— Pois bem. O convite está feito, pela milésima vez. Quando quiser, me avise um dia antes.

— Está certo. Vou pensar no caso.

— Afinal, de que adianta ter dinheiro e não poder usufruir dele?

— Do que está falando, Otília?

— De ficar doente, ter algum problema grave de saúde e ficar imobilizada numa cama, sem poder usar nosso dinheiro.

— Que horror!

— Isso, sim, é que é castigo. Por isso prefiro me exercitar, fazer boa alimentação, abusar só de vez em quando.

— Vire essa boca para lá!

Otília riu.

— Você ligou por quê?

— Porque é minha única amiga.

Ivana tinha razão. Otília era sua única e verdadeira amiga. Não havia pessoa no mundo que agüentasse os chiliques de Ivana. Mas Otília os agüentava. Gostava de Ivana, não importando se a amiga era descontrolada ou não. Isso era problema dela. O que importava era o sentimento. E Ivana, por seu lado, sabia reconhecer isso. Sentia que podia se abrir com Otília, falar de suas intimidades, a seu modo, sem ser censurada.

Ivana acendeu um cigarro e pigarreou:

— Quer ir comigo ao *shopping*?

— Você só pensa em comprar, comprar e comprar.

— E para que mais serve o dinheiro, Otília?

— Para viajar, viver melhor, incentivar gente jovem e de talento.

— Eu nunca gastaria meu dinheiro com gente que não conheço. Isso é o cúmulo.

— Eu gosto de você, Ivana. Embora estouvada, é autêntica, não faz gênero.

Ivana sorriu do outro lado da linha. Ela admitia ter um gênio de cão e era sincera, embora curta e grossa.

— Preciso de umas idéias para mudar e reformar o quarto de hóspedes.

— Quer ver móveis? Comigo?

— Ah, Otília, você tem bom gosto indiscutível. Tenho certeza de que vai me ajudar.

— Está bem. Quer que meu motorista a apanhe que horas?

— Às onze está bom para você?

— Está ótimo. Depois almoçamos naquele restaurante do qual lhe falei semana passada.

Ivana protestou:

— Argh! Naquele restaurante só servem comida sem gordura, sem sal, sem gosto. Eu prefiro uma churrascaria.

— Nem por decreto eu piso numa churrascaria! — disse Otília, rindo. — Façamos o seguinte: eu a acompanho nas lojas e você vai almoçar comigo, naquele restaurante.

— Está perfeito — respondeu Ivana, meio a contragosto.

— Aguardo você às onze.

Ivana pousou o fone no gancho feliz da vida. Gastar, fazer compras em geral, atenuava sua irritação. Ela não precisava de ginástica e exercícios para aliviar suas tensões cotidianas. Bastava-lhe um bom cartão de crédito na mão, sem limite de gastos. Mais nada.

Na verdade, ela estava farta daquele casamento. Anos atrás havia aceitado casar-se com Virgílio por capricho e por vontade das famílias dos dois para preservar e aumentar o patrimônio. O pai de Ivana herdara uma pequena farmácia localizada num excelente ponto no centro da cidade. Endividado e sem tino para os negócios, Everaldo quase perdeu o estabelecimento. Ivana, esperta e só pensando em cifrões, procurou Homero, o pai de Virgílio, e fez-lhe uma proposta irrecusável. Virgílio era homem feito e apaixonado por Nair. Mas Nair sumira de sua vida de uma hora para outra, sem motivo, sem explicação. Desiludido e infeliz, ele aceitou casar-se com Ivana.

A consciência de Ivana às vezes tentava chamá-la à realidade e fazê-la pensar nos desatinos que cometera. Virgílio e Nair estavam apaixonados e felizes. Pensavam em se casar, e ela destruiu o sonho de ambos. Com os olhos voltados tão-somente para seu próprio umbigo, louca para viver num mundo que sempre sonhara — o dos ricos —, Ivana deixava os pensamentos acusadores de lado e seguia em frente, sem remorso.

Ela arrumou-se com esmero para encontrar-se com Otília logo mais. Bom, arrumar-se com esmero, para Ivana, era usar roupas espalhafatosas, combinações de gosto duvidoso, perfume forte e adocicado, além de ter o corpo coberto de jóias, da cabeça aos pés. Assim que desceu as escadas e dobrou o corredor, deu de cara com a filha.

— Em casa a esta hora? Estou de saída. Pode ligar o som e escutar aquelas músicas esquisitas.

Nicole não respondeu. Fez um gesto vago com as mãos e subiu um lance de escada.

— Ei, senhorita, estou falando com você!

Ivana alcançou-a e puxou-lhe braço. Nicole olhou para o braço e em seguida encarou a mãe com rancor.

— Por que quer saber de minha vida se nunca deu a mínima para mim?

— Força de hábito.

— Estou cansada. Quero dormir — disse a jovem, com voz pastosa.

— Você está drogada, isso sim.

Nicole permaneceu parada. Não conseguia concatenar os pensamentos com lucidez. As drogas começavam a afetar seu sistema nervoso. Ivana mal se importou com o estado da filha:

— Afinal de contas, você mora nesta casa e é sustentada por mim e seu pai. Aqui não é pensão. Quando quero que me dê satisfações, você tem de responder.

— Você é completamente louca.

— Ah, sou louca? A partir de agora vou cortar sua mesada.

— Isso não! Você não tem esse direito.

Ivana gargalhou:

— Não só tenho, como vou fazê-lo.

— Se fizer isso, vou infernizá-la até não mais agüentar. Vou ficar o tempo todo em casa e trazer meus amigos para passar a tarde comigo. Vou botar música no último volume quando você tiver enxaqueca.

— Você agora foi longe demais — suspirou Ivana, vencida. — Não suportaria conviver com você, esse bando de desajustados e sua música de péssimo gosto. Minha enxaqueca não merece isso. Continuarei lhe dando a mesada.

— Não me amole.

Nicole falou, empurrou o braço da mãe e subiu. Ivana ia responder, mas ouviu a buzina familiar do carro de Otília. Ela deu de ombros, apanhou a bolsa e saiu.

Bruno terminou de se arrumar e, ao sair de seu quarto, deu um esbarrão em Nicole.

— Que bom vê-la — disse ele, abraçando-a com ternura.

Nicole tentou falar, mas sua garganta estava seca, mal conseguia articular som. Seu aspecto era terrível e havia vômito sobre sua blusa. Bruno sentiu o cheiro característico e preocupou-se.

— Você não está bem.

— Passei mal, vomitei. Estávamos numa festa, gente da alta sociedade, eu exagerei e quando percebi estava no hospital.

— Hospital?

— Tive de tomar uma injeção de glicose na veia. Foi então que vomitei. Mas melhorei, recebi alta e estou aqui.

Nicole falava com uma naturalidade espantosa. Bruno pendeu a cabeça para os lados.

— O que foi que tomou?

Nicole balançou a cabeça.

— Vamos, minha irmã, não tenha medo de me dizer. Confie em mim. O que foi que você tomou?

Nicole estava agitada, voz pastosa, porém havia um pingo de lucidez que a deixava envergonhada, principalmente na frente do irmão.

— Eu misturei bebidas, depois eu cheirei pó.

— Você precisa se tratar.

— Fui a essa festa com Artur ontem, bebi, então alguém nos ofereceu cocaína de graça, e...

Ela não terminou de falar. Baixou a cabeça, envergonhada. Tinha muito carinho e consideração pelo irmão. Bruno era seu porto seguro, fazia o papel de pai e mãe. Ela não se importava de lhe dar satisfações.

— Você saiu com o Artur de novo? Não se lembra de nossa conversa na semana passada?

— Sim, mas...

Bruno foi seco:

— Enrico foi preso semana passada no aeroporto. Trazia quilos de maconha na bagagem. E sabemos que parte dessa droga iria para as mãos de Artur. Esse rapaz não presta de maneira nenhuma.

— E daí? O Enrico saía com a gente de vez em quando. Mas nada foi provado contra o Artur.

— Esses seus amigos só pensam em festas, noitadas, baladas, drogas..

— Isso é que é viver, meu irmão.

— Não! — protestou ele. — De maneira alguma. Isso pode destruir a vida de todos vocês.

— Minha vida está um caos total.

— Você é tão bonita, tão jovem, podia fazer tantas outras coisas...

— Me dê um exemplo.

— Estudar, é um bom exemplo.

— Estou na faculdade.

— Não, isso não. Você está na faculdade por *hobby*. Não estuda, não leva nada a sério. Só se importa em promover festas com seus amiguinhos endinheirados.

— Não tenho vontade de nada.

— De nada?

— Nada. Não tenho interesse em uma profissão, em nada. A vida para mim se resume ao namoro com Artur, baladas e... — Nicole parou.

— Baladas e drogas?

Ela não respondeu.

— Quer se destruir?

— Qual o problema? Se eu morrer hoje, ninguém vai dar falta. Talvez uma pequena matéria no noticiário, porque sou filha do rei das farmácias. Na semana seguinte, serão outros que vão ocupar meu lugar e fim de papo.

— Não diga isso nem por brincadeira. Eu a amo.

A jovem deixou escapar uma lágrima.

— Eu sei. Se não fosse seu amor, eu estaria morta.

— Promete que vai se afastar do Artur?

— Eu gosto muito dele.

— Nicole, por favor.

Ela desconversou:

— Vou descansar. A parada no hospital foi cansativa, e

também preciso tirar esta roupa. Não suporto mais este cheiro. A gente se fala mais tarde.

Ela deu um beijo estalado no rosto de Bruno, entrou no quarto, despiu-se e deslizou sob os lençóis. Custou a pegar no sono, e, quando este veio, foi assaltada por pesadelos.

Bruno meneou a cabeça para os lados. A situação da irmã piorava a cada dia. Ele acreditou que as sessões de terapia estivessem surtindo efeito, mas Nicole continuava amuada, triste, abatida e cada vez mais afundada nas drogas. Bruno não sabia o que fazer. Iria conversar com o pai logo mais. Virgílio poderia ajudar.

Bruno e Nicole foram criados à deriva, rodeados de pessoas estranhas desde o nascimento. Ivana nunca quis saber de cuidar dos filhos e não media esforços e dinheiro para contratar boas babás e empregadas para as crianças.

Nicole sempre se ressentira desde cedo e sentia muito a falta dos pais por perto. Ivana nunca participara de uma festinha na escola, de uma apresentação de teatro, nunca fora a nenhuma formatura da filha. O pai estava sempre viajando e tinha suas desculpas. Mas a mãe dividia o tempo entre casa, salão de beleza e *shopping*, mais nada. Tudo isso magoava Nicole profundamente, e assim ela foi se tornando tímida, retraída e isolada em seu mundo.

Quando as festinhas adolescentes surgiram, Ivana não tinha tempo para levar ou buscar a filha. Isso ficava por conta dos motoristas. Ivana mal sabia quem eram os amigos de Nicole, nunca se importara com isso.

Na festa de uma coleguinha, aos onze anos de idade, Nicole teve contato com o cigarro. Aos doze, numa outra festinha, conheceu uísque e destilados em geral. Aos treze ela teve contato com seu primeiro cigarro de maconha e aos catorze já consumia tudo isso e mais um pouco. Ela descobriu que a droga entorpecia seus sentidos e lhe permitia entrar em contato com outro mundo, uma realidade imaginária mas bem melhor do que aquela com que ela deparava todos os dias.

Por uma questão de essência, Bruno cresceu feliz, temperamento sereno, sorriso sempre cordato. Tornou-se homem bonito, constantemente assediado pelas garotas de seu meio social. Entretanto, ele não ligava para namoro. Achava perda de tempo namorar alguém que não tocasse seu coração.

Bruno estudou Economia por obrigação. Virgílio queria preparar o filho para assumir a rede de farmácias, porém o jovem sempre fora avesso aos negócios do pai, ou à maneira como Virgílio os conduzia, sempre pensando em lucro e mais nada.

Durante a faculdade, surgiu a idéia de montar um tipo de farmácia que vendesse produtos mais baratos, mais em conta para a população carente. Por meio de bons acordos com os fornecedores, ele poderia reduzir a margem de lucro e baratear os medicamentos. Virgílio era contra essa idéia, porquanto isso diminuía em muito o lucro de suas farmácias. Descontente com a falta de apoio do pai, Bruno associou-se a um amigo da faculdade e foi atrás de seu sonho.

O jovem sempre gostara de ajudar as pessoas, principalmente as carentes, de baixa renda. Por isso estava sempre metido em ações voluntárias de ajuda a necessitados, fossem de favelas, comunidades pobres ou bairros bem distantes, que não possuíam adequada infra-estrutura nos quesitos saúde, educação e transporte.

O rapaz, havia dois anos, passou a ter sonhos repetidos. Sem saber ao certo o que ocorria, embora sempre ligado na intuição, Bruno acordou certo dia com a clara intenção do que tinha — e queria — fazer. Com o dinheiro acumulado de mesada que ele regiamente depositava na poupança, ele e mais Daniel, seu amigo de turma, montaram pequena farmácia num bairro bem distante, bem pobre e carente de infra-estrutura básica. O galpão onde instalara a farmácia tinha, nos fundos, um pequeno salão sem uso, utilizado como depósito.

Já fazia quase um ano que Bruno estava metido no negócio — sem a ajuda do pai, cabe ressaltar —, quando um pequeno grupo de jovens graduados em Serviço Social interessou-se pelo salão e quis formar um núcleo de ajuda e amparo aos necessitados. A líder da turma era Michele, irmã de Daniel, assistente social de vinte e dois anos, negra de corpo escultural, olhos castanhos, lábios carnudos, cabelos pretos, longos e tratados à base de Hene Maru — conhecido creme alisante para cabelos. Bruno tinha uma queda por ela, mas não queria misturar o trabalho com sentimento e tinha respeito por Daniel, que cuidava de Michele como um pai, visto que ambos haviam perdido os pais fazia alguns anos e criaram-se sozinhos.

A prefeitura passou a colaborar financeiramente, e logo muita gente passou a exigir que o pequeno salão nos fundos da farmácia, antes funcionando duas vezes na semana, fosse aberto todos os dias, de segunda a sexta-feira.

Isso era uma novidade e tanto no bairro. Muitos moradores passaram a freqüentar o local e a comprar mais na farmácia. A procura por atendimento e orientação cresceu sobremaneira.

Logo Michele sentiu a necessidade de ampliar o local e prestar auxílio aos jovens da região que queriam livrar-se das drogas. Bruno atirou-se de cabeça no projeto — afinal, vivia esse problema dentro de casa — e, mesmo com dificuldades financeiras, não se deixou cair no descontentamento.

Ele queria conversar com Nicole e ver se ela aceitaria participar de alguma reunião, mas nas poucas tentativas percebera que a irmã se esquivava, e ele jamais iria forçar Nicole a alguma coisa.

Bruno sentia que precisava ajudar a irmã. Do mesmo jeito que sonhara com a farmácia, agora sonhava repetidas vezes com um rapaz que ele nunca vira, mas que encarecidamente lhe pedia para ficar mais próximo da irmã. Bruno pensou em conversar com Michele a respeito dos sonhos repetidos. Além de assistente social, ela era médium; talvez pudesse lhe dar alguma explicação. Contudo, sempre que ele se aproximava da morena, ficava nervoso, não conseguia articular direito as palavras.

Bruno pegou a marginal do Tietê e depois de uns bons quilômetros dobrou numa larga avenida. Continuou por um bom tempo até que a avenida foi diminuindo de tamanho, as calçadas foram sumindo, o asfalto também. Logo seu carro deslizava sobre uma rua de terra batida, e, mais alguns minutos, ele encostou o carro defronte à farmácia.

Ele saltou do carro e foi ao encontro de Daniel, que, mal o viu, perguntou:

— Que cara é essa, rapaz?

— Estou preocupado com Nicole.

— Ela continua...

— Sim, continua metida em noitadas e drogas. E hoje descobri que ela não está só fazendo uso da maconha. Agora está envolvida com cocaína*.

— Tem certeza?

— E como. Ela mesma disse. Se você visse o estado deplorável em que ela se encontrava agora há pouco. Cheia de olheiras, a pele seca e enrugada, às vezes eufórica e excitada. Hoje chegou mais cansada porque terminou a noite num hospital. Foi a cocaína.

Daniel preocupou-se.

— Além de viciar o indivíduo, outro problema em relação à cocaína é a adulteração pela qual o produto puro passa. Por ser comercializada por peso, diversas substâncias são acrescidas ao produto inicial e, não raro, a cocaína chega ao consumidor final com apenas trinta por cento de pureza. Vários produtos são misturados, como soda cáustica, solução de bateria de carro, água sanitária, cimento, pó de vidro, talco... Vai saber o que tinha no pó que sua irmã cheirou...

— Tenho muito medo de que algo pior possa lhe acontecer.

— Conversou com Nicole para saber se ela quer participar de um de nossos encontros?

— Já pensei no assunto, mas tenho medo.

— Medo de quê? — indagou Daniel, confuso.

— Medo de que ela não queira mais me confiar seus segredos e se perca de vez no mundo do vício. Sabe que Nicole só conta comigo. Meus pais não estão a par do problema.

— Certa vez você me contou que um motorista da família encontrou um pacote de maconha no carro e desconfiou ser de Nicole. Isso já era motivo suficiente para ficarem alertas. Não tomaram nenhuma providência?

— Meus pais fecharam os olhos. Mamãe achou natural, disse que era coisa de adolescente. Papai ficou preocupado no início, mas depois voltou a afundar-se nos seus afazeres e esqueceu. Pagaram terapia para Nicole e acreditaram que tudo se resolveria com algumas sessões de análise.

---

*A cocaína é um alcalóide tropano. É extraída das folhas do arbusto da coca *(Erythroxylon coca)*. Depois de refinada, a cocaína fica com o aspecto de um pó branco e cristalino. (N.A.)

— Muitos pais preferem fechar os olhos para o problema e, quando o vício se agrava, eles ficam perdidos.

Daniel conversou com Bruno até que o sentiu mais calmo e despreocupado. Aproveitou e perguntou à queima-roupa:

— Algo mais o aflige. O que é?

— Tenho sonhado de novo.

— Você tem a mente aberta e está sempre à procura da verdade. Lembra-se dos sonhos com a farmácia?

— Hum, hum.

— Está tendo sonhos repetidos?

— Iguais aos da farmácia. Um rapaz aparece e me diz que preciso ajudar Nicole.

— Você o conhece?

— Não. Nunca o vi antes.

Daniel esboçou leve sorriso. Puxou o amigo pelo braço e foram até a pequena sala contígua à farmácia, onde aplicavam injeções. Os atendimentos ainda não haviam começado, e os dois rapazes puderam conversar à vontade. Daniel fez Bruno sentar-se numa cadeira e sentou-se em outra postada à sua frente.

— Você é simpático ao Espiritismo, certo?

— Certo.

— Pois bem, o Espiritismo trouxe a primeira teoria realmente científica em relação ao sonho. E, também, a mais completa, porquanto afirma ser o sonho desde uma manifestação puramente cerebral até o desprendimento do espírito e suas atividades fora do corpo físico.

— Você acha que, no meu caso, seria um encontro fora do corpo físico, além da matéria?

— Creio que sim. Terminei de ler um livro de Léon Denis chamado *No Invisível*. Nesse livro, Léon divide os sonhos em três categorias. Na primeira encontra-se o sonho ordinário, puramente cerebral, simples repercussão de nossas disposições físicas ou de nossas preocupações do cotidiano. A segunda categoria equivale ao primeiro grau de desprendimento do espírito, quando este flutua na atmosfera, sem se afastar muito do corpo; mergulha, por assim dizer, no oceano de pensamentos e imagens que de todos os lados rolam pelo espaço. Por último, os sonhos profundos, ou sonhos etéreos. O espírito desprende-se do corpo físico, percorre a superfície da Terra e a imensidade, visita parentes e amigos encarnados ou desencarnados, vai até as colônias espirituais, etc.

— Então tive um sonho profundo ou etéreo? — perguntou Bruno, aturdido. — Mas eu mal conheço aquele rapaz!

— Pode ser um amigo espiritual preocupado com o envolvimento de Nicole com as drogas. Sabe que nossos amigos no astral têm uma visão mais ampla acerca dos acontecimentos que nos rodeiam. Talvez queira alertá-lo a fim de poder ajudar sua irmã.

— Ela anda muito perturbada. E, desde que começou a namorar o Artur, tudo piorou.

— Artur tem forte ascendência sobre Nicole. Mas sua irmã pode escolher mudar e melhorar. Ela tem livre-arbítrio.

— Li algo a respeito no *Livro dos Espíritos*, que você me deu de presente.

— Caso queira se aprofundar mais no estudo dos sonhos, leia o capítulo 8 do livro.

— Por quê?

— Esse capítulo, intitulado *Emancipação da Alma*, trata com propriedade o sono e os sonhos. Dê uma olhada nas questões 400 até 412, pelo menos. Vale a pena.

— Vou seguir seu conselho. Farei tudo que estiver ao meu alcance para ajudar Nicole.

Continuaram entabulando conversação até que em determinado momento os olhos de Bruno brilharam emocionados. Daniel o conhecia muito bem.

— Há a possibilidade de conversar mais a fundo com Michele. Ela é médium e entende mais de espiritualidade que eu. Sou mero estudioso do assunto.

— Ela já chegou? — indagou Bruno, ansioso.

— Está lá no fundo, preparando as fichas para atender aqueles que necessitam de orientação. Uma assistente social nata.

Bruno deu uma piscadela para o amigo. Seu coração bateu descompassado. Nunca sentira aquilo por mulher que fosse, e agora estava literalmente de quatro por aquela garota.

— Ah, Michele... — suspirou e, em seguida, ele rodou nos calcanhares e estugou o passo até os fundos do salão.

Capítulo 5

Fazia pouco mais de seis meses que Otávio havia morrido. Nesse tempo, suas filhas tentaram dar novo rumo às suas vidas. Menos Nair. Ela continuava prostrada na cama. Passava praticamente o dia todo deitada, dormindo, amuada, sem vontade de fazer absolutamente nada. Nesse quadro depressivo, algo lhe fizera bem: a perda de peso. Triste e sem apetite, Nair emagrecera bastante e voltara a ter cintura e quadris definidos.

Em compensação, os cabelos, o rosto, a pele, tudo parecia ter envelhecido anos em questão de poucos meses. A falta de cuidados deixou-a mais velha, com aspecto doentio, até. Nem à televisão ela queria saber mais de assistir. Prostração total. Faltava-lhe estímulo para continuar a viver.

Letícia e Mariana passaram a administrar a casa e, com pequeno empréstimo de Inácio, fizeram mercado, pagaram as contas atrasadas, acertaram as dívidas do funeral. Com o dinheiro emprestado, Mariana pôde continuar na faculdade de Enfermagem e concluir os estudos, finalizar o estágio. Afinal, o ano chegava ao fim, ela estaria formada e teria chance de uma boa colocação profissional, talvez até fosse efetivada na clínica onde estagiava.

Letícia havia interrompido o cursinho preparatório para o vestibular. Pensaria em faculdade em outro momento de sua vida.

Queria ajudar no pagamento das despesas e precisava de um trabalho. Comprou jornais, procurou nas agências de emprego.

A situação do País continuava caótica. A população ainda se encontrava abalada pelo confisco do dinheiro que o governo havia feito. O Brasil parecia estar engessado, nenhuma empresa contratava, muito pelo contrário: demitiam-se funcionários em larga escala.

De espírito batalhador, a jovem e ousada Letícia não desanimou e continuou à cata de um emprego. Se por um lado ela não tinha nenhuma experiência profissional, por outro ela tinha simpatia e presença. Bonita, estatura mediana, corpo bem-feito, cabelos negros e volumosos e olhos acinzentados, vivos e brilhantes, para Letícia não seria problema arrumar emprego de recepcionista ou vendedora, profissões para as quais uma boa aparência contava bastante.

Ela tentou, tentou, perseverou, até que apareceu uma vaga de vendedora numa loja de roupas femininas num dos tantos *shopping centers* da cidade. O salário era comissionado, mas valia a pena. Letícia acreditava em seu carisma, em seu potencial, e tinha certeza de que iria vencer e vender bastante.

Ela chegou em casa radiante. Mariana ainda não havia regressado da faculdade. A garota correu as escadas aos saltos e irrompeu no quarto de Nair.

— Mãe!

Nair levantou-se assustada. Acendeu o abajur de cabeceira.

— O que foi? Aconteceu alguma coisa?

— Consegui um emprego! — tornou Letícia, radiante.

— Parabéns — comentou a mãe, sem um pingo de animação na voz, e voltou a deitar-se.

— O que foi?

— Nada, nada. Estou cansada.

— Cansada de quê?

Nair não queria argumentar.

— Estou cansada de tudo. De que adiantou me sacrificar tanto? Seu pai morreu e agora eu não tenho mais motivo para viver.

Letícia botou a mão nas ancas. Fazendo pose, considerou:

— Ei, que história é essa? Muito drama para o meu gosto.

— Drama, drama... Não foi você quem perdeu o companheiro de uma vida inteira.

— Grande coisa! Se ao menos houvesse amor de verdade entre vocês dois, eu até lhe daria um pouco de razão.

— Não fale do que não sabe! — disse Nair chorosa, puxando as cobertas até as orelhas e encolhendo-se na cama.

— De nada vai adiantar ficar largada nessa cama. Se quiser morrer, é melhor se internar num hospital e esperar pela morte. Será atendida por profissionais experientes. Eu e Mariana não temos tempo para tanta lengalenga. Aqui em casa não quero nada disso.

— Na minha casa...

Letícia interrompeu a mãe:

— Na *nossa* casa, você quer dizer. Mariana está dando duro nos estudos e fazendo estágio a fim de conseguir seu diploma e boa colocação profissional. Eu saí à cata de emprego e consegui um. E você precisa fazer alguma coisa para melhorar, pelo amor de Deus.

— Não quero nada.

Letícia meneou a cabeça para os lados. Estava ficando difícil tirar a mãe daquele estado depressivo. A jovem sabia que mais cedo ou mais tarde Nair voltaria a si, era só uma questão de tempo e paciência. Mas sua paciência com a mãe estava chegando ao limite. Decidida a tomar um banho, ajeitou os cabelos e prendeu-os em coque atrás da nuca com uma fivela. Nesse instante, Mariana, com sorriso aberto, adentrou o quarto da mãe.

— Que cara boa é essa? — indagou Letícia, surpresa.

— Tive uma reunião com o reitor da universidade. Eles me deram bolsa integral. Terei condições de me formar este ano. Não dependerei do Inácio. Não é uma maravilha? Um acontecimento que merece comemoração!

Letícia exultou de felicidade e abraçou a irmã com carinho.

— Fico muito feliz que possa terminar sua faculdade sem depender de ninguém. O mundo ficaria triste se não pudesse contar com uma enfermeira do seu porte.

— Tenho me dedicado bastante, estou prestes a terminar o estágio. E, se tudo correr bem, o Dr. Sidnei disse que me garante uma vaga. Creio que a enfermeira-chefe da clínica vai se aposentar em breve e uma das enfermeiras vai ser promovida. Tudo indica que serei efetivada. Estou feliz com os acontecimentos.

— O Dr. Sidnei é bom homem. Sabe dar valor e reconhecer à distância um bom profissional.

Nair, ainda deitada, interveio, triste:

— Quem sabe eu vá parar nessa clínica?

— Que é isso, mãe? — retrucou Mariana, estupefata. — A clínica é geriátrica e para pessoas bem doentes. Você mal chegou aos quarenta.

— E o que posso esperar mais da vida? Doença e morte.

— Hoje ela está no auge do drama — ajuntou Letícia. — Não a leve tão a sério.

— Que pensamento mais impróprio, mamãe — volveu Mariana. — Não pense assim. Por que anda tão triste? Não acha que está na hora de dar uma trégua à dor e começar devagarinho a viver melhor?

— Não tenho vontade de nada. Não quero mais viver.

— Se ela continuar insistindo nisso, vai mesmo morrer — tornou Letícia.

— Não fale assim com a nossa mãe! — censurou Mariana.

— É verdade! Sabe que há estudos científicos atestando que a força do pensamento é capaz de produzir maravilhas ou mesmo arruinar com a vida de um ser humano?

— Não creio que sejamos tão fortes assim.

— Como não, Mariana? Perdemos nosso pai, ficamos sozinhas e sem dinheiro. Ambas acreditamos que iríamos superar nossa dor e dar a volta por cima, fortes e unidas. E aqui estamos. Eu consegui emprego e você ganhou bolsa integral, não precisa se preocupar em pagar a faculdade e pode concluir seus estudos. Isso não mostra o quanto somos fortes e estamos encarando firmes o revés em que a vida nos meteu? E também não mostra que por conta de nossas atitudes positivas estamos sendo agraciadas pela vida?

— É — concordou Mariana —, olhando por esse ângulo...

— Esse é o único ângulo, não há outro. Se olharmos para o lado ruim, seremos tomadas pelo desespero, medo, e nada faremos. Ficaremos assim, paralisadas, sem ação... como a mamãe.

— De novo me atacando, Letícia?

— E o que quer que eu faça? Você fica largada nessa cama o dia todo. Vai saber Deus quais os pensamentos que povoam essa mente. Sabe que cabeça desocupada só atrai besteira. Não acredito que esteja tendo bons pensamentos, caso contrário estaria ativa, fazendo os deveres de casa, zelando pelo bom funcionamento do nosso lar, ou mesmo procurando uma atividade que lhe rendesse algum dinheiro.

— Não sei o que poderia fazer para ganhar dinheiro. Não tenho profissão, a não ser a de dona de casa. Isso não dá dinheiro.

Mariana teve uma idéia.

— Por que não costura para fora?

— Costurar para fora?

Letícia exultou.

— Isso mesmo, mãe. Você sempre foi boa de costura. Fez curso de modista na juventude.

— Isso faz anos. Tive pouca prática.

— Não importa. É só começar a costurar, botar a cabeça para trabalhar, que logo tudo que aprendeu vem à tona. O conhecimento não morre jamais.

— Vou ganhar uma ninharia, isso sim. De que vai adiantar?

— Pelo menos não teremos de encarar essa cara feia todos os dias — replicou Letícia.

— Fala comigo como se eu fosse uma desocupada. Não tem pena de mim?

— Não. Tenho compaixão, entendo sua dor e sei que está passando por um momento muito triste e difícil de sua vida. Entretanto, de nada vai adiantar ficar aí parada sem fazer nada. Ou a senhora muda ou...

— Ou? — perguntou Nair, espantada.

— Ou então pedirei pessoalmente ao Dr. Sidnei que lhe arrume uma vaga na clínica. Vai ser bom você passar um tempo com pessoas realmente doentes, cujo corpo físico se encontra deteriorado a ponto de tirar-lhes a perspectiva de mudar de vida. Também sou dona desta casa e tenho o direito de exigir não ver cara feia aqui dentro.

— Sua irmã é cruel — resmungou Nair chorosa, levantando-se da cama e abraçando Mariana.

— Ela está nervosa, mãe. Letícia acalentava ir para a faculdade ano que vem e teve de interromper os estudos. Todas nós fomos atingidas pela perda de papai. E, neste caso, concordo com ela: creio que de nada vai adiantar você ficar caída na cama dia após dia. Sua atitude não vai trazê-lo de volta. Nossa vida não é mais a mesma, e temos de lidar com a realidade.

— Não sei o que fazer — disse Nair, pondo-se a chorar.

Fazia algum tempo que Nair pensava em retomar sua vida, voltar à normalidade. Entretanto, parecia que uma força a minava, a deixava prostrada na cama, sem vontade própria. Ela não encontrava forças para reagir e voltar a ser dona de si. Pura depressão.

Nesse momento, uma luz, embora invisível aos olhos das três, fez-se presente no quarto e postou-se atrás de Nair. A intensidade da luz recrudesceu e atingiu as meninas também. Tocada pela luz, Letícia considerou, voz amável:

— Comece ajeitando a casa. Você sempre foi zelosa, sempre cuidou bem do nosso cantinho.

Nair gabou-se:

— Isso é verdade. Sempre mantive a casa limpa, cheirosa, de maneira impecável. Até seu pai, que não era dado a elogios, admirava meu serviço.

— Retome esse gosto. Nós e a casa agradecemos.

Mariana ajuntou:

— E que tal começar por uma sopa de legumes bem caprichada?

— Não sei…

— Mariana tem razão. Está friozinho, e uma boa sopa vai nos esquentar — tornou Letícia, voz afável. — Estou com saudades de sua comida, do seu tempero.

— E poderemos nos sentar à mesa, como fazíamos sempre — disse Mariana. — Não sentamos juntas à mesa desde que papai morreu. Que tal esta noite?

Nair balançou a cabeça e mordeu os lábios.

— Você tem razão. Desde que seu pai morreu, não sentamos as três juntas na mesa da cozinha.

— Isso mesmo, mamãe. Reaja. E, ademais, saiba que nós a amamos muito.

Mariana beijou a mãe nas faces e foi ao banheiro, junto com a irmã.

— Quando sair — volveu Letícia —, quero sentir o cheiro de sopa, hein?

Nair sorriu. Fazia tempo que não sorria. Sentiu-se mais animada, com mais força para retomar sua rotina e vencer a melancolia. A luz ainda se fazia presente no quarto e parecia colar-se nela. Nair respirou fundo, espreguiçou-se e resolveu. Um bom começo seria descer e preparar o jantar.

— Minhas meninas têm razão: todas precisamos nos alimentar adequadamente.

Ela calçou as chinelas e desceu para a cozinha. Acendeu a luz, abriu a geladeira, pegou alguns legumes e levou-os até a pia. As lágrimas escorriam sem cessar, e, enquanto descascava cenouras e mandioquinhas para a sopa, Nair fez um balanço de sua vida. Sentia-se impotente para mudar, não conseguia enxergar um futuro promissor pela frente. Como poderia? Estava perto dos quarenta, sem profissão, viúva, sem dinheiro e com duas filhas ainda necessitando de sua ajuda. Teria valido a pena largar seu amor por conta de um punhado de dinheiro? Sua vida podia ter sido tão diferente...

Enquanto ela pensava e chorava de mansinho, uma voz familiar tentava acalmá-la:

— Você fez o que foi melhor. Vivia pobremente e, diante dos fatos, preferiu ter seu filho e dar-lhe um lar. Você pensou no filho que carregava no ventre e em mais ninguém. Sua atitude foi nobre diante das forças que regem a vida. Você fez o melhor que pôde. Creio que está na hora de largar o passado e seguir adiante, sem culpa nem remorso.

Nair não saberia dizer se aquela voz era sua, da intuição ou do espírito santo. Estava muito emocionada para tirar conclusões. No entanto, aquela voz teve o dom de acalmar seu coração. Pela primeira vez em meses, desde a morte do marido, Nair sentiu seu coração pulsar mais leve e suas costas ficarem menos sobrecarregadas de culpas, medos e frustrações. Ela suspirou aliviada, esboçou leve sorriso e continuou concentrada no preparo do jantar.

Ao lado dela, a luz que se fizera presente instantes antes no quarto começou a tomar forma. Logo o espírito de um senhor aparentando não mais que sessenta anos de idade fez-se presente e sorriu-lhe feliz. Homero, quando vivo, tinha sido homem bruto, sem escrúpulos. E agora, anos e anos vivendo em outra dimensão, no mundo espiritual de fato, tinha clara noção dos desatinos que cometera e tentava, a todo custo, consertar ao menos uma parcela do estrago feito anos atrás na vida de Nair.

O espírito aproximou-se dela e delicadamente acariciou-lhe as faces. O corpo dela estremeceu levemente.

— Minha menina, tenho certeza de que tudo vai se resolver. Enquanto você não me perdoar, não vou sossegar e não vou partir. Farei o que for possível para ajudá-la a reconquistar a felicidade.

Capítulo 6

Inácio entrou em casa e subiu apressado para o quarto. Estava decidido a procurar Mariana, abrir seu coração e namorá-la. Convicto de seu amor, achava que o tempo estava passando rápido demais. Era hora de tomar uma atitude.

Ingrid chegou logo em seguida. Estava se aprontando para um jantar de gala.

— Tentei falar com você o dia todo, mas sua secretária não deixou.

— Tive tantos problemas no escritório hoje. Sou engenheiro responsável, e a diretoria da Centax conta com minha dedicação. Isabel sabe que, quando é urgente, deve passar a ligação.

Ingrid sorriu. Admirava a competência e dedicação do filho.

— Realmente não se tratava de assunto urgente.

— O que você queria?

— Sua irmã vai passar uns dias conosco.

Inácio sorriu feliz.

— Tenho muita saudade de Sílvia. O papai vem também?

— Seu pai está namorando — rebateu ela, num tom ríspido.

Inácio percebeu o tom irritado da mãe, mas procurou disfarçar:

— Ele está firme com a Júlia?

— Parece que sim. As más línguas dizem que Júlia estava noiva, mas o rapaz descobriu em tempo que se tratava do bom e velho golpe do baú. Tenho medo de que seu pai sofra.

— Mãe! — protestou Inácio.

— Não estou sendo cínica, nem mesmo irônica. Seu pai é adulto e sabe o que é melhor para si. Eu nunca me meteria em sua vida. Aluísio é atraente, continua bonito, os fios grisalhos lhe conferem ar sedutor. Todavia, tenho amigas na alta sociedade carioca e sei que essa moça não morre de amores pelo seu pai. Júlia estava noiva daquele banqueiro, parente dos Guinle...

Inácio fez sinal com a mão, interrompendo a mãe.

— Papai sabe se safar das oportunistas. Ele precisa de companhia, é diferente de você.

— De mim? — ela protestou.

— Você é auto-suficiente. Seu sangue nórdico é bem diferente do sangue latino que papai carrega nas veias. Ele gosta de ser paparicado, precisa ter alguém que o espere após o trabalho em casa.

— Eu sempre amei seu pai. O meu sangue nórdico entendeu perfeitamente quando ele escolheu uma companhia mais jovem ao seu lado. Aluísio esqueceu que ambos começamos a envelhecer. Ambos! Seu pai não aceita os avanços da idade. Acredita que desfilar com uma menina a tiracolo vai lhe trazer *status*, vigor e juventude. Não vai.

— Não quero me meter. Em todo caso, se essa moça não estiver apaixonada, papai vai descobrir. Ele é esperto.

— Pode ser. Aluísio foi criado em fazenda, no pasto. Ele aprendeu a distinguir uma ovelha de uma vaca.

Inácio riu gostoso.

— Você é muito divertida. — Aproximou-se e abraçou-a. — Se para mim não foi fácil aceitar a separação, imagino como você ainda deve estar se sentindo.

Ingrid sentiu os olhos marejarem. Ela percebeu o quanto Inácio sofreu com a separação e passou a viver desconfiado das meninas, fugindo dos compromissos. Agora que ele parecia feliz e dava largas ao coração, não era justo preocupá-lo com seus problemas afetivos. Ingrid respirou fundo e procurou ocultar sua fragilidade.

— Seu pai escolheu seu caminho. Aluísio fez sua escolha e

terá de arcar com as conseqüências. Infelizmente não posso fazer nada. Não tenho mais a ilusão de que seu pai volte para meus braços. Entretanto, não gostaria que ele sofresse uma desilusão amorosa. Nessa altura de sua vida, tal ocorrência seria devastadora. — Ingrid mudou o tom. — Bom, como seu pai sabe se safar das golpistas, creio que ele vai saber direitinho o que fazer com essa tal de Júlia, caso ela esteja mais apaixonada pelo seu patrimônio do que por ele.

— Não devemos nos meter. Papai está bem. Falei com ele ontem ao telefone, e ele estava bastante feliz.

Ingrid apertou a língua contra o céu da boca. Tinha vontade de dar um grito, desabafar, mas precisava mostrar-se forte diante do filho.

— Torço para que seu pai seja muito feliz. Aluísio merece.

Inácio terminou de ajeitar os cabelos e mudou o assunto.

— Quando Sílvia chega?

— Amanhã, na hora do almoço.

— Vem de avião?

— Sim, vem de ponte aérea.

— Quer que eu vá buscá-la?

— Não. Dedique-se ao seu trabalho. Eu mesma irei. Já conversei com Ismael e acertamos o horário. Vou buscá-la no aeroporto e seguiremos até um *shopping*. Vamos almoçar, fazer umas compras. Assim que chegar do escritório, você nos encontra. Podemos marcar e sair para jantar, os três juntos. O que acha?

— Ótima idéia. Vou reservar mesa para nós no seu restaurante predileto.

— Não sei ao certo. Sílvia é enjoada para comer. Disse-me que só come peixe.

— Então vamos àquele restaurante japonês em Moema. O que me diz?

— Ótima pedida. Sua irmã vai adorar o local: bem freqüentado, ambiente agradável, e os donos são bem simpáticos.

— Combinado. Vou pedir para Isabel fazer as reservas.

Inácio falava e ao mesmo tempo procurava uma jaqueta no armário.

— Está apressado por quê? — indagou Ingrid.

— Vou até a casa de Mariana. Quero oficializar nosso namoro.

— Fico tão feliz! — suspirou Ingrid. — Mariana é ótima moça. É bonita, boa família e independente.

— É um pouco ciumenta — ajuntou ele.

— Ciumenta?

— É. Mariana se faz de segura e forte, mas no fundo morre de ciúmes.

— Até eu sentiria, com essa Teresa por perto...

Inácio riu.

— Está falando sério?

— Sim. Ela não larga do seu pé. Por que tem estreitado tanto a amizade? Até agora não entendi por que ela largou tudo no Rio de Janeiro e veio atrás de nós. Nunca fomos íntimos.

— Ela terminou o namoro, está se sentindo só.

— Ela sabe que você está comprometido?

— Sim. Eu disse a ela que estou apaixonado por Mariana.

— E qual foi a sua reação? Não vá me dizer que ela aceitou numa boa.

— Qual o problema? Teresa é boa moça. Ela tem liberdade para se abrir comigo, mais nada.

— É raro uma mulher confiar seus segredos a um homem, a não ser que ele seja *gay*.

— Olhe o preconceito...

Ingrid levantou-se impaciente. Apoiou-se no braço de Inácio.

— Meu filho, se fosse outra mulher, eu tentaria compreender. Não sou preconceituosa, você sabe disso. Tenho a mente aberta, respeito as pessoas, aprecio as diferenças. E creio que possa haver amizade sincera entre um homem e uma mulher. Mas, no caso de Teresa, isso não cheira bem. Tome cuidado com ela.

Inácio sorriu, mostrando os dentes alvos e enfileirados.

— Eu me cuidarei.

Ele apanhou uma jaqueta. Vestiu-a e rogou:

— Torça por mim e Mariana.

— Vocês serão felizes juntos — finalizou Ingrid, sincera.

Inácio estalou um sonoro beijo na bochecha da mãe.

— Deus a ouça. Ficar com Mariana é o que mais quero na vida.

— Mas todo cuidado é pouco.

— Ah, mãe — Inácio fez gesto com a mão. — Teresa e eu saímos algumas vezes, e mais nada. Somos bons amigos. Não tem nada a ver.

— Algo me diz que ainda tem a ver. Teresa acalenta um dia casar-se com você. Acha que ela se mudou para São Paulo a troco de quê? Crê que ela se cansou das belezas do Rio e resolveu vir de mala e cuia para cá? Assim, de repente?

— Não acredito nessa história. Você está afirmando isso ou ouviu alguma coisa?

— Os boatos correm...

Inácio interrompeu-a.

— Não podemos confiar em boatos.

— Meu instinto de mãe diz que Teresa é perigosa.

— Impossível.

— Fique atento.

— Não creio ser necessário.

Ingrid afastou-se do batente da porta e fez sinal com os dedos para o filho. Inácio acompanhou os movimentos da mão e espantou-se ao olhar para o aparador próximo à porta do quarto. Sobre o móvel, um vaso acolhia enorme ramalhete de cravos vermelhos.

— O que é isso?

— Leia o cartão — sentenciou Ingrid.

Inácio aproximou-se do móvel e apanhou o pequeno envelope branco. Abriu-o e leu o cartão:

"*Querido Inácio,*
Nossa conversa ontem foi bastante prazerosa.
Gostaria de repetir. Que tal novo encontro?
Aguardo sua ligação.
Com amor,
Teresa"

— Mãe, você está toda preocupada, só por causa disto?

— Bom, ainda acho que você deve tomar providências. Não gostaria que ela prejudicasse seu namoro. Gosto de Mariana.

— Você está vendo coisas demais. Isso é só um agradecimento. Tivemos uma conversa longa acerca do término do namoro dela com um tal de Artur, mais nada.

— Então resolva a situação a contento. Quanto mais rápido, melhor.

O jovem assentiu com a cabeça e saiu.

Otília e Ivana almoçavam num elegante e badalado restaurante, repleto de figuras da alta sociedade, empresários, artistas e políticos. Era o restaurante da moda na cidade. Ivana curvou o corpo sobre a mesa e baixou o tom de voz:

— Sabe que Teresa Aguilar está noiva do Inácio Menezes?

Otília suspirou triste.

— Dizem as más línguas que essa menina aprontou no Rio de Janeiro, sumiu por uns tempos e veio fugida para cá.

— Mentira, tudo inveja.

— Conheço a família de Inácio. Sua mãe é mulher extraordinária. Deve estar triste com o namoro do filho e Teresa Aguilar. Ela não é boa pessoa.

— Como sabe?

— Fiquei sabendo que Teresa namorava um fotógrafo na cidade, viciado em drogas.

Ivana deu de ombros.

— E quantos não se drogam nesta cidade?

— Teresa sustentava o vício do namorado, desde que ele tirasse umas fotos, digamos, comprometedoras de pessoas com as quais ela não simpatizava, somente para causar estrago e infelicidade a essas pessoas. E às vezes arrancar-lhes dinheiro.

— E daí?

— O Artur fazia o trabalho, tirava as fotos e era fartamente recompensado em drogas, de espécies variadas. Mas de uma hora para outra a Teresa resolveu apostar as fichas no Inácio Menezes e houve uma briga feia entre ela e o Artur. Ela o ameaçou e dizem por aí que a prisão do Enrico...

— O *playboy* pego com droga no aeroporto?

— Esse mesmo — tornou Otília, preocupada. — Dizem que a Teresa armou uma cilada para a polícia prender o Artur, mas ele se safou. Ela queria se ver livre dele e agora o rapaz a chantageia.

— Tudo invenção. Pode acreditar.

Otília baixou o tom de voz.

— Disseram-me que esse rapaz está namorando sua filha.

— E daí? Nicole é dona de sua vida.

— Não teme pela integridade de sua filha?

— Por quê?

— Ivana, você é mãe!

Ela impacientou-se. Apanhou o cardápio e abriu-o. Prosseguiu, voz fria.

— Você não pode dizer nada sobre filhos. Nunca os teve.

— Mas tenho experiência de vida e sou sua amiga. De certo modo, sinto que algo muito ruim pode acontecer a Nicole.

— Ela que se dane — disse Ivana, incisiva. — Não quero mais falar na minha filha. Se continuarmos com esse lero-lero, vou perder o apetite.

Otília engoliu seco. Mudou o assunto.

— E, por falar em filhos, como está Bruno? Faz tempo que não o vejo em nossas festas e jantares.

— Esse parece odiar a riqueza — esbravejou Ivana. — Vive metido na periferia, vendendo remédio barato, promovendo trabalhos assistenciais, essas bobagens de gente com o coração mole.

— Bruno tem caráter, é íntegro. Gosto muito dele.

— Não sei por que vocês têm essa mania de querer pegar pessoas ignorantes e pobres e promovê-las, dar-lhes melhores condições de vida.

— Faz parte da vida, Ivana. Ajudar as pessoas é algo bastante gratificante. Quando descubro um artista em potencial, não tenho dúvidas: eu o ajudo a especializar-se, melhorar seu trabalho e mostrar seu talento ao mundo. Se temos bastante dinheiro, é bom dividir com quem acreditamos valer a pena.

— O nosso mundo é dividido em classes, em castas. Pobre deve ficar no seu lugar e rico no seu. Branco com branco, preto com preto. A mistura nunca deu certo. É como óleo e vinagre.

— Não seja tão dura e preconceituosa, minha amiga.

— Sou realista.

— Por que essa visão distorcida acerca do mundo? Por que não revê valores para mudar suas atitudes?

— Estou bem assim, obrigada.

— Você está plantando hoje o que vai colher amanhã. Não custa nada mudar essa postura fria e arrogante.

Ivana foi incisiva:

— Sou sua amiga porque nunca me censurou. Vai vir com aulas de auto-ajuda? Acha que vou cair nessa baboseira de melhorar minha cabeça para ter uma vida melhor?

— Isso mesmo — sentenciou Otília.

— A minha vida está boa, oras. Às vezes não sei por que sou sua amiga. Somos tão diferentes. Como posso gostar de alguém que jura acreditar em duendes?

As duas riram a valer. Otília gostava das tiradas bem-humoradas de Ivana.

— E o casamento, como anda?

— De mal a pior. Daqui a alguns meses eu e Virgílio assinaremos os papéis da separação.

— Vocês nunca se deram bem mesmo. Quem sabe você não vai começar uma nova etapa?

— Sem dúvida — afirmou Ivana. — Fizemos belo acordo financeiro no passado, e creio que nada vai dar errado. Não agora, depois de tantos anos.

— Você nunca me contou direito essa história.

— Não interessa, vai acabar. O que posso lhe dizer é que, se quiséssemos nos separar antes do prazo, todo o nosso patrimônio iria para o Bruno e a desmiolada da Nicole.

— Mesmo?

— Sim. Imagine a cena: o Bruno distribuindo dinheiro aos pobres e a Nicole comprando montanhas e carreiras de cocaína.

Otília meneou a cabeça para os lados. Embora fossem amigas, havia muitos pontos em que ela discordava de Ivana. Ela chegava a ficar zonza com os ataques que Ivana destilava contra tudo e contra todos. Precisava de clima agradável para o almoço.

— O que acha do Dr. Sidnei?

Ivana sorriu.

— Sidnei é excelente partido. Ele está no topo da minha lista. Vou confessar-lhe algo.

— O que é?

— Eu e Sidnei tivemos um namorico na adolescência.

— Vocês foram namorados?

— Faz muitos anos, mas ele gostava muito de mim.

— E por que não ficaram juntos?

Ivana fez muxoxo.

— Oras, Sidnei era um pé-rapado, não tinha onde cair morto. Entre viver uma história de amor passando fome e um casamento sem amor polvilhado com robusto saldo no banco, preferi o último.

— Sidnei deve ter sofrido muito. Parece homem correto, amoroso.

— Ele nunca se casou. Creio que goste de mim até hoje.

— Espero que Sidnei ainda nutra algum sentimento por você.

— Eu também.

— Está na hora de ir comigo até a cigana — replicou Otília, séria.

— Que cigana, Otília?

— A que faz leitura da mão. Você deve ir comigo.

Ivana fez ar de mofa.

— Você é tão inteligente... Não sabia que era dada a crendices.

— E daí? Acredito em tudo. Uma vez precisei tomar uma decisão muito séria, que poderia mudar os rumos de minha vida. Era uma fase em que eu estava muito insegura, o casamento com Adamastor não ia bem.

— Por que não rezou? — indagou Ivana, lacônica.

— Eu rezei. Mas sentia grande desconforto interior. Foi então que uma amiga me indicou a cigana.

— Não acredito nessas idiotices. E o que mais ela fez para você?

— Nada. Mas minhas amigas não saem de lá e...

— Um bando de mulheres inseguras, isso sim. Eu jamais pediria opinião a um estranho para dirigir minha vida.

— O que custa tentar? De repente ela pode dar uma olhada na sua mão e dizer se Sidnei está mesmo na sua linha de destino.

— Não vou dar dinheiro a essas charlatonas desocupadas.

— Essa mulher até que é boa. Tem um monte de gente — Otília fez largo gesto e juntou os dedos — que a procura. Dolores é poderosa.

— Sabe que não gosto disso. Nunca precisei saber do meu futuro ou coisas do gênero. Sou dona de minha vida.

— Mas não custa nada tentar — atiçou Otília. — E se porventura Sidnei estiver interessado em outra? Você terá tempo de agir e cortejá-lo.

Ivana riu.

— Quanta fantasia, Otília! Não sou mais adolescente.

— Se quiser, é só me dizer. Vamos aos pedidos?

Otília fez gracioso gesto ao garçom. Enquanto isso, Ivana ficou pensativa, alheia a tudo, por instantes. Sidnei era muito bonito, um partidão, e também era bem discreto. Podia estar enrabichado por alguma fulana e ela nem soubesse. Até que não era má idéia saber se o caminho estaria mesmo livre para ela. Seria um desgaste a menos na sua vida.

— Está certo. Qualquer dia vamos procurar essa Dolores. Vamos ver o que ela tem a me dizer.

A noite estava fria e a garoa caía fina. Passava das nove quando Inácio chegou à casa de Nair. Tocou a campainha e Mariana atendeu.

— Estava aflita. Você demorou.

— Trânsito e garoa.

— Combinação perfeita! — exclamou ela.

— A Avenida Radial Leste está entupida de carros, e a garoa faz todos dirigirem com prudência.

— Entre, acabei de passar café.

Inácio adentrou a casa, tirou a jaqueta úmida e beijou Mariana próximo ao lábio. Ela corou de prazer e desconversou.

— Mamãe e Letícia descem logo.

— Não quero atrapalhar.

— Estão assistindo novela lá em cima — ela apontou.

— Estava com saudades.

— Eu também.

— Temos nos falado bastante ao telefone, mas mal a tenho visto.

— A faculdade, o estágio... Estou me esforçando bastante, e deverei ser efetivada na clínica.

— Gosto muito da clínica do Sidnei. É conceituada, tem credibilidade.

— Não tenho tido tempo para sair.

— Precisamos conversar.

— Sobre o quê? — perguntou Mariana, desconfiada.

— Sobre nós.

A jovem estremeceu. Algo dentro dela dizia que o namoro iria se transformar em compromisso mais sério. Todavia, sua cabeça apontava o contrário. Tomada pela insegurança, Mariana sempre esperava pelo pior. Procurou ocultar a emoção servindo o cafezinho.

— O que quer falar? — indagou, num tom impessoal.

Inácio sentou-se no sofá e espantou-se com tamanha frieza.

— O que acontece?

— Nada.

— Você ficou fria de repente.

— Nada de mais — tornou ela.

— Quero oficializar nosso namoro.

Mariana derrubou a xícara. Inácio acudiu-a.

— Sou uma desastrada mesmo.

— Está feliz?

Ela balançou a cabeça para cima e para baixo. Esperava pelo pior, e tudo não passava de pensamentos fúteis e desgastantes. Mariana sentiu vergonha de si mesma por pensar de maneira tão negativa acerca do iminente namoro. Inácio era bom moço, e ela achava que esse namoro era bom demais, que talvez ela não merecesse tanto.

Inácio esperou-a limpar-se e servir-se de nova xícara de café e tornou, amoroso:

— Conversei com minha mãe hoje e cheguei à conclusão de que quero namorar você, e gostaria de falar com a Dona Nair.

Mariana corou de prazer novamente. Suas faces ficaram vermelhas. Estava apaixonada por Inácio e hesitava entre o medo da rejeição e o desejo de revelar ao moço o que ia em seu coração.

— Estou apaixonado e gostaria de namorá-la, buscá-la na faculdade ou no estágio quando possível, levá-la para passear, viajar nos fins de semana, ouvir os discos de Maria Bethânia ao seu lado. Quero estar cada vez mais perto de você.

Mariana não teve tempo de resposta. Inácio aproximou-se e beijou-a demoradamente nos lábios. Ela sentiu o chão sumir e corpo estremecer. Beijaram-se com amor.

— Eu a amo. Quero que seja a mãe dos meus filhos. Você consegue entender isso?

— Sim. Não sei explicar, mas me apaixonei por você desde aquele almoço meses atrás. Parece que o conheço há tanto tempo, como se estivesse com grande saudade, e agora sinto-me mais calma.

— Seremos felizes, você vai ver.

— E aquela garota, continua no seu pé?

— Que garota?

Mariana fez gesto vago com a mão.

— A Teresa Aguilar. Vocês têm-se visto?

— Não.

— Sinto algo estranho no peito quando a imagem dela vem à minha mente. Não gosto dela.

Inácio abraçou-a e delicadamente encostou a cabeça da namorada em seu peito.

— Não ligue para isso. Não vamos deixar que os outros nos ameacem. Nós nos amamos, e creio que não há nada mais forte do que nosso sentimento para combater os comentários maledicentes dos outros. A nossa força no bem é capaz de superar qualquer obstáculo.

— Não creio nisso.

— Por que tamanho pessimismo?

— Sinto que ela está apaixonada por você.

— Por que tanta certeza?

— Tive um sonho umas duas noites atrás.

— Um sonho? — indagou Inácio, surpreso.

— É, um sonho. Muito estranho. Eu me vi rodeada de cravos vermelhos. Eu andava e os cravos me perseguiam. Corri, corri e, quando não tinha mais saída, fiquei atônita. Então vi o rosto de

Teresa. Ela ria e gargalhava da minha cara assustada. Acuei-me num canto e ela gritava:

— Afaste-se de Inácio. Ele é meu, só meu.

Inácio gelou. Sentiu um arrepio percorrer-lhe a espinha. Lembrou-se dos cravos que recebera horas atrás. Talvez fosse uma grande coincidência. Ele afastou os pensamentos com as mãos e procurou esquecer. Tinha certeza de que era tudo mera coincidência, nada mais que isso.

Capítulo 7

Sílvia chegou à capital numa manhã nublada, tão nublada quanto seus sentimentos. Triste e abatida, ela desceu as escadas do avião, contemplou ao redor e, através de seus grandes óculos escuros, vislumbrou o céu encoberto.

A jovem respirou fundo. Precisava seguir adiante. Passara as últimas noites sem conciliar o sono. De uma hora para outra decidira: tinha de vir a São Paulo e passar um bom tempo ao lado da mãe e do irmão. Talvez eles pudessem ajudá-la a esquecer.

Sílvia não queria nem pensar no nome do rapaz. Ela sentia-se profundamente rejeitada e triste. Era moça bonita, loira como a mãe, cabelos lisos e sedosos. Os olhos verdes contrastavam com o nariz fino, a boca delicada e o queixo arredondado. Era disputada pelos rapazes, mas seu coração escolhera justamente apaixonar-se por um canalha. Sílvia foi alertada pelas amigas, pelo pai, mas não resistiu. Entregou-se de corpo e alma na relação, e agora, alguns anos depois, o resultado não poderia ser pior. Estava desiludida, sem chão, sem rumo.

Ela tirou três grandes malas da esteira e colocou-as sobre o carrinho. Estava com saudade da mãe. Ingrid era sua amiga. Sílvia precisava desabafar, chorar, sentir o carinho e os braços ternos da mãe alisando seus cabelos, dando-lhe conselhos.

Caminhou célere e, no desembarque, seus olhos procuravam ansiosamente pela figura da mãe. Até que os olhos de ambas se cruzaram. Sílvia sentiu emoção sem igual. Correu até Ingrid. Abraçaram-se com amor.

— Oh, filha! Quanta saudade!

— Eu também estava saudosa, mamãe — volveu a jovem, chorosa.

— Moramos em cidades próximas, no entanto mal temos tempo de nos ver. Gostaria que ficasse mais tempo comigo, e não só alguns dias.

Sílvia fez sinal com o dedo.

— Olhe minhas malas. Acha que toda essa bagagem é para ficar apenas o final de semana?

Ingrid corou de prazer e satisfação.

— Vai ficar comigo por um bom tempo?

— Creio que sim.

Ingrid abraçou-a feliz.

— Você escolheu continuar no Rio, não quis se mudar para São Paulo comigo e seu irmão. Sentimos muito a sua falta, entretanto você não queria distanciar-se de seus amigos e principalmente de Mateus.

Sílvia fez cara de poucos amigos. Ingrid havia alertado a filha. Sabia do caráter de Mateus e tinha certeza de que o desfecho daquele romance seria muito doloroso para sua pequena. Ingrid foi incisiva:

— Como anda seu namorado?

A jovem não respondeu, e Ingrid percebeu os olhos tristes e marejados da filha, mesmo escondidos sob os óculos escuros. Sílvia encostou a cabeça no ombro da mãe e disse, chorosa:

— Oh, mamãe, sinto-me perdida, tão insegura! A vida não tem sorrido para mim.

— O que está acontecendo?

— Estou muito triste.

Ingrid fez sinal para o motorista. Ismael acelerou e emparelhou o carro no meio-fio, desceu e cumprimentou Sílvia. Ela respondeu com um aceno de cabeça. Ismael pegou as malas do carrinho e colocou-as no porta-malas do veículo.

— Para casa, Dona Ingrid?

Ela acariciou os cabelos sedosos e volumosos de Sílvia.

— Creio que iremos ao *shopping*, dar uma volta, espairecer. Depois almoçaremos num bom restaurante. O que acha, minha filha?

— Ótima idéia. Preciso desabafar.

— Vamos.

Ambas entraram no carro e continuaram a conversa. Ingrid arriscou:

— Você e Mateus terminaram?

Sílvia fez sinal positivo com a cabeça.

— Quer falar a respeito?

A menina suspirou, limpou as lágrimas com as costas das mãos.

— Sim.

— Não quero ser chata, mas quantas vezes eu a avisei?

— Eu sei mãe, mas...

— Nem mas, nem meio mas. O Rio de Janeiro inteiro sabe que Mateus sempre foi apaixonado por aquela pequena, a Paula Mendes. Você se arriscou muito.

— Ele me jurou que estava tudo acabado entre eles.

— Eles viviam rompendo o compromisso.

— Ficamos dois anos juntos.

— O tempo não quer dizer nada, minha filha, principalmente quando as relações terminam de maneira dúbia, sem clareza.

— Eu estava apaixonada. Ele me cortejou. Aí a Paula começou a namorar com outro, então senti-me segura a continuar. E descobri que faz mais de um ano que ela e Mateus se encontram às escondidas. Uma amiga os flagrou aos amassos na Barra.

— Isso é verdade?

— Sim. Fui tirar satisfações, e sabe o que o infeliz me disse? Que ainda a ama.

Ingrid suspirou.

— Pelo menos ele foi sincero. Você sempre soube do risco que corria. No fundo, sabia que havia forte possibilidade de ele reatar com a Paula.

— Oh, mamãe. Eles marcaram casamento. Distribuíram os

convites. Isso eu não posso agüentar. Não tenho sangue de barata. Resolvi passar uns tempos aqui em São Paulo até que tudo se normalize.

— Vão se casar? Para valer?

— Isso mesmo. Ela aprontou, fez cena, disse estar grávida... E o pior: o Mateus acreditou. Disse para mim que ainda nutre sentimentos por ela e tem responsabilidade, acima de tudo. Fiquei tão nervosa!

— Ele deve estar confuso.

— Pô, mãe! Eu fui supercompreensiva, disse que não me importava, que ele podia ter o filho com ela, poderia visitá-lo, etc., etc. Ele nem me deu ouvidos. No dia seguinte estava desfilando com ela lá na Marina da Glória. Saiu até notinha n'O *Globo*.

— Não ligue para notinhas de jornal. Fez bem em voltar.

— Quero ficar com você e Inácio.

— E seu pai? Concordou com sua vinda?

— Papai nem liga mais para mim.

Ingrid defendeu o ex-marido:

— Seu pai é homem ocupado, tem muitos negócios.

Sílvia fez ar de mofa.

— Qual nada! Papai está apaixonado.

— Estou sabendo.

— Marcou casamento com a Júlia.

Ingrid fez um esgar de incredulidade.

— Não pode ser!

— Sim. Parece que ele foi fisgado de verdade.

— Pensei que fosse romance passageiro.

— Mas não é. Quer dizer, não parece.

Ingrid não sabia o que dizer. Aquilo era duro de engolir. Nervosa, retrucou:

— Seu pai caiu nas garras da Júlia Albuquerque? Os comentários chegaram até mim, mas achei que fosse passageiro, nada de compromisso sério. Tem certeza de que vão se casar?

— Hum, hum.

— Ainda não consigo acreditar.

— Você e Inácio vão receber o convite em breve.

— Seu pai sempre foi tão esperto!

— Dessa vez ele parece cego. Você nem imagina. Precisa ver para crer.

— Sério?

— Uma loucura! Papai está apaixonadíssimo. Disse-me que, se a Júlia quiser, ele se casa num estalar de dedos.

— Não, seu pai não disse isso.

— Disse, sim, mãe. Ele está disposto a levar essa sandice adiante.

— E você chegou a dizer a Aluísio que acha isso uma loucura?

— Sim.

— E ele?

Sílvia sorriu e balançou a cabeça para os lados.

— Falou que estou com ciúmes porque a Júlia tem a minha idade. Papai disse para não me preocupar, porque ele continuaria me amando e viveríamos os três felizes, lá no Joá.

— Seu pai endoideceu.

— De vez. A Júlia foi minha amiga de colégio. Freqüentava nossa casa e papai nunca a notou. Ela ficou noiva do pai da Estelinha ano passado e, quando o Dr. Alaor sentiu cheiro de golpe no ar, desmanchou o noivado. A Júlia deu escândalo, mas depois mudou a estratégia e se encostou naquele jovem banqueiro. Esse era descolado e sentia cheiro de golpista a larga distância. Júlia não obteve sucesso com ele, mas finalmente encontrou alento em papai. O negócio dela é dinheiro, mais nada.

— Aluísio é adulto e sabe se cuidar.

— Se o papai descobrir que ela está com ele somente por dinheiro, vai ser pior.

— Por que diz isso?

— Está se sentindo velho.

— Velho? Seu pai tem cinqüenta e dois anos de idade. Está bonito, corpo em forma e saudável.

— Mas sente-se velho. Júlia o faz se sentir jovem, cheio de vida. É como se fosse um troféu que ele carrega para cima e para baixo e adora mostrar aos amigos.

— Quanta insegurança! Seu pai sempre foi tão inteligente...

— Nem tão inteligente assim. Ele se separou de você.

— Isso não tem nada a ver.

— Como não? Você o amava.

Ingrid estremeceu por um instante. Sílvia continuou:

— Ele chegou e terminou, rompeu um casamento sólido e feliz. E tenho certeza de que estava se sentindo no limite, meio velho, sem perspectivas. Algo me diz que papai ainda vai voltar para você.

— Não diga uma coisa dessas. Nem por brincadeira.

— Você ainda o ama, não é?

Ingrid não mentia para os filhos. E não queria representar para Sílvia.

— Nunca deixei de amar seu pai. Entretanto, a escolha foi dele. E, diante disso, fui obrigada a mudar minha vida, a fazer as minhas próprias escolhas também. Mudei de cidade, reconstruí a vida ao lado de seu irmão. Você não quis vir por conta do namoro com Mateus e dos seus amigos. Agora estou bem. Superei a dor, o mal-estar. É muito triste chegar à meia-idade e ver que seu casamento ruiu, mesmo recheado de boas lembranças e feliz. Senti-me incompetente no início, como se tudo que fizera nesses quase trinta anos não tivesse valido a pena.

— Mas valeu, né?

Ingrid sorriu.

— Sim. Hoje percebo que muita coisa valeu a pena. Você e seu irmão, por exemplo. Tenho muito orgulho de ambos. Inácio e você são a razão de minha existência.

Sílvia abraçou-a.

— Eu a amo muito, mamãe.

— O seu amor e o de Inácio para mim bastam. Eu e seu pai cumprimos o nosso ciclo.

— Será?

— Sim.

— Não pensa num retorno?

— Eu não vejo possibilidade de retorno. Seu pai quis a separação e foi viver sua vida. Eu aprendi a viver só e agora estou pegando gosto. Faço os meus horários, programo as minhas atividades e não sou cobrada. Também não preciso dar satisfações a ninguém. É bom esse gostinho de liberdade, de dona de mim mesma.

— Creio que papai vai voltar a lhe procurar.

— Ele está apaixonado pela Júlia. Logo vai se casar e até quem sabe ter um filho com essa golpista.

Sílvia meneou a cabeça para os lados, de maneira sinistra.

— Ele vai voltar.

— Por que diz isso com tamanha convicção?

Sílvia arriscou, um tanto insegura:

— Porque eu sonhei, mamãe.

Ingrid arregalou os olhos. Sentiu um friozinho percorrer-lhe a espinha.

— Vo... você disse que sonhou?

— Sim.

— Quantas vezes?

A garota encostou o indicador no queixo.

— Deixe-me ver... Acho que umas três vezes.

— Três vezes seguidas?

— É. E você sabe que os meus sonhos repetidos se tornam realidade.

— Santa mãe de Deus!

— Prepare-se, mamãe.

Ingrid procurou ocultar o medo que se lhe apossava.

— Gostaria de consultar um especialista?

— Por enquanto, não. Sinto-me bem. Sabe que quando fico chateada e triste esses sonhos aparecem. Lembra-se na época em que não passei no vestibular? Eu tive aqueles sonhos repetidos com a tia Alzira e...

— Lembro-me perfeitamente. E o que aconteceu no sonho aconteceu com sua tia.

— Então prepare-se, porquanto papai voltará a procurá-la.

Ingrid remexeu-se nervosa no banco do carro. Aquilo não podia acontecer de novo. Amava Aluísio com toda a sua força, numa intensidade sem igual, ainda vibrante e pulsante em seu coração. Entretanto, ela se sentira muito magoada quando ele propôs o divórcio.

Eles viviam bem até o dia em que Ingrid notou mudanças em seu próprio corpo e também em seu temperamento. Era acometida por ondas de calor, suores noturnos, depressão, e o pior: seu desejo sexual diminuíra bastante. Ela consultou seu médico no Rio, o Dr.

Martins, e ele lhe deu o diagnóstico: menopausa. Ingrid não se sentiu à vontade para falar com o marido sobre essa transformação a qual toda mulher enfrenta geralmente depois dos quarenta anos. Assim, aos poucos, a vida íntima do casal esfriou.

Aluísio apaixonou-se por Júlia, pediu a separação. Ingrid, mesmo ferida em seu íntimo, assinou os papéis e decidiu mudar-se para São Paulo e morar com o filho. Ainda amava o marido, e ser-lhe-ia penoso vê-lo saracoteando pelo Rio nos braços de outra. Seu coração pulsava pelo marido, entretanto a razão a chamava à realidade. Se ele não queria mais o casamento, ela precisava aceitar e procurar seguir adiante. E era o que estava tentando fazer, nos últimos três anos.

O carro adentrou o *shopping*. Ingrid fez sinal para o motorista.

— Encoste logo ali. Vamos saltar. Você pode fazer sua hora de almoço, Ismael — disse ela, consultando o relógio. — Encontre-nos no saguão do estacionamento VIP daqui a duas horas.

— Sim, senhora.

As duas desceram do carro, caminharam até o elevador e subiram para a praça de alimentação. Escolheram singelo e discreto restaurante numa das quinas da praça. Queriam privacidade.

Assim que o garçom anotou os pedidos, Sílvia sorriu.

— Estava com saudades do movimento, das pessoas, da agitação desta cidade.

— Fico feliz que esteja gostando. Espero que fique bastante tempo aqui comigo.

— Minha intenção é essa, mamãe. Quero ficar por aqui.

— E o trabalho, como ficou?

— Eu pedi demissão da prefeitura.

— Que pena! A comunidade da Rocinha vai sentir muito a falta de excelente assistente social.

— Infelizmente. Eu gostaria de continuar coordenando o projeto de conscientização de jovens quanto à gravidez precoce, mas há pessoas bem competentes lá para levar o projeto adiante. Meus amigos vão continuar com o projeto.

— Eles são jovens inteligentes, sensíveis, e farão um belo trabalho.

— Eu pretendo procurar algo similar aqui em São Paulo.

Ingrid sorriu feliz. Passou delicadamente a mão no braço da filha.

— Você nasceu para abraçar o serviço social, minha filha.

— Por que me diz isso?

— Ora, você tem todo o perfil.

— Como assim?

— O assistente social tem perfil caracterizado pela habilidade e capacidade de desenvolver ações que aprofundem suas reflexões no tocante à justiça social, ao respeito à igualdade de direitos de cada um, ao compromisso ético, com vistas à formação de uma vida digna e à conquista da cidadania e da democracia para todos.

Ingrid sorveu um gole de refresco e prosseguiu:

— Trata-se de agente construtor da cidadania, capaz de interagir nos projetos e programas sociais dos setores público e privado nas áreas de saúde, saúde mental, saúde ocupacional, relações de trabalho, educação, habitação, conservação e preservação do meio ambiente, relações de gênero, raça e etnia, direitos humanos e sociais, etc., etc.

Sílvia estava estupefata.

— De onde tirou tanta informação?

— Assisti a um programa na televisão dia desses sobre pessoas que abraçaram o serviço social com amor. Lembrei-me logo de você.

— Amo o que faço.

— Então está decidida mesmo a ficar conosco?

— Sem dúvida.

Continuaram a conversa, mas de repente Sílvia sentiu ligeiro mal-estar.

— Alguma coisa, filha? — perguntou Ingrid, preocupada. — A comida não está boa?

— Não é isso, é uma sensação... Não sei explicar.

No mesmo instante, Teresa entrou no restaurante e veio ao encontro delas.

— Querida! Não quis acreditar quando a vi aqui, Sílvia. Precisei esfregar meus olhos — exagerou.

Ingrid e Sílvia levantaram-se. Sílvia olhou para a mãe de esguelha e Ingrid compreendeu o porquê do mal-estar da filha. Sílvia procurou dar tom simpático à voz:

— Como vai, Teresa? Quanto tempo!

— Vou bem. Faz séculos! Está de passagem por São Paulo?

— Pretendo ficar um pouco mais. Talvez passar uma temporada.

Teresa riu maliciosa.

— Compreendo. A propósito, fiquei sabendo do noivado de Mateus e Paula.

— Não seja indelicada — rompeu Ingrid, numa voz firme.

— Oh, desculpe-me. É que as notícias correm. — Teresa foi rápida e mudou de assunto: — Aceitariam jantar comigo esta noite?

Sílvia ia responder, mas Ingrid tomou a palavra:

— Sinto muito.

— Por quê?

— Inácio, meu filho, reservou lugar para nós hoje à noite.

— Ótimo! Eu me juntarei ao grupo.

— Hoje, não — respondeu Ingrid.

Teresa odiava ser contrariada. Procurou disfarçar o ódio:

— Bom, poderemos marcar uma outra hora.

— Com certeza.

Teresa despediu-se delas e, antes de sair em definitivo, perguntou:

— Só por curiosidade, onde vai ser o jantar, querida?

Ingrid disse automaticamente:

— Num restaurante em Moema, não me lembro ao certo o nome.

— Fiquem com Deus, queridas. Até mais.

Teresa saiu do restaurante e ambas voltaram a se sentar. Sílvia serviu-se de um copo de água e sorveu o líquido de um gole só.

— Meu Deus, essa garota me dá calafrios. Agora sei de onde veio o mal-estar.

— Teresa é ardilosa, não gosto dela.

— Dizem lá no Rio que ela veio a São Paulo porque estava fugindo de traficantes.

— Não diga! — exclamou Ingrid, indignada.

— Você sabe que lá no Rio todo mundo se conhece. Principalmente na zona sul.

— Boatos.

— Não, mãe — tornou Sílvia, com veemência. — Eu trabalhava na Rocinha. Sei que Teresa se envolveu com um perigoso traficante, o Tonhão.

Ingrid assustou-se.

— Ela está no pé do seu irmão.

— Mesmo? Não pode ser perigoso? Vai saber com quem ela se meteu...

— Concordo. Felizmente, Inácio me garantiu que não quer nada com ela.

— Tomara Deus!

— Seu irmão conheceu uma moça tão simpática, tão bonita...

— É?

— Sim. Você vai adorá-la.

Nair suspirou, olhou para o altar, fez sinal da cruz, levantou-se e, ao sair da igreja, deu um esbarrão em Salete.

— Desculpe. Estava tão concentrada nas minhas orações que não a vi.

— Como vai, Nair?

— Melhor. Agora já saio de casa, ajudo as meninas nos afazeres domésticos. Comecei a costurar para fora. Se precisar de um remendo, um ajuste de bainha, de barra, é só me procurar.

Salete riu com desdém.

— O salário de Otávio lhe faz falta, não?

— E como! — suspirou Nair. — Tenho duas filhas ótimas, e agora arrumei esse serviço de costura. Estou muito feliz. O dinheiro é pouco ainda, mas dá para pagar as despesas e levar nossas vidas com dignidade.

Creusa aproximou-se.

— Está com ótima aparência, Nair.

— Obrigada. Sinto-me bem melhor.

— As aparências enganam — suspirou Salete.

— Como disse? — indagou Nair, sem entender.

— Nada.

Salete falou, rodou nos calcanhares e saiu rápida. Nair a pegou na porta da igreja.

— O que está acontecendo? Do que me acusa?

— Sabe de uma coisa? Eu não gosto de gente falsa.

— Falsa? O que eu fiz para me caluniar assim?

— Ainda vai trazer má fama para a vizinhança. Santinha do pau oco!

Creusa intrometeu-se na conversa:

— Estamos na porta de uma igreja, Nair. Não se faça de dissimulada. Não minta em frente à casa de Deus. É pecado.

— Não estou entendendo.

Salete puxou a amiga.

— Vamos embora, Creusa. Eu disse que ela, além de dissimulada, não prestava.

— Ei, como ousam falar assim comigo? Exijo respeito.

— Ui! Além de sirigaita, é agressiva — volveu Creusa, em tom irônico.

Nair aproximou-se e meteu-lhe o dedo em riste.

— Dá para entender por que não se casou e nunca teve ninguém. Você é estúpida e arrogante.

Creusa nem se importou. Disparou:

— Na nossa rua só moram pessoas decentes e honestas, de boa índole. Não queira manchar a nossa reputação. Pensa que a gente não vê aquele carro parado na sua porta todas as tardes?

— Que carro? — perguntou Nair, estupefata. — Do que estão falando?

— Bem que você disse, Salete — ajuntou Creusa. — Ela se faz de desentendida. Está querendo nos fazer de bobas. Mal o marido esfriou na cova e ela vai botando as asinhas de fora.

Salete olhou para Nair e fuzilou-a com o olhar.

— Não queremos mais sua amizade. Somos pessoas de bem. Não falamos com mulher de vida fácil.

As duas cuspiram no chão, rodaram nos calcanhares e saíram apressadas. Nair estava completamente aturdida. Não fazia a mínima idéia do que elas diziam.

Padre Alberto aproximou-se.

— Eu ouvi o final da conversa, Nair.

— Ouviu, padre?

— Ouvi.

— Não acredito que ouvi tamanha barbaridade na porta da igreja.

— Não se deixe contaminar pelo veneno delas.

— Padre, não sei do que estavam falando. Não sei de nada.

— Não lhes dê ouvidos.

— Fazia tempo que eu não saía de casa. Estou melhorando, costurando para fora. Consegui vencer a depressão.

— Eu sei. Você é uma vencedora.

Ele apoiou-a no braço.

— Vamos até a sacristia. Vou lhe dar um copo de água com açúcar. Aceita?

Nair fez sinal afirmativo com a cabeça e, apoiada nos braços de padre Alberto, voltou para a paróquia.

Capítulo 8

Teresa mal continha sua ira. Tão logo saíra do restaurante, dirigiu-se até o toalete mais próximo. Entrou e lavou o rosto. Precisava se acalmar. Olhou para sua imagem refletida no espelho.

— Aquelas duas me pagam! Preciso fingir cordialidade com elas para conquistar Inácio. Se eu me casar com ele, serei rica. Poderei pagar a dívida aos traficantes. Eu corro risco de morte. Ademais, Inácio não pode me trocar por aquela suburbana. Mariana é simples demais.

Teresa terminou de se ajeitar e, ao sair do toalete, deu de encontro com uma moça loira e de proporções avantajadas. Iria soltar uns impropérios, mas a aparência da moça fez com que Teresa se lembrasse de Isabel, a secretária de Inácio. Teve um lampejo, uma idéia fantástica, e veio-lhe o impulso de ligar. Foi até a loja de uma conhecida e pediu para usar o telefone. Discou.

— Oi, Isabel, como vai?

— Desculpe-me... Quem fala?

— Querida, sou eu. Teresa Aguilar.

— Como vai, Teresa?

— Bem.

— Sinto, mas o Dr. Inácio está numa reunião neste momento e...

Teresa respirou fundo.

— Não, querida, não quero falar com Inácio.

— Não?

— Liguei para falar com você mesma.

— Comigo? — perguntou a secretária, em tom surpreso.

— Isso mesmo.

— O que seria?

— Você sempre foi muito simpática comigo. Eu gostaria de retribuir. Estava passeando no *shopping*, como quem não quer nada, e vi algo que é a sua cara. Não vou poder deixar de comprar.

Isabel envaideceu-se. Suas faces coraram. Ela era gordinha, baixinha, cabelos presos em coque, pele bem clara. E usava óculos de grau, bem pesados. A aparência não era seu ponto forte, e ela tinha dificuldade em lidar com sua baixa auto-estima. Teresa continuou aplicando o golpe:

— Vi uma blusa perfeita para você. No entanto queria confirmar seu número. É tamanho médio, certo?

Isabel sorriu contente.

— Imagine, Teresa. Meu número é... é um pouco maior.

— Não posso acreditar! Você é tão ajeitadinha, tem um corpo tão bonitinho... Ah, você deve estar brincando comigo.

— Não, Teresa, eu...

— Está certo. Mas vou comprar para você um número maior, muito a contragosto. Tenho certeza de que você vai ter de trocar por número menor.

— Obrigada, muito obrigada.

Agora era o momento do golpe de misericórdia. Isabel estava praticamente em suas mãos. Era o momento de Teresa arrancar o que queria, sem despertar suspeitas.

— Querida, me responda uma coisa.

— Pois não?

— Encontrei Dona Ingrid há pouco, e ela me falou que Inácio fez reserva naquele restaurante de Moema.

— Sim.

Teresa fez beicinho:

— Você geralmente lhe faz as reservas, não?

— Sim.

— Oh, eu preciso do número de telefone. Você poderia dar para mim?

— Claro! Só um momento, por favor.

Isabel consultou a agenda e em instantes deu telefone, endereço, todas as informações de que Teresa precisava.

— Obrigada, querida. Você é um amor de menina. Não esquecerei o seu presente.

Desligou o telefone e bufou. A vendedora olhou-a com ar desconfiado.

— Vai levar alguma coisa, senhorita?

Teresa deu uma olhada geral pela loja.

— Você tem alguma blusinha bem barata e bem grande?

— Grande como, senhora?

Teresa abriu os braços e os estendeu.

— Assim, tamanho "E".

— Perdão, senhorita? Mas qual tamanho?

— Tamanho "E".

— Não entendo...

Teresa foi incisiva:

— "E" de enorme, compreende? Para uma moça bem gorda e horrorosa.

A vendedora espantou-se.

— Sim... Quer dizer, não sei se trabalhamos com números tão grandes.

— Verifique no estoque.

— Aguarde um momento, por favor.

Teresa sorriu feliz. Agora precisava fazer duas coisas: impedir Ingrid de ir ao restaurante e avisar Mariana do jantar.

— Isso eu tiro de letra. Se Sílvia chegou agora há pouco, não teve tempo de conhecer a namoradinha do Inácio. A insegura da suburbana não vai gostar de ver seu namorado jantando com uma loira...

Enquanto Teresa sorria triunfante, sombras escuras dançavam ao seu redor, sugando-lhe as energias perniciosas que emanavam de sua mente.

Nair chegou em casa mais calma. A conversa com padre Alberto havia sido proveitosa. Não valia a pena dar trela a Salete ou Creusa. Elas estavam cheias de pensamentos negativos e, pior, precisavam de muita oração para melhorar e sair do círculo vicioso de calúnia e fofocas.

— Vou tocar a minha vida e não dar ouvidos às duas — disse para si.

Entretanto uma pulga atrás de sua orelha dizia que elas não haviam inventado a história do homem parado à porta de sua casa. Seria muita fantasia das vizinhas.

É fato que Salete enviuvara e passara bom tempo em estado de choque. Não sabia explicar — ou tinha vergonha de dizer aos vizinhos — de qual doença seu marido padecera. O sistema imunológico dele foi perdendo força, foi enfraquecendo. As doenças oportunistas apareceram e ele não resistiu. As más línguas diziam que o pobre coitado morrera vítima de Aids.

Severino, o falecido, era um nordestino arretado, e Salete não se permitia ter intimidades. Era bastante carola, temente a Deus. Severino, não podendo ter prazer com a esposa, passou a pegar meretrizes no centro da cidade. Certa noite acordou suando muito, os lençóis ensopados, com febre contínua, e ele fora internado. Em meados de 1980 não havia tratamento adequado para combater o vírus HIV e muitas pessoas morreram em conseqüência da Aids. Severino foi um deles. Mas Salete jamais admitiu a doença do marido, mesmo ele internado e morto no Emílio Ribas, hospital da cidade de São Paulo que tratava única e exclusivamente de casos de Aids naquela época. Salete convenceu-se de que tinha sido pneumonia. Os vizinhos esqueceram o ocorrido. Pouco depois, o filho de Salete arrumou emprego em outra cidade e ela ficou só.

Mas será que ela tinha uma mente tão fantasiosa a ponto de afirmar que sempre via um carro parado à porta de Nair?

— Será verdade? — perguntou para si, insegura.

Nair espantou os pensamentos com as mãos. Trancou a porta de casa, jogou a bolsa sobre o pequeno aparador e acendeu a luz. Mariana estava na clínica e Letícia estava no trabalho. Sozinha, ela jogou-se no sofá, tirou os sapatos. Deu uma boa espreguiçada. Depois, levantou-se e foi até a janela. Pela fresta avistou, do outro lado da rua, Salete e Creusa conversando, olhando e apontando para sua casa.

— Será que essas duas fofoqueiras não têm nada melhor para fazer?

Nair bufou e foi para a cozinha. Lembrou-se das palavras doces de padre Alberto e procurou desviar o pensamento. Estranho um homem ficava parado, dentro do carro, à porta de sua casa, quase todas as tardes. Será que era verdade? E se fosse, será que seria perigoso? Sim, porque na casa moravam três mulheres sozinhas, sem nenhum homem para protegê-las. Nair sentiu um aperto no peito e medo, muito medo. Correu até a sala e de novo puxou a cortina.

Um carro acabara de estacionar no meio-fio, em frente à sua casa. Era verdade! O carro estava lá. Salete era fofoqueira de mão cheia, mas não fantasiara. O carro estava parado à sua porta. Nair espremeu os olhos para enxergar melhor. Olhou, olhou e, quando reconheceu o homem ao volante, deu um pulo para trás e um grito abafado.

— Santo Deus! Ele de novo? Como me encontrou aqui? Como descobriu meu endereço?

Nair tremia e mal conseguia articular som. Seria prudente ir até lá fora e falar com ele? Não. Isso não. Salete e Creusa estavam na rua e com certeza iriam deitar e rolar sobre a situação. Mas o que fazer?

Ela pensou, pensou e decidiu:

— Vou tirar satisfações.

Nair estugou o passo, abriu a porta, ganhou a calçada e praticamente atirou-se na frente do carro. Virgílio tomou um susto danado. Arregalou os olhos e abriu a porta. Desceu do veículo meio sem graça.

— O que faz aqui? — indagou ela, nervosa.

— De... desculpe. Não tive a intenção.

— Faz dias que me persegue.

— Eu, bem...

— Como chegou aqui? Quem lhe deu meu endereço? Por que fica parado na minha porta toda tarde?

— Calma. Vou explicar tudo, tudo.

Ela botou as mãos na cintura.

— Pode começar. Já.

Virgílio baixou o tom de voz. Sentiu vergonha.

— Na rua, não.

Nair hesitou. Olhou para o lado e viu Salete e Creusa cochichando. Ambas mexiam as mãos, gesticulavam, aparentavam estar indignadas. Nair meneou a cabeça para os lados. Estava farta daquelas vizinhas mexeriqueiras. Botou a língua para fora, fez uma careta e as duas se espantaram. Virou-se para Virgílio:

— Vamos, entre. Seja rápido.

Virgílio trancou o carro e entrou. Nair fez sinal e ele se sentou numa poltrona.

— Explique-me tudo. Agora.

— Bom...eu... sabe...

— Sem meias palavras. Você aparece depois de vinte e tantos anos, do nada, e me persegue? Por quê?

— Não a estou perseguindo.

— Como não? Eu o vi no enterro de meu marido. Era você. Eu juro que o vi.

— Sim. Eu estava lá. Queria constatar. Não acreditei quando soube.

— Não acreditou em quê?

— Que fosse você. Pensei que meu pai a tivesse mandado para bem longe daqui, outra cidade, outro Estado, talvez. Pensei em procurá-la, mas achei prudente ficar em silêncio.

— O que seu pai fez comigo não tem perdão.

— Não diga isso, Nair.

— Como não?

— Eu falhei, cometi um deslize.

— E preferiu casar-se com a víbora da Ivana. Isso foi uma bela prova de amor que você me deu.

— Você desapareceu e não me procurou mais. O que queria que eu fizesse?

Nair mordeu os lábios, receosa. Ele tinha razão. Ela sumira, mas acalentou o sonho de que ele iria atrás dela. E Virgílio não correu. Ela se magoara, acreditando que, por não ter corrido atrás dela, ele não a amava.

— O passado está morto.

— Creio que temos muito o que conversar.

— Não temos nada a conversar. Você está casado, tem sua família.

— Como sabe?

— Quando vou ao salão de beleza sempre vejo a foto do casal feliz nas revistas de fofocas.

— Ivana adora aparecer.

— Então por que não me deixa em paz? Por que quer me atormentar depois de mais de vinte anos?

— Não quero atormentá-la. É que pensei, bom...

— Vamos, diga.

Virgílio respirou fundo. Por fim disse:

— Eu ainda a amo.

Nair sentiu o sangue gelar e as pernas falsearem. Precisou ser firme para manter o controle.

— Bobagens. Não me diga besteiras, homem.

— É verdade. Descobri esses anos todos que sempre a amei.

— Isso não é verdade.

— Por favor, escute-me. Eu nunca deixei de amá-la.

Ela vociferou:

— E por que não foi atrás de mim? Foi só eu dar um sumiço e em seguida você se casou com a Ivana.

— Não tive outra alternativa. Eu vou me separar logo, você está viúva, podemos repensar nossas vidas. Ainda podemos ser felizes.

— Estamos na meia-idade. Não temos muito mais tempo assim.

— Não diga isso. Não importa quanto tempo ficaremos juntos, mas pense.

— Não tem o que pensar.

— Você não me ama mais?

Nair baixou os olhos. Não poderia encará-lo num momento desses.

— Não.

— Éramos felizes e nos amávamos. Esse sentimento não pode ter se esvaído de seu coração.

— Mas foi. Eu o arranquei no dia em que você se casou.

— Eu estava confuso.

— Culpa sua.

— Eu sei. Meu pai me meteu numa grande enrascada.

— Não me fale no seu pai. Só de pensar no Dr. Homero, sinto uma raiva descomunal.

— Após todos esses anos, percebo que ele não fez por mal.

— Não? Separou-nos por um golpe baixo. Ajudou Ivana a engravidar de você. Isso é baixeza, é uma falta de escrúpulos e de moral que não tem cabimento.

— Estávamos em dívidas. Se fôssemos proprietários da farmácia do pai de Ivana, no centro da cidade, era certo que poderíamos saldar as dívidas e fazer fortuna. Papai só quis aumentar e salvaguardar nosso patrimônio.

— E por que Ivana consentiria uma coisa dessas?

— Porque ela vivia uma vida classe média. E sabia que seu pai não tinha tino para os negócios. Ela sempre foi apaixonada pelo luxo e pela riqueza. Sabia que, se meu pai fosse dono daquela farmácia, faríamos muito dinheiro. Meu pai a convenceu disso.

Nair tentou ocultar, mas a lágrima escapou pelo canto do olho.

— Por favor, saia daqui. Não temos o que conversar.

— Escute, Nair.

— Não tenho o que escutar. Por favor, retire-se de minha casa e não apareça mais.

— Por favor...

— Se voltar a encostar o carro na minha porta, eu juro que chamo a polícia. E digo que você está me ameaçando.

— Mas...

— Sem mas. Dou queixa na polícia. Vou à delegacia e faço um boletim de ocorrência. Compreendeu?

Virgílio nada disse. Mordeu os lábios e saiu amuado, cabisbaixo. Nair bateu a porta da sala com força e jogou-se pesadamente no sofá. Não conseguiu conter o pranto.

Por que ele aparecia depois de tanto tempo? Ela tentara sufocar seu amor por anos, casara-se sem amor, formou sua família, e agora ele voltava e cutucava em suas feridas ainda não cicatrizadas? Isso não era justo, depois de tudo o que fizeram com ela. O passado veio com força e ela permaneceu caída no sofá, chorando, remoendo suas emoções.

O espírito de Homero tentava a todo custo acalmá-la. Outro espírito, contornos delicados e forma de mulher, aproximou-se.

— De nada vai adiantar, Homero.

— A culpa me corrói. Eu preciso uni-los, Consuelo.

— Agora você é Deus?

— Não, mas...

— Quem disse que tem de fazer isso?

— Preciso acalmar minha consciência. Ela não pára de me acusar.

— Você precisa se perdoar. Assim vai facilitar as coisas.

— Não consigo. Enquanto eu não os vir juntos, não vou sossegar. Preciso reparar o mal que fiz a Nair. Ela perdeu...

Consuelo pousou suas mãos na dele.

— Chi! Não se esqueça de que não há vítimas no mundo. Se Nair fosse firme e acreditasse no seu amor, as coisas poderiam ter sido diferentes. Entretanto, ela não foi firme. Não vou dizer que isso não o exime de sua danosa interferência na vida dela e de Virgílio. Mas agora não vale a pena lembrar-se do passado. O ambiente está carregado, visto que Nair está remoendo um passado cheio de dor. Ao invés de entrar na mesma faixa vibratória que ela, que tal me ajudar a acalmá-la e limpar o ambiente dessas energias pesadas? As meninas vão chegar logo e não é justo que encontrem uma casa cheia de energias nocivas e impuras.

Homero concordou com a cabeça. Ambos se concentraram, esfregaram as mãos, ergueram-nas para o alto e em instantes ministraram um passe em Nair. Aos poucos ela foi se acalmando, sentindo-se mais leve, e cochilou. Homero fez rápida limpeza no ambiente, beijou a testa de Nair e, acompanhado por Consuelo, desvaneceu no ambiente.

Passava das sete da noite quando a empregada avisou Ingrid:

— Sua prima Elisa disse que chega daqui a uma hora.

— Minha prima?

— Sim, senhora. Disse ser assunto urgente.

Ingrid estranhou o recado.

— Elisa nunca vem de supetão. Ela me avisa com antecedência quando vem a São Paulo. Tem certeza de que foi ela quem ligou?

— A empregada dela ligou e avisou. Eu estava dando ordens ao jardineiro, talvez tenha me confundido.

Ingrid levantou-se desconfiada. Elisa nunca usou a empregada para dar recados. Estranhou o fato. A empregada entregou-lhe um papel.

— Ela disse para ligar neste número.

Ingrid nem cogitou conferir o número com o da agenda. A princípio, parecia ser apenas um recado estranho, mais nada. Ela pegou o fone e discou. O telefone tocou, tocou e ninguém atendeu. Ingrid tentou de novo e tocou até cair a linha.

— Pode ser que Elisa esteja vindo para cá.

Sílvia estava sentada numa poltroninha próxima à sala.

— Mamãe, não se preocupe. Fique à espera da prima Elisa. Eu vou ao restaurante com Inácio.

Ingrid hesitou por instantes. O filho desceu as escadas e ouviu o fim da conversa.

— Não me diga que não irá ao restaurante?

— É pena, meu filho, mas recebi um recado de Elisa, dizendo que deve chegar daqui a meia hora.

— Então esperemos por ela e vamos todos jantar.

— Não.

— Oras, mãe.

— Elisa sempre se atrasa. Deve chegar mesmo é daqui a uma hora. Você estava morrendo de saudades de sua irmã. Aproveitem o jantar para pôr a conversa em dia.

Inácio deu meia volta e aproximou-se de Sílvia. Beijou-a na testa.

— É verdade: eu estava com muita saudade de minha irmã. Fico contente de saber que vai ficar um bom tempo conosco.

— Preciso aproveitar nossos poucos momentos juntos.

— Por que diz isso?

— Mamãe me falou de Mariana...

Os olhos de Inácio brilharam emocionados.

— Ah, estou tão apaixonado! Encontrei a mulher da minha vida.

— Fico feliz por você.

Ingrid interveio, amável:

— Você reservou horário. Não é de bom tom chegarem atrasados. Eu recebo minha prima e, se der tempo, peço para o Ismael me levar ao encontro de vocês.

— Está certo — concordou Inácio. — Eu e Sílvia temos muitos assuntos para conversar.

Ele puxou a irmã delicadamente pelo braço. Despediram-se e partiram.

Nesse mesmo instante, Teresa ligava para a casa de Nair, perguntando por Mariana. Nair atendeu e chamou a filha:

— Mariana, telefone para você.

— É o Inácio, mãe?

— Não. Diz que é uma amiga da faculdade.

Mariana acabara de sair do banho. Ajeitou a toalha sobre os cabelos molhados, vestiu o robe e gritou do corredor lá em cima:

— Diga para ligar mais tarde. Acabei de sair do banho.

— Ela diz que é urgente.

Mariana deu de ombros e por fim desceu. Pegou o fone.

— Quem é?

— Oi, querida.

— Quem fala?

Teresa botou parte da mão sobre o bocal do telefone.

— Sou eu.

— Eu quem?

Teresa foi ligeira e cortou-a:

— Vou direto ao ponto. Cadê seu namorado?

— Hã?

— Você não está com seu namorado, está?

— Não, Inácio não está aqui. Mas, escute, o que você quer?

— Não sou de arrumar encrenca. Longe disso, sabe? Mas eu vi seu namorado há poucos instantes abraçado a uma loira bem vistosa.

— Isso é um trote? — indagou Mariana, completamente nervosa.

— Quem avisa, amiga é. Acabei de ver seu namorado de braços dados com uma loira bem bonita. Se eu fosse você, iria checar, viu, querida?

Mariana bateu o fone no gancho com força.

— Aconteceu alguma coisa, filha?

— Ainda não sei. Vou saber já.

Mariana bufou e discou para a casa de Inácio. A empregada deu o recado:

— Inácio saiu para jantar. Devo anotar recado?

Ela nem respondeu. Ele havia saído para jantar? Quem ligara sabia do encontro. O telefone tocou novamente. Mariana atendeu esbaforida:

— Alô!

— Querida! Desculpe-me, mas creio que nesse tempo você ligou para a casa dele e soube que Inácio não está, certo?

Mariana parecia estar fora de si.

— Quem é você? O que quer?

— Ora, sou apenas uma amiga. — Teresa deu o nome e endereço do restaurante. — Cumpri a minha missão. Como disse, quem avisa, amiga é. Eu não quero que você seja enganada, querida.

Teresa desligou o fone e caiu na gargalhada.

Mariana não sabia o que fazer. De início ficou parada, olhando para o aparelho e pensando em tudo aquilo. Inácio não podia ser canalha. Isso não. Era um trote danado, pesado, mas ela não iria dar trela. Era tudo bobagem. Não iria se preocupar com uma bobagem desse naipe.

Não? Movida pela insegurança, Mariana hesitou.

Teresa não parava de rir. Seus olhos expressavam seu contentamento.

— Bem feito! Essa suburbana de quinta categoria vai atrás dele. Se bem a conheço, ela é toda certinha e não vai fazer alarde. Mas vai ficar profundamente abalada com a cena de Inácio e Sílvia juntos. Ah, sim — ela jogou os cabelos castanhos para os lados enquanto dizia para si —, Mariana não sabe que a loira é irmã de Inácio. Coitada, que confusão para a cabecinha tola dela...

Mariana continuou estática, sem ação. Nair saiu da cozinha e notou o estado apoplético da filha.

— O que foi? Aconteceu alguma coisa?

— Nã... não. Nada.

— Como nada? Você está pálida. O que aconteceu?

— Nada, mãe.

Nair tornou:

— O jantar está servido.

Mariana decidiu:

— Vou sair.

— Sair agora? Por quê?

— Precisam de mim na clínica — mentiu.

— A esta hora?

— São ossos do ofício.

— Acabei de botar o jantar à mesa. Você mal saiu do banho.

— Precisam de mim na clínica. Volto logo.

Mariana subiu as escadas, correu até o quarto e vestiu-se. Desceu rápida, apanhou a bolsa a saiu. Nem teve tempo de secar os cabelos. Enrolou-os num lenço. Bateu a porta com força.

Letícia desceu em seguida.

— O que deu na Mariana? Ela mal me cumprimentou.

— Parece que precisam dela lá na clínica do Dr. Sidnei.

— Alguma coisa grave?

— Não sei. Ela não me disse. Saiu e pronto.

Letícia deu de ombros.

— Bom, não vamos nos preocupar.

— Sua irmã sabe o que faz.

— Vamos jantar?

— Sim, vamos.

— Estou faminta.

— Venha, filha, vamos comer.

Capítulo 9

Rogério era um rapaz bem apessoado. Alto, moreno, delicada franja cobria-lhe a testa. Os olhos eram amendoados e levemente esticados. Era filho único de Ismael e Celeste. Com a morte da mãe, quando ele mal completara dezesseis anos de vida, Rogério foi morar com o pai na casa de Virgílio, de quem Ismael era motorista na época.

O rapaz dedicou-se aos estudos e Virgílio percebeu que Rogério daria excelente profissional. Diante da certeza, investiu nos estudos do menino e contratou-o para trabalhar em uma de suas farmácias. O tempo correu célere e, de entregador de medicamentos, agora Rogério era o gerente da farmácia que mais dava lucro a Virgílio.

Rogério era educado, atendia muito bem os clientes, e a localização da farmácia, numa esquina da Avenida Ibirapuera, próxima ao *shopping*, atraía clientela distinta, endinheirada e fiel.

Infelizmente, alguns anos atrás Ivana implicara com Ismael. Na verdade, Ivana sempre implicava com empregados. Berrava com eles e destratava-os sempre. Ninguém ficava mais que seis meses na casa. Ismael segurou bem a onda. Permaneceu no emprego por longos seis anos, mas chegou um momento em que nem ele queria mais ficar lá, mesmo tendo apreço por Virgílio, Bruno e Nicole. Ismael era de grande valia para a família.

Certa manhã, Ismael disse a Ivana que tinha algo sério para conversar com ela.

— Se for aumento de salário, esqueça.

— Não é isso, Dona Ivana. É que... bem... eu levo sua filha às festas de suas amigas e tenho notado algo estranho.

— Estranho, como?

— Nicole vai quieta e bem comportada. Quando passo para buscá-la, parece outra pessoa, eufórica, falante, excitada ao extremo.

— Ela se distrai, se diverte e sai mais animada.

— Não, senhora. Ontem fui buscá-la numa festa e, ao sair do carro, Nicole distraiu-se e deixou cair isto — disse ele, entregando-lhe um pacotinho.

— O que é isso?

— Acho que sua filha está metida com tóxico.

Ivana sentiu o sangue subir. Desconfiava que Nicole estivesse envolvida com algum tipo de droga. Mas achou que fosse coisa de adolescente, talvez um inofensivo cigarro de maconha e mais nada. Mas, ao ver o pacotinho cheio de ervas, percebeu que sua filha caminhava para coisa pior. No entanto, achou melhor fechar os olhos, esquecer e não encarar a realidade.

Ismael ficou parado, esperando uma resposta. Com medo de que ele desse a língua nos dentes e fosse contar sobre o ocorrido a Virgílio, Ivana não pensou duas vezes e demitiu-o. Num único dia ela colocou pai e filho para fora de sua casa. Virgílio tentou argumentar, quis que ela reconsiderasse, todavia Ivana não deu ouvidos ao marido, bateu pé e, quando Virgílio ainda mostrou ânimo para convencê-la do contrário, Ivana começou a quebrar tudo que via pela frente, completamente fora de si, irascível.

Ismael saiu da casa muito triste. Gostava de Virgílio e das crianças e temia pelo futuro de Nicole. Tempos depois, ao encontrar Virgílio ao acaso, e na tentativa de alertar o ex-patrão, ele comentou sobre o episódio da maconha, mas Virgílio também não lhe deu atenção. Agradeceu, deu um tapinha nas costas de Ismael e jurou para si que sua filha não era barra-pesada e meteu na cabeça que aquele pacote de maconha era de alguma amiga de Nicole.

Ismael alugou um cômodo no centro da cidade e não desanimou. Comprou jornais e esmiuçou os classificados, na tentativa de arrumar uma colocação. Havia recebido um bom dinheiro de indenização, mas seria o suficiente para dois meses, no máximo. Em três dias, no entanto, Ismael estava empregado. Foi admitido para ser motorista de Ingrid. Ele tinha certeza de que se daria muito bem nesse novo emprego. A entrevista com Ingrid correra tranqüila, e houve simpatia imediata entre ambos.

Rogério, feliz com o novo emprego do pai, alugou pequeno apartamento próximo de seu trabalho. Ia a pé, e assim economizava no combustível. Deixava o carro na garagem do prédio e só o tirava nos fins de semana, para passear com o pai.

O rapaz insistia para que morassem juntos, mas o pai preferia seu quarto nos fundos da casa de Ingrid. Ismael não queria ser um estorvo e também queria que o filho, nos seus vinte e dois anos de vida, pudesse ter suas liberdades e tocar a vida de seu jeito.

Eles se encontravam todo fim de semana e passavam os domingos juntos. Iam a parques, eventos, museus, almoçavam, assistiam às vezes a uma partida de futebol e depois Rogério deixava o pai na casa da patroa. Era o único dia da semana em que Ismael não dirigia. Rogério, mesmo cansado, fazia questão de que o pai nem tocasse na direção do veículo.

Nesta noite Rogério ficara até mais tarde na farmácia e foi um dos últimos a sair. Ajudou a descer as portas do estabelecimento. Despediu-se dos funcionários e dobrou a quadra. A noite estava gelada, ele encolheu o corpo no sobretudo e estugou o passo. Ao dobrar uma alameda, deparou com uma jovem aos prantos, sentada à beira da calçada, aparentando profundo desequilíbrio emocional.

Momentos antes, Mariana saltara do ônibus na Avenida Ibirapuera e correu dois quarteirões para dentro da avenida. Chegou arfante na porta do restaurante. O *maître* atendeu-a solícito.

— Alguém a espera, senhorita?

Mariana procurou recobrir o fôlego.

— Sim, tenho amigos que marcaram jantar comigo aqui esta noite. Teria algum problema caso eu pudesse dar uma entradinha e procurá-los? Creio que estou atrasada.

O *maître* foi gentil:

— Faça o favor, senhorita. Entre e procure à vontade.

Mariana agradeceu com um aceno e entrou. Seus olhos ansiosos procuraram por todo o salão. Nada. Ela forçou os olhos, espremeu-os e perpassou o olhar mesa por mesa. Seus olhos grudaram num casal mais ao fundo do estabelecimento. Um garçom parou à frente da mesa e ela não conseguia determinar se o homem ali sentado era Inácio. Teve de esperar mais alguns instantes. Mariana estava impaciente. Algo lhe dizia que o moço ali sentado era seu namorado.

O garçom afastou-se, ela novamente espremeu os olhos e constatou: era verdade! Inácio estava acompanhado de bela loira. E pior: Inácio acariciava a mão da garota, passava a mão sobre seu rosto. Pareciam bastante íntimos, enamorados até.

A jovem sentiu o estômago embrulhar. Desesperou-se. O *maître* veio até seu encontro, mas Mariana afastou-se, trôpega e com as mãos na boca, sentindo forte enjôo. Numa rapidez desconcertante, ela deixou o restaurante e ganhou a rua.

A jovem dobrou a esquina, não sabia para onde ir. Sentia-se sem rumo, desorientada. Totalmente perdida. Aflita, dando largas à razão, disse para si:

— Bem que desconfiei. Por que ele iria se sentir atraído por mim? Eu sou da periferia, não pertenço à mesma classe social que ele. Sou um brinquedo, um passatempo em suas mãos.

Ela amava Inácio com tanta intensidade, e ele aprontava uma dessas com ela? Isso era o cúmulo do desrespeito. Como pudera se enganar com aquele homem? Como pudera ter sido tão cega?

Mariana não agüentou e esparramou-se na calçada. Suas pernas não sustinham seu peso. Sentia-se fraca e desamparada. Arrancou o lenço dos cabelos ainda úmidos e cobriu o rosto com as mãos. Desatou num choro compulsivo.

Rogério dobrou a quadra e, ao vê-la em franco desespero, desacelerou os passos e aproximou-se. Hesitou por um momento e, por fim, perguntou:

— Algum problema?

Mariana levantou os olhos inchados e vermelhos.

— Estou desorientada.

— O que foi?

— Quero ir para casa, mas não sei qual ônibus tomar.

— Está perdida? — indagou ele, solícito.

— Não, só não sei como voltar para casa.

— Onde você mora?

— Na Vila Carrão.

Rogério coçou o queixo, pensativo.

— É, fica do outro lado da cidade, fora de mão.

Mariana continuava a chorar.

— Por que não toma um táxi?

— Não tenho dinheiro para um táxi.

— Quer que eu a acompanhe?

— Não... — Mariana desconfiou. — Não é necessário.

Rogério percebeu a desconfiança e sorriu.

— Escute, estamos no mesmo barco. Você crê que posso lhe fazer algum mal e eu também posso estar sendo alvo de uma armadilha.

— Não entendo.

Ele olhou para os lados, temeroso.

— Jura que não tem ninguém com você?

Mariana sorriu pela primeira vez.

— Está desconfiando de mim?

— Sinto ser observado. Ao aproximar-me, vi o clarão de um *flash*. Por que não desconfiaria? Só porque é bonitinha?

— Acha que sou assaltante ou coisa do tipo?

— Nesta cidade não dá para confiar em todo mundo. Seja como for, você me passa a impressão de ser uma boa garota. Não me parece ser pessoa de má índole.

Mariana sorriu novamente.

— Estou desconcertada. Eu deveria suspeitar de você, mas creio que somos ambos inofensivos.

Rogério balançou a cabeça, sorridente.

— Isso é verdade. Acabei de sair do trabalho.

— Mora longe?

— Moro aqui perto.

— No ponto lá perto de casa me indicaram qual ônibus tomar. Não sei como voltar. Conhece ônibus daqui que vá para a zona leste? Ou mesmo que passe próximo ao metrô? Eu moro perto da estação Carrão do metrô.

— Posso acompanhá-la.

— Não será necessário.

— São dez horas da noite. É perigoso uma moça andar sozinha pela cidade.

— Se eu pegar ônibus e metrô, vou chegar em casa bem depois das onze. Minha mãe deve estar preocupada.

— Façamos o seguinte... — propôs Rogério. — Eu a levo até sua casa.

— Não tenho dinheiro para duas passagens.

— Pegamos um táxi. O trânsito está mais calmo a esta hora. Em vinte minutos você estará lá.

— Não poderia...

— Não se preocupe. Eu pago, depois você acerta comigo.

Mariana titubeou por instantes. Rogério apressou-a.

— Pense logo. Está começando a garoar e o frio está de rachar. Tenho boa saúde, mas não quero arriscar. Venha.

Rogério estendeu-lhe a mão. Mariana apoiou-se nele e levantou-se. Ele lhe parecia ser bom moço. De repente ouviram passos e um barulho, em seguida outro *flash* espocou. Rogério olhou para os lados mas não viu nada, ninguém. Mariana estava tão aturdida que mal se importou com aquele clarão. Desejava ardentemente chegar rápido em casa e afundar-se nos travesseiros.

Continuaram a caminhar e nem notaram, perto deles, um jovem todo vestido de preto, atrás de um carro. O rapaz colocou a máquina fotográfica na mochila e sorriu satisfeito.

— Teresa me arruma cada uma! Faz uma semana que sigo essa garota. Já estava desistindo. Pelo menos vou receber meu pagamento em drogas.

Artur sorriu feliz. Tinha certeza de que, ao revelar as fotos, Teresa ficaria impressionada e lhe daria boa quantidade de pó. Era isso que ele queria, mais nada.

Rogério e Mariana não o notaram e foram andando até alcançarem a Avenida Ibirapuera. Rogério fez sinal para um táxi, o motorista encostou no meio-fio e eles entraram. Mariana deu o endereço e o motorista assentiu com a cabeça.

No trajeto, Rogério perguntou:

— Desculpe, não quero me intrometer, mas poderia saber o que você fazia naquela calçada? Parecia estar bem chateada.

— Magoada, desapontada, decepcionada.

— Discutiu com alguém?

— Não. Na verdade, recebi um telefonema.

— Um telefonema?

— Sim. Um trote. Uma mulher me ligou e disse que viu meu namorado com outra, num restaurante aqui em Moema.

— E você acreditou?

— A princípio pensei realmente que aquilo tudo fosse trote, uma farsa. Não dei mais trela para a garota e desliguei o telefone. Entretanto, fiquei com uma pulga atrás da orelha e...

— Desconfiada?

— Hum, hum. Não sei explicar, mas naquele momento era como se eu houvesse sido tomada por uma força estranha, um desejo enorme de ligar para a casa de Inácio e saber se ele estava lá.

— E ele não estava — arriscou Rogério.

— Não. E, logo em seguida, o telefone tocou de novo. Era a mesma mulher.

— Como sabe?

— Era a mesma voz. Então ela foi enfática: "Eu não disse?" ou coisa do tipo. Aquilo me pegou de um jeito... Não agüentei e vim até aqui.

— Você gosta de seu namorado?

Mariana encarou-o séria.

— Claro!

— Mas não o suficiente para deixar que boatos interfiram na relação.

— Mas eu vi. O pior é que era verdade.

— Você pode estar tirando conclusões precipitadas. Ademais, se você gosta mesmo dele, não deveria se importar.

— Não?

— De maneira alguma. Até que se prove o contrário, eu prefiro acreditar em quem amo, e nunca num estranho. E, mesmo que ele estivesse numa situação, digamos, delicada, se eu gostasse realmente dele, daria a chance de se explicar, iria ouvi-lo e depois tirar minhas próprias conclusões. Jamais iria jogar meus sentimentos no lixo por conta de besteira.

Mariana estava indignada.

— Você o defende?

— Não é isso.

— Claro! — ela bateu a mão na testa — Homens! Vocês têm uma capacidade incrível de defender uns aos outros.

Rogério balançou a cabeça para os lados.

— Não foi o que eu quis dizer. Resumidamente, diria que você não confia no seu namorado e, o pior de tudo, não confia em si mesma.

— Como?

— Falta de confiança, total e absoluta.

— Mas eu o vi agarrado com outra!

— E daí?

— O que os olhos vêem, o coração sente.

— Se seu coração se entristece com rapidez, impressiona-se com facilidade, não deveria ter visto. Você não tem estrutura psicológica para enxergar os fatos como realmente são.

— Claro que tenho estrutura! — bramiu Mariana, chamando a atenção do motorista, que os encarou pelo retrovisor. Rogério prosseguiu:

— As coisas devem ser como você as idealiza. Você quer ver de um jeito e só aceita ver os fatos à sua maneira.

— Não. Sou flexível.

— Não é o que parece.

Mariana explodiu:

— Ele me traiu! Não é o suficiente?

— Será?

— Ninguém me contou. Eu vi.

— Conhece quem estava com ele?

— Nunca a vi antes. Deve ser uma dessas patricinhas endinheiradas. Meninas da mesma classe social que ele.

— Ah, ele é rico — suspirou Rogério.

— É. Bem que desconfiei. Por que um homem bonito e rico iria se meter comigo? No fundo, ele queria era se aproveitar de mim. Mas eu não quis ouvir minha cabeça, deixei o coração ir na frente. Isso que dá.

— Isso é preconceito de sua parte.

— Está me chamando de preconceituosa?

Rogério riu com gosto.

— Estou. Por que um homem bonito e rico não pode se apaixonar por moça de classe social mais baixa?

— Porque é a regra — sentenciou Mariana.

— Que regra?

— Regra da sociedade. Assim é que as coisas funcionam.

— Você dá muito valor às aparências. E por essa razão sente-se insegura. Desse modo não vai segurar esse homem por muito tempo.

— E nem quero. Ele me traiu. Não é de confiança.

— Tem certeza?

— Eu juro para você que o vi com outra.

— Nessas horas é melhor sentar e conversar. Ele pode ter uma amiga.

Mariana cortou-o:

— Homens não têm amigas.

— Por que não?

— Só se for com outra intenção.

Rogério espantou-se:

— Está vendo? Você é preconceituosa e vê maldade em tudo. Como pode querer ter uma vida saudável, próspera e alegre se seus olhos só registram negatividade em tudo que vê?

Mariana deu de ombros.

— A vida é dura.

— Porque você acredita assim.

— Mas é. Perdi meu pai, quase perdi a faculdade. Minha irmã dá um duro danado para ajudar a sustentar a casa e minha mãe agora está se recuperando, colaborando nas despesas, costurando para fora. Ainda está se adaptando à viuvez.

— Seu pai morreu faz pouco tempo?

— Alguns meses.

— É difícil adaptar-se à nova realidade.

— Você tem pai? — indagou Mariana, mais calma.

— Sim.

Ela meneou a cabeça para os lados:

— Então não sabe do que estou falando.

— Por outro lado — retorquiu Rogério —, não tenho mãe.

— Irmãos, você os tem?

— Não. Sou filho único.

— Sinto muito.

— Não há o que sentir. Eu e meu pai nos amamos e nos damos muito bem.

— Mas é triste saber que um dia eles se vão. A morte é algo muito triste. Isso me desagrada profundamente.

— Faz parte da vida.

— Não concordo.

— Não se trata de concordar, mas de entender e procurar aceitar. Afinal, nascer e morrer é algo do qual não podemos fugir neste mundo.

— As pessoas que amamos nunca deveriam morrer.

— Isso causaria uma explosão demográfica no mundo — considerou o jovem, esboçando novo sorriso e mostrando os dentes alvos. — Por outro lado, a saudade nos ensina muita coisa.

— Ah, essa é boa! A saudade só traz dor.

— Depende do ponto de vista. Saudade é quando sentimos a falta de algo ou alguém e isso nos faz refletir. Por isso, quando encontro meu pai, por exemplo, procuro viver intensamente os momentos que temos juntos. Não quero desperdiçar nem uma gota de segundo e, quando surge uma desavença, procuro acabar logo com a questão e encarar o lado bom da situação. Minha mãe me ensinou muita coisa. E graças a ela hoje eu sinto saudade, ao contrário de muitas pessoas, que, ao invés de saudade, sentem remorso.

— Sinto falta do meu pai.

— É natural, afinal de contas você o amava. É duro, mas a gente aprende. Logo você vai se casar, formará uma família, terá filhos e saberá distribuir melhor o seu amor. E nossa vida se torna esse vaivém de gente. Já percebeu quanta gente entra e sai de nossas vidas?

Mariana assentiu com a cabeça.

— Sim.

— Nossa vida funciona assim.

O carro aproximou-se da casa de Mariana. O motorista encostou e puxou o breque de mão. A jovem saltou e Rogério pediu ao motorista que o aguardasse. A jovem tocou a campainha impaciente e, assim que Nair abriu a porta, ela se jogou nos braços da mãe, chorosa e aflita.

Nair e Letícia estavam preocupadas. Nair abraçou a filha e desabafou, num tom preocupado:

— Liguei para a clínica e disseram que você não esteve lá. Onde se meteu, filha?

Ela não respondeu. Chorava, e a aflição impedia-a de dizer alguma coisa. Letícia olhou por cima do ombro da mãe e avistou Rogério. De repente seu corpo estremeceu levemente. Ela aproximou-se.

— Olá.

O rapaz sorriu.

— Boa noite. Meu nome é Rogério. Encontrei sua irmã chorando numa calçada, perto do meu trabalho, e a trouxe até em casa.

Nair voltou-se para ele:

— Algo grave? Ela foi assaltada? Molestaram minha filha?

Ele procurou acalmá-la:

— Não aconteceu nada de grave, senhora.

Nair levantou as mãos para o alto.

— Graças a Deus!

O rapaz concordou com a cabeça e prosseguiu:

— O importante é que sua filha está sã e salva.

— Que você seja abençoado, meu jovem. Obrigado por trazer minha filha para casa.

— Não há de quê.

Rogério sacou a carteira do bolso do sobretudo e tirou um cartão. Estendeu-o a Letícia.

— Ligue-me qualquer dia desses. Podemos marcar um almoço, e então lhe conto tudo. O táxi está parado lá fora, me esperando, e o taxímetro não dorme no ponto.

Elas riram. Rogério despediu-se e Mariana aproximou-se, estendendo-lhe a mão.

— Obrigada. Você foi um anjo que me apareceu na hora certa.

— Não tem o que agradecer. Senti vontade de ajudá-la e aqui está, no aconchego de seu lar. Agora preciso ir.

Ele despediu-se de Nair e, ao virar-se para sair, esbarrou seu braço no de Letícia. Ele sentiu um choquinho percorrer-lhe o corpo, seus pêlos eriçaram. Ele a olhou e sorriu.

— Espero sua ligação. Boa noite.

Letícia respondeu, alegre:

— Boa noite.

O jantar decorreu agradável, e pouco antes da meia-noite Inácio e Sílvia estavam em casa. Haviam trocado confidências, conversado bastante sobre suas vidas e principalmente sobre seus relacionamentos afetivos. Ele estimulou a irmã para que esquecesse Mateus e se abrisse para encontrar um novo amor. E procurou encher a cabeça da irmã de esperanças, ao contar-lhe sua própria descoberta amorosa.

Inácio e Sílvia se davam muito bem, pois, além de irmãos, eram muito amigos. Não tinham pudores e adquiriram alto grau de confiança, revelando um ao outro todos os seus segredos.

O jovem estacionou. Desceram do carro contentes e entraram em casa abraçados. Ingrid estava esticada numa poltrona, folheando uma revista de moda na saleta de inverno.

— Acordada ainda?

— Sim — respondeu, sem tirar os olhos da revista.

— Onde está Elisa? — indagou Inácio.

— Não tem Elisa nenhuma aqui em casa — esbravejou Ingrid. — Brincadeira de mau gosto. Trote feio esse, viu?

— O que aconteceu? — indagou Sílvia, preocupada.

— Elisa não tirou os pés de Jundiaí. Disse que tenciona vir a São Paulo somente no fim do ano.

— A Maria deu o recado direitinho?

— Deu. Ela jurou para mim, de pés juntos. Disse-me que uma das empregadas de Elisa ligou e avisou que ela chegaria por volta das nove da noite.

— Estranho... Você não ligou para a casa dela?

Ingrid bufou:

— O telefone que Maria me deu não é o da casa de Elisa. Eu, tonta, nem me dei conta de procurar na agenda.

— Talvez seja um mal-entendido, mãe — tornou Sílvia.

— Não sei, não. Algo me diz que fui impedida de ir a esse jantar.

— Como assim?

— Não sei, coisas da intuição. — Ingrid mudou o tom de voz, agora mais doce. — Contem-me, como foi o jantar? Colocaram todas as conversas em dia?

— Uma boa parte — asseverou Inácio.

— Eu falei pelos cotovelos. Dei um caldo nas orelhas de meu irmão.

— Fico contente. Sua irmã chegou muito tristinha. Eu gosto de vê-la assim, feliz, sorridente. Essa é a minha filha.

— Teria sido mais gostoso se você tivesse partilhado nossa companhia — volveu Sílvia, beijando-lhe as bochechas.

— Vejo que o jantar foi prazeroso.

— Bastante. — Sílvia estava feliz. — Sabia, mamãe, que Inácio tem um amigo que trabalha com jovens da periferia?

— Sim. Até pensei em lhe contar isso no caminho do aeroporto ao restaurante.

— E por que não o fez?

— Naquele momento não queria falar de trabalho. Você estava triste, queria desabafar, falar do rompimento do namoro com o Mateus.

— Que Mateus? — perguntou Sílvia, voz irônica.

Ingrid levantou-se da poltrona e abraçou a filha.

— Fico contente de que tenha esquecido esse *playboy* de araque. Você vai encontrar companheiro à sua altura. Acredite.

Sílvia fez sinal afirmativo com a cabeça.

— Lembra-se do Daniel, mãe? — interveio Inácio.

— Aquele rapaz simpático que almoçou conosco dia destes?

— Ele mesmo. Está metido nesse projeto com o filho do Dr. Virgílio e da Dona Ivana.

— Não posso crer que o filho de Ivana esteja numa empreitada dessas.

— Por que não? — perguntou Sílvia.

— Ivana odeia a pobreza, trabalhos voluntários. Ainda é daquelas que distingue o ser humano por faixa de riqueza, raça, cor. Trata-se de mulher fútil, dondoca. Vive dividida entre compras e *shoppings*. Nem deve saber que seu filho participa de um projeto social.

— Bruno é bom rapaz, mãe. Nem parece pertencer à alta sociedade. Ele é bastante simples, não gosta de luxo, tem a fala mansa. Gosto muito dele. Vou levar a Sílvia comigo dia desses. Algo me diz que os dois têm muito em comum.

— Vê só, mãe, como as coisas estão se encaixando? Eu tinha de vir para cá e ficar com vocês. Já estou até arrumando trabalho na minha área!

— Vou apresentá-la ao Daniel — repetiu Inácio. — Tenho certeza de que ele vai querer que você trabalhe junto de sua irmã.

— Fico muito contente. Esse Daniel, é bonito?

Inácio deu uma gargalhada.

— Você está impossível hoje. Deve ser o saquê. Bebeu demais.

Sílvia achegou-se ao irmão.

— Quando terá uma folga em seu trabalho?

— Na sexta-feira. Tenho algumas horas para descontar, e pretendo sair mais cedo. Será um prazer levá-la até Daniel.

— Assim espero — afirmou Sílvia, feliz e contente.

Capítulo 10

Alguns dias depois, Letícia ligou para Rogério. Ele atendeu sorridente:

— Pensei que fosse dar uma de difícil.

— Eu?

— É.

— Não, sou direta, não gosto de rodeios.

— E por que motivo não me ligou antes? Eu lhe dei meu número e, confesso, queria que me ligasse logo no dia seguinte.

— Tenho trabalhado bastante, me desculpe. Não quis me passar por difícil. E, agora que minha chefe me deu uma trégua, resolvi ligar.

— Você não sabe o quanto estou feliz. Fiquei sonhando com sua ligação.

— Agora pode parar de sonhar — disse ela, em tom de brincadeira. — Quando vai me convidar para sair?

Ele admirou-se:

— Você é sempre assim?

— Assim, como?

— Direta?

— Somente por quem me interesso.

— Uau!

— Eu gostei de você — Letícia foi sincera.

O jovem corou do outro lado da linha. Passou a mão nervosamente pela franja, jogando os cabelos para trás.

— Quando... quando poderei convidá-la para jantar?

— Quando quiser.

— Pode ser hoje?

— Sim.

— Eu saio da farmácia por volta das oito. E você, a que horas sai do trabalho?

— Devo ficar até mais tarde também. Vamos marcar às nove?

— Pode ser.

— Venha até o *shopping* — solicitou Letícia. — Comemos um lanche e pegamos um cineminha.

— Adoro cinema. Não acredito ter encontrado alguém que goste de cinema, de verdade.

— Pois encontrou uma cinéfila à altura. Adoro filmes.

— O que você está pensando em assistir?

— Estou louca para ver *Ghost – Do Outro Lado da Vida*, com a Demi Moore e o Patrick Swayze.

— Também estou morrendo de vontade de assistir a esse filme. Desde a estréia não tive tempo, e o público e a crítica afirmam que é lindo, tocante.

— Também li a respeito e assisti ao *trailer*. Tem sessão às dez da noite. Vai dar tempo de comer um lanche e ainda pegar a sessão. Vou ligar para minha mãe e dizer que o anjo que salvou Mariana vai me levar para casa.

Ele riu.

— Se eu for mais uma vez à sua casa, talvez aprenda o caminho e queira voltar mais vezes.

— Isso veremos.

— Combinados. Encontro você às nove.

Rogério anotou o endereço do *shopping* e o local onde deveriam se encontrar. Escolheram a praça de alimentação, local de maior visibilidade e fácil acesso. Ele desligou o telefone com largo sorriso nos lábios. Simpatizara bastante com Letícia e agora tinha certeza de que estava começando a gostar da moça, de verdade.

Ivana estava impaciente. Andava desconcertada de um lado para outro do quarto. Numa mão, dois dedos prendiam o cigarro e, na outra, um telegrama. Tentou inutilmente apagar o cigarro, mas o cinzeiro estava cheio. Num acesso de fúria, atirou o cinzeiro contra a parede e apagou o cigarro no próprio carpete, fazendo considerável rombo no piso.

— Amanhã ligo e mando trocar — esbravejou. — Eu odiava mesmo essa cor. Estava ficando enjoada.

Ela sentou-se na cama, acendeu novo cigarro e desdobrou novamente o telegrama.

CHEGO ESTA SEMANA —
NO TREM DA MANHÃ —
BEIJOS —
CININHA.

Um telegrama curto e grosso, simples. Só isso, mais nada.

— Não posso crer que aquela doidivanas venha para minha casa. O que a infeliz vem fazer aqui?

— Falando sozinha? — indagou Virgílio.

— Já chegou? Não percebi sua entrada.

Ele nada disse. Dirigiu-se até a janela e subiu os vidros.

— Só depois que me mudei de quarto foi que notei como este aqui tem cheiro forte de cigarro.

— O quarto é meu.

— Não sei como agüenta ficar trancada neste quarto com esse maldito cheiro de cigarro.

— Não sinto cheiro nenhum.

— Quantos maços fumou hoje?

— Isso não é da sua conta — rangeu Ivana, entre dentes. — Nunca se preocupou com minha saúde. Poupe-me de seus comentários.

— Mas está exagerando. Você não cuida da saúde, abusa do cigarro e da bebida.

— Sou forte e saudável.

— Precisa se exercitar.

— Deus me agraciou com belo corpo. Não tenho tendência para engordar e estou muito bem, obrigada.

Virgílio sabia que era difícil entabular conversa com a esposa, principalmente quando Ivana aparentava estar contrariada.

— Que bicho a mordeu hoje?

— Nenhum.

— Como, não? E esse estrago no chão? E o cinzeiro espatifado aqui no canto do quarto? Não foi à toa.

— Nada.

— Quando exagera, é porque aconteceu alguma coisa. O que foi?

Ivana amassou o telegrama e jogou-o no chão.

— Minha sobrinha Cininha chega esta semana.

— Esta semana? Que dia?

Ela mordiscou os lábios. Sentou-se na cama.

— Não mencionou a data em que vai chegar. Só disse que é num dia desses, de manhã. Isso é bem dela. Ai, que raiva, viu? Essa menina tem o prazer de me tirar do sério.

— Sorte dela que ainda temos um quarto de hóspedes sobrando.

— Estava pensando em acomodá-la no quarto vago, que foi de Ismael.

— Está louca? — indagou Virgílio, perplexo.

— Por quê? Ela é minha sobrinha e...

— Ela é *nossa* sobrinha.

— Filha da *minha* irmã — esbravejou Ivana.

— Cininha nunca teve pai; eu me sinto meio pai dela.

— Eu não esperava que ela viesse. Não somos íntimas.

— Tive muito pouco contato com ela, mas sempre lhe tive simpatia. Era uma menina espevitada, falante, estava sempre bem-humorada.

— É por isso mesmo. Ela é espevitada, fala pelos cotovelos. Não tem modos. Não combina com nossa classe social.

— Pelo menos ela é autêntica e não é fútil como a maioria dessas garotas endinheiradas.

Ivana deu de ombros.

— Ela não é endinheirada e eu não gosto dela.

— Ela é sua única parente viva.

— E daí?

Virgílio, às vezes, não queria acreditar nas barbaridades que a mulher dizia.

— Sua irmã morreu há um ano.

— E eu com isso?

— Você nem foi ao enterro.

Ela levantou-se de pronto. Acendeu mais um cigarro. Tragou e, ao soltar as baforadas, foi enfática:

— Acha que eu iria ao enterro da minha irmã e perder o casamento da filha dos Capanema? Eu jamais iria perder aquele casamento. Foi o acontecimento do ano.

— Em todo caso, vale ressaltar que era o enterro da sua única irmã.

— Azar o de minha irmã. Oras, morrer bem naquele final de semana?

— Você não tem coração. É totalmente insensível.

— Argh...

— Só pensa em si mesma.

— E devo pensar em mais alguém? Por acaso alguém pensa em mim? Não. Então que se lixe o mundo e seus conceitos de benevolência para com o próximo. Você não pode me dar lição de moral. Estamos no mesmo barco.

— Eu tenho coração.

— Tem? Essa é boa!

— Eu e você somos diferentes — protestou Virgílio.

— Podemos ser, mas somos parecidos em muitas coisas.

— Me dê um exemplo.

— Nossos filhos.

Virgílio coçou o queixo.

— O que têm nossos filhos?

— Você também não liga a mínima para os dois. Bruno se meteu com gente de classe social inferior e receio que esteja contaminado pelos valores mesquinhos e limitados dessa gente pobre e miserável.

— Ele faz o que gosta. Tenho pensado em conversar com ele a respeito de seu trabalho. Perdi muito tempo longe de meus filhos. Sinto que ainda há tempo de uma reaproximação.

Ivana sorriu maliciosa.

— Então creio que deva correr.

— Não entendi. O que quer dizer? Bruno tem se saído muito bem e...

Ivana foi enfática:

— Não estou falando de seu filho. Esse infeliz talvez caia de amores por uma pobretona e vai seguir sua vida, trocando o bairro dos Jardins pela periferia, cheio de filhos a tiracolo e feliz. Vai ter uma vida limitada e pobre, mas feliz.

— Então não sei o que quer dizer.

— Falo de sua filha, oras.

— Nicole está terminando faculdade. Soube que faz terapia. Parece que não tem problema nenhum.

— Você me surpreende. Não sei se é ingênuo demais ou dissimulado de menos.

Ele estava aparentemente confuso.

— O que está tentando me dizer?

Ivana fez um esgar de incredulidade. Ela não tinha estrutura para lidar com o problema. Ele que se virasse e ficasse com a bomba nas mãos.

— Nicole está cada vez mais afundada no vício.

— Vício?

— Ela se droga.

Virgílio não queria escutar. Ivana estava exagerando, pensou. Ele tentou argumentar:

— Ultimamente eu a tenho visto com bom aspecto. Ela faz análise e...

Ivana foi seca:

— Faz séculos que você não vê sua filha. Preocupa-se demasiadamente com o lucro das farmácias e mais nada. Juro que não nasci para ser mãe.

— Tenho refletido muito ultimamente. Confesso que não fui bom pai. Mas ainda há chance de melhorar meu relacionamento com meus filhos. Essa fase de Nicole...

— Deixe de ser idiota! — atalhou ela. — Não é fase! Sua filha é dependente química, é um caso sem salvação.

— Não creio!

— Ah, é? Sabe onde sua filha está?

— Não.
— Nicole está internada num hospital.
Virgílio preocupou-se.
— Internada?
— Sim. In-ter-na-da. Entendeu?
— Como? O que aconteceu a Nicole?
— Você não consegue deduzir? Eu acabei de lhe dizer: sua filha é fraca e é amante das drogas.
— E por que ninguém nunca me falou nada?
— Como não? O Ismael lhe contou. Eu sei que contou.
Virgílio coçou a cabeça, impaciente. Tentara fechar os olhos à realidade. Mas agora percebia que a situação havia passado dos limites. Tinha de encarar o problema da filha.
— Tem certeza?
Ivana gargalhou.
— Nicole é fraca. Acha que fazia terapia por conta de quê?
— Eu, bem...
— Crê que um punhado de sessões de terapia iria libertá-la do vício pesado em que ela se meteu? Não se faça de ingênuo numa hora dessas. Isso não combina com sua personalidade.
— Por que minha filha está internada? Responda-me!
— *Overdose*.
Virgílio desesperou-se. Era a primeira vez em anos que se preocupava de verdade com os filhos. Ele não se considerava um pai ausente. Muito pelo contrário. O problema é que ele tinha de trabalhar bastante, dar um duro danado para que a rede de farmácias desse lucro e ele pudesse garantir uma vida boa à mulher e aos filhos. Entretanto, depois que passou a encontrar-se e conversar com Nair, algo dentro dele mudou.
De uma hora para outra, Virgílio passou a interessar-se mais pelos filhos. Conversava com Bruno sobre seu projeto de venda de medicamentos na periferia, por exemplo. Mas esquecera-se completamente de Nicole. Nisso ele havia falhado. E sentiu um remorso sem igual.
— Diga-me, o que aconteceu à nossa filha?
— Nicole cheirou cocaína em excesso e foi hospitalizada. Bruno está com ela no hospital.

— E você fala comigo nesse tom? Por que não me ligou no trabalho?

— Não queria atrapalhar...

Ivana virou-se e foi ao banheiro.

— Preciso de um banho relaxante. Cininha chega nesta semana, talvez. Tenho de me preparar psicologicamente para receber a fedelha. Nada como um bom banho de banheira para começar.

Antes de entrar no banheiro, Ivana entregou a Virgílio um pequeno papel no qual constava o endereço do hospital.

— É onde Nicole está internada.

Virgílio afligiu-se completamente. Vestiu o paletó, desceu as escadas aos pulos, pegou o carro e acelerou até o hospital. Chegando lá, pediu informações na recepção e em seguida encontrou Bruno. Aproximou-se do filho e viu-o abraçado a uma moça de belos traços, de beleza ímpar. Ele sorriu para si, com satisfação. Aproximou-se pé ante pé e deu um tapinha no ombro do filho.

— Por que não me ligou?

Bruno virou-se e espantou-se com a presença de Virgílio no hospital. Michele afastou-se e ficou num canto da recepção.

— De que adiantaria, pai? — perguntou, ar triste. — Você e mamãe estão sempre ocupados.

— Assim que soube, vim correndo.

— Obrigado por ter vindo.

— Sua irmã corre alguma risco de morte?

— Fizeram uma lavagem estomacal e parece que conseguiram desintoxicá-la.

— Sua mãe disse que foi cocaína.

— Ela não sabe o que fala. Sua filha encheu-se de tranqüilizantes. Quase morreu.

— Não me diga uma barbaridade dessas!

— Estou lhe contando a verdade — tornou Bruno, angustiado. — Por que vocês não se interessam um pouco mais pela própria filha?

Virgílio não respondeu.

— Eu vivo bem, pai, sei o que quero da minha vida e não

preciso de conselhos ou amparo. Mas Nicole é frágil, precisa de carinho e cuidado, de um braço forte que a apóie.

Virgílio deixou que uma lágrima escorresse pelo canto do olho.

— O que aconteceu de verdade?

— Nicole estava sem sono, deprimida, triste. Exagerou na dose de calmantes. Havia bebido uísque em excesso. A combinação explosiva resultou num pré-coma. A sorte é que uma das empregadas estranhou o silêncio no quarto. Nicole, quando está em casa, liga o som no último volume, bem alto. Nice foi bem esperta. Assim que chamou por Nicole e ela não respondeu, ela desconfiou, entrou no quarto e a encontrou caída no chão. Correu até o telefone e chamou pelo resgate.

— E sua mãe?

— Para variar, estava na Oscar Freire, comprando não sei o quê, para não sei quem.

Virgílio passou nervosamente as mãos pelos cabelos.

— Santo Deus! — exclamou.

— Foi por pouco.

Virgílio abaixou-se e sentou-se no sofá da recepção do hospital. Cobriu a cabeça com as mãos.

— Nunca fui bom pai. Nicole está assim porque eu e sua mãe sempre estivemos distantes de ambos.

— Não adianta se culpar. O melhor é esquecer o passado e começar uma nova etapa. Procure se achegar de Nicole, ser seu amigo. Ela é muito carente e precisa de seu apoio, de seu amor.

— Eu me dediquei esses anos todos ao trabalho para lhes dar vida boa, deixar-lhes bastante dinheiro, aumentar o patrimônio de vocês.

— Isso nada vale, pai. Dinheiro ajuda, mas não é o suficiente. Às vezes é bom deixar que os filhos consigam amealhar seu patrimônio por força própria. Isso nos enche de valor, nos torna fortes e confiantes, donos de nós mesmos. Um filho gosta e precisa de carinho, amor, aconchego. Dinheiro é bom, é ótimo, mas a gente aprende a ganhar. Faz falta danada não ter amor de pai e mãe...

— Não posso falar pela sua mãe, mas eu sempre os amei. Não fiquei próximo como devia porque tudo girava em torno do trabalho. Eu sempre fiz tudo sozinho. De uns tempos para cá estou ficando mais relaxado.

Bruno esboçou leve sorriso. Notou a tristeza nos olhos do pai e procurou contemporizar.

— Até que enfim! Quem o está ajudando? Alguma empresa terceirizada?

— Não. Estou gostando muito do trabalho do Rogério.

— Fiquei muito triste quando mamãe o botou para fora de casa, junto com o Ismael — suspirou Bruno, triste.

— Eu também. Mas quem consegue enfrentar Ivana, quando está fora de si?

— É verdade — concordou Bruno. — Da próxima vez que o encontrar, diga que mandei um abraço.

— Sem dúvida.

— Gosto muito desse moço. Isso, sim, é algo que você fez e de que me orgulho muito. Você deu-lhe condições para que pudesse vislumbrar uma vida melhor. Deu a Rogério a possibilidade de estudo e oportunidade de trabalho, e veja no que ele se tornou: um homem de responsabilidade, inteligente, e com todos os ingredientes para ter uma vida plena, próspera e feliz. Basicamente, o que você fez com ele é o que eu e meus amigos tentamos fazer na periferia.

Virgílio interessou-se pelo trabalho do filho. Haviam conversado superficialmente tempos atrás, mas agora ele se sentia verdadeiramente interessado.

— Conte-me mais. Gostaria de ouvi-lo.

Bruno sorriu.

— Acredito que podemos estimular o potencial de crescimento que há em todo ser humano. Promover o homem, dar-lhe condições de estudo e trabalho. Toda pessoa precisa ser estimulada para o melhor. Depois que ela se contagia nesse ambiente positivo, geralmente vai querer só o melhor para si e para o próximo. É uma cadeia da qual não podemos fugir. Desse modo vamos nos impregnando dessa energia e promovendo uma vida mais digna e feliz para todos.

— Não sabia que você fazia um trabalho tão valioso. Para mim, você só tinha a farmácia.

— Você sempre foi contra a criação da farmácia popular.

— Fui porque só pensava em lucro, em ganhar cada vez mais. Entrei nesse círculo vicioso. Agora entendo um pouco melhor o seu trabalho. A sua margem de lucro é menor, todavia aqueles que não têm condições financeiras para ir a uma farmácia convencional podem pagar pelos seus medicamentos.

— No fundo, as pessoas não gostam de receber de graça. O homem precisa de trabalho, precisa ganhar e se sente feliz em poder pagar. Vendo os medicamentos a preços mais acessíveis, as pessoas se sentem realizadas por poder comprar, pagar, sem depender de ninguém.

Virgílio orgulhou-se do filho.

— Tive umas idéias e gostaria de discuti-las mais à frente.

— Fico feliz.

Os dois se abraçaram.

— Talvez esteja na hora de dar uma trégua no trabalho — ponderou Bruno. — As farmácias vão bem, você tem o Rogério, excelente profissional, ao seu lado. Pode desacelerar sua rotina e curtir mais a vida. Sua filha precisa de você.

— Tem razão, preciso pensar em muita coisa.

Michele estava afastada e, vendo que ambos haviam terminado a conversa, aproximou-se.

— Gostaria de lhe apresentar alguém, papai.

— Quem é essa bela moça?

— Essa é Michele, minha namorada.

Virgílio levantou-se admirado. Sorriu com gosto.

— Prazer.

— O prazer é todo meu — devolveu ela, numa simpatia contagiante.

— Onde se conheceram? — interessou-se o pai.

— Michele trabalha no salão atrás da farmácia popular.

— Ah, sei.

Bruno prosseguiu:

— E também no projeto que visa a oferecer uma vida melhor aos jovens da periferia.

— Muito interessante.

— Sou assistente social.

— Sim, sim.

Virgílio encantou-se pela bela Michele. Sentiu orgulho do filho. Ele fora agraciado com uma moça bonita, que lhe transmitia simpatia e bem-estar.

— Meu filho é um homem de sorte — disse Virgílio em alto e bom som.

— Obrigada. Gosto muito do Bruno.

— Dá para notar pelo brilho de seus olhos.

Ele aproximou-se e sussurrou em seus ouvidos:

— Espero que faça meu filho o homem mais feliz do mundo.

Michele sorriu comovida. Assentiu com a cabeça:

— Faz parte da minha missão — respondeu, rindo.

Bruno notou a cumplicidade dos dois. Sorriu alegre. Tinha plena certeza de que o pai aprovara seu namoro com Michele.

Logo em seguida, um médico fez sinal para Bruno, chamando-o para o quarto. Ele puxou o pai pelo braço.

— Vamos.

— O que foi, filho?

— O médico liberou e permitiu a visita. Nicole precisa de nós.

Virgílio assentiu com a cabeça. Ele, o filho e Michele caminharam esperançosos até o quarto de Nicole. Antes, porém, Michele olhou para um canto do corredor e sorriu. Bruno percebeu e indagou:

— O que foi? Para quem sorriu?

Michele respondeu com simplicidade:

— Um amigo espiritual de Nicole está nos dando as boas-vindas.

Bruno olhou para os lados, não viu nada. Deu de ombros e entraram no quarto.

Um espírito em forma de homem, jovem e robusto, sorriu e agradeceu. Everaldo sentia que Nicole poderia se libertar do vício e começar uma nova vida.

— Não esmoreça, Nicole. Estou ao seu lado.

Ele falou isso e atravessou a parede do quarto, postando-se ao lado da cama de Nicole.

Capítulo 11

Às nove da noite, em ponto, Rogério chegou ao local marcado. Letícia chegou em seguida. Cumprimentaram-se e ela foi dizendo:

— Eu deveria estar esperando você, mas fiquei falando com minha mãe. Ela não gosta que eu chegue tarde em casa, principalmente durante a semana. Eu disse a ela que qualquer coisa, se eu sumir, deve denunciá-lo à polícia.

— É mesmo?

— Sim. Ela lembrou-se de você. Qualquer sumiço, ela fará o seu retrato falado.

Rogério riu.

— Sua mãe não irá à delegacia, pode acreditar — disse entre sorrisos, mostrando os dentes perfeitamente enfileirados. — Vamos comer? Estou com tanta fome...

— Também estou faminta. Eu me antecipei e comprei os ingressos. Temos meia hora para nos alimentarmos.

— Você é muito eficiente.

— Façamos o seguinte... — ajuntou ela. — Eu paguei os ingressos e você me paga o lanche.

— Isso não é justo. O lanche custa mais caro.

Ela deu uma piscadinha maliciosa.

— Por isso mesmo.

— Trabalha em quê?

— Numa loja de roupas femininas dois andares aqui embaixo — apontou com o dedo para o chão.

— Deve ser interessante.

— Nem tanto.

— Você não me parece muito animada. Pensei que gostasse do seu trabalho.

— Eu gosto — volveu. — Dá para dar uma boa ajuda em casa, pagar nossas contas.

— E isso não é bom?

— Claro. Entretanto, eu trabalho muito mais que todas as minhas colegas, por exemplo. Eu faço quase todo o serviço que lhes compete. Minha chefe é mulher insegura e não combina com vendas. Está sempre de cara amarrada, insatisfeita com o serviço, com o atendimento. Ela não é muito simpática.

— Em vendas, é essencial ter simpatia, saber ganhar o cliente com um sorriso, palavras doces.

— Lá na loja as coisas não funcionam assim. Hoje mesmo eu estava atendendo uma cliente e logo depois chegou outra. Eu não podia atender as duas de uma vez só. Minhas colegas estavam em horário de almoço. Chamei minha chefe e ela ficou furiosa.

— Furiosa?

— É. Disse que eu estava atrapalhando sua concentração. Saiu da sala feito foguete, foi grossa com a cliente. Tratou-a de maneira tão fria e impessoal que tanto a moça quanto a minha cliente foram embora.

— Sua chefe conseguiu perder duas clientes. Creio que dificilmente elas voltarão.

— E o pior... — prosseguiu ela. — Minha chefe disse que eu sou incompetente e devia ter atendido as duas. Botou a culpa nas minhas costas.

— Isso não é justo.

— Mas ela é cunhada da dona da loja. Pode mandar e desmandar. Sente-se poderosa. Estou farta desses abusos.

— Também não gosto de chefes que abusam de funcionários.

— Não sinto que ela abuse de mim. Percebo, isso sim, que ela se sente insegura, diminuída, parece ter medo de tomar decisões. E, para finalizar, é muito grossa.

— Então ela não devia estar no cargo — concluiu Rogério.

A conversa fluiu e pararam em frente a uma lanchonete e fizeram o pedido. Pegaram as bandejas com os lanches e escolheram uma mesinha encravada numa quina da praça de alimentação. Letícia continuou:

— Eu sou muito organizada, sempre fui, desde pequena. E sou muito prática, também. Sei que sou muito útil no trabalho. Mas estou ficando cansada de fazer muito e não ter reconhecimento.

— E por que não pede demissão?

— Nem pensar! O salário não é lá uma maravilha, mas paga as contas e ajuda muito em casa. Outras despesas que temos são cobertas com as costuras que mamãe faz para fora. Vivemos apertadas, mas estamos indo bem.

— Mas podia pensar na possibilidade de um novo trabalho.

Letícia suspirou, enquanto mastigava seu lanche:

— Ah, quisera eu poder mudar de emprego.

— Por que não muda?

— Eu tenho dezenove anos recém-completados e nunca havia trabalhado antes na vida. Tive essa oportunidade e creio que, com o meu atual currículo, não encontrarei algo melhor. Prefiro aguardar, engolir essa chefe, ter mais experiência.

— Vamos ver se a situação não se torna favorável.

— Que situação? — indagou Letícia, sem nada entender.

— Por ora, nada. Estou aqui pensando numas possibilidades.

A jovem encolheu os ombros e terminou seu lanche. Consultou o relógio:

— A sessão vai começar. Vamos?

Fazia três dias que Inácio tentava ligar para Mariana e ela não estava ou não podia atender. Isso era estranho. Estavam bem, haviam passado o último fim de semana de mãos dadas, dias recheados de passeios românticos, e agora ela mal queria falar-lhe ao telefone. Alguma coisa estranha devia estar acontecendo ou acontecera. Esse comportamento da namorada não era usual, não era de forma alguma o habitual.

— Tem certeza de que ela vai voltar às seis horas da clínica?

— Isso mesmo.

— Eu liguei para a clínica e me disseram que ela já saiu. Devia ter chegado em casa.

— Vai ver, ela parou na padaria. Mariana sempre traz pão fresquinho para casa.

— Está bem, Dona Nair.

— Dê uma ligadinha lá pelas sete. Porque ela chega, vai direto para o banho, etc.

Inácio suspirou resignado.

— Diga a ela que ligarei à noite. Precisamos conversar.

Inácio desligou o telefone e ficou pensativo. Mariana estava estranha. Estava evitando-o, era o que ele sentia. De uma hora para outra. Ele estava tentando agendar um jantar para apresentá-la à sua irmã, mas Mariana vivia uma semana "cheia de compromissos". Os horários não batiam, ela nunca estava, e tudo isso soava muito estranho.

— Que diabos deu nela? — disse ele para si.

Seu telefone tocou e arrancou-lhe dos pensamentos. Era Isabel, a secretária.

— Dr. Inácio, a senhorita Teresa Aguilar encontra-se na antesala. Posso mandá-la entrar?

— Sim, pode.

Teresa irrompeu a sala e o ambiente foi contagiado por sedutora fragrância de perfume. Ela estava impecavelmente vestida, os cabelos soltos e balançando sobre os ombros. Teresa podia ser uma mulher vil, podia ser ardilosa e manipuladora. Era mulher sem um vestígio de moral. Todavia, era linda, mulher de rara beleza. Os cabelos eram castanhos e sedosos, lisos e bem cuidados. Os olhos verdes eram sedutores e enigmáticos. Os lábios bem-feitos e o nariz fino conferiam-lhe ar delicado. Não havia homem no mundo que não se sentisse atraído por ela. E isso incluía Inácio.

Teresa tinha sido o terror da zona sul carioca. Namorava todos os jovens, saía com todos, fazia os rapazes de gato-sapato, entretanto Inácio era seu preferido. Ela não o amava. Longe disso. Sentia contentamento íntimo quando o pobre jovem lhe lançava olhares carregados de extrema cobiça. Era puro prazer sexual, mais nada.

No entanto, vale ressaltar que Inácio alguns anos atrás não caiu nas graças ou mesmo nas garras de Teresa. Saíram duas vezes lá no Rio, e mais nada. Os jovens sempre cometem tolices, e uma das tolices de Inácio foi se empolgar com Teresa a ponto de colocá-la no carro e subir até a Barra da Tijuca, considerado o maior motel a céu aberto da América Latina nos distantes anos 70.

Inácio estava mais interessado nos estudos, e não deu muita trela para Teresa. Divertiram-se e acabou. Ele mudou-se para São Paulo e ela continuou no Rio. Teresa era classe média e queria desesperadamente fazer parte da alta sociedade, fosse carioca, paulista, não importava. Assim que Inácio se mudou para a capital paulista, ela passou a fazer pequenos trabalhos, até que caiu nas graças de um conhecido traficante carioca, o temível Tonhão.

Bonita e muito esperta, logo Teresa desfilava pela cidade com carro do ano e apartamento no bairro do Leblon. Querendo mais e mais, bolou um plano e passou a perna no traficante, interceptando uma carga de cocaína vinda da Colômbia. Vendeu praticamente toda a droga e sumiu do Rio de Janeiro, para ira do traficante. Foi passar uma temporada no Pantanal e lá conheceu Artur, fotógrafo que estava trabalhando como *free-lancer* para uma revista de ecologia.

Teresa seduziu o rapaz, e Artur logo se apaixonou. Ele gostava de fumar um baseado de vez em quando e cheirar uma ou duas carreiras de cocaína. Teresa presenteava-lhe com cocaína, e assim ele foi se tornando seu escravo. Fazia tudo que ela mandava, desde que o abastecesse de drogas.

Artur trouxe Teresa para São Paulo e viveram juntos por uns tempos. Em seguida ele apaixonou-se por Nicole. Teresa resolveu partir para conquistar Inácio. Ela e Artur ainda se encontravam. Ele fazia pequenos trabalhos escusos para ela, em troca de um punhado de pó. O último trabalho que lhe fora solicitado foi seguir Mariana por uns tempos e tentar flagrá-la em alguma situação que, através das lentes de Artur, pudesse comprometê-la.

Mariana não era empecilho para Teresa, muito pelo contrário. Mariana crescera cheia de medos e inseguranças. Tentava ocultar os sentimentos e a total falta de firmeza interior por meio de atitudes forçadas. Em seu íntimo, julgava-se sozinha e incapaz de tomar atitudes próprias. Com a morte do pai, tentou se passar por valente, demonstrando ser moça forte e articulada de idéias, mas era pura fachada. Em seu íntimo habitava uma moça insegura, triste e que não se sentia suficientemente boa para ter uma vida próspera e feliz.

As mulheres são extremamente competitivas. Faz parte da natureza humana feminina. A experiente Teresa percebeu o ponto fraco de Mariana e passou a tirar vantagem disso. Totalmente desprovida de moral e valores, queria unir-se a Inácio somente por conta do dinheiro, mais nada. Não seria uma suburbana desequilibrada que iria fazê-la lamber os dedos, à toa.

E havia um agravante: Teresa corria o risco de ser morta. Tonhão, o traficante, conseguiu descobrir seu paradeiro e ela foi posta na parede. Ou pagava o valor da carga — uma fortuna — ou seria morta. E ela não tinha muito tempo para cumprir o trato. Estava desesperada.

Teresa lançou sobre Inácio olhar significativo.

— Saudades.

— Que surpresa — disse ele por fim, após alguns segundos com os olhos paralisados sobre o extenso decote do vestido, mostrando o colo avantajado e robusto da jovem.

Inácio disfarçou e encarou-a nos olhos.

— O que faz aqui no meu trabalho?

— Amigos aparecem e são necessários nesta hora.

Inácio coçou a cabeça. Ela continuou:

— Vim prestar solidariedade.

Ele não estava entendendo nada.

— O que diz? — indagou, carregando no semblante um enorme ponto de interrogação.

Teresa mordeu os lábios, jogou os cabelos para os lados e sacou da bolsa um envelope pardo. Inácio continuou com expressão interrogativa no rosto.

— Explique-se melhor.

— Desculpe, mas acho isso muito desagradável.

— O que é?

— Não gosto de me meter na vida de meus amigos, ainda mais quando são amigos de quem prezo muito a amizade.

— Não me venha com rodeios. O que é isso?

— Olhe você mesmo.

Ele apanhou o envelope, abriu-o e, conforme ia vendo as fotos, suas mãos tremiam e seu coração pulsava acima do normal. Logo uma grossa camada de suor escorreu pela fronte e pingou sobre uma das fotografias. Ele as jogou nervosamente sobre a mesa.

— De onde veio isto? — indagou perplexo.

— Um amigo me deu. Estava tirando fotos para uma campanha publicitária quando se interessou pelo casalzinho aí da foto e foi clicando. No princípio acreditei ser pura coincidência, não quis levar a sério. Mas, depois, olhando bem para as fotos, percebi que a moça em questão é a Mariana.

— Sim, é ela — balbuciou ele.

— Conhece o rapaz?

Inácio suspirou.

— Não sei, parece familiar. Estou nervoso.

Teresa adicionou com malícia:

— E as fotos são bem comprometedoras.

Realmente as fotos foram tiradas de um ângulo comprometedor. Quem as olhasse teria a impressão de que Mariana e Rogério eram íntimos, bastante íntimos. Ora a cabeça dela no ombro dele, ora uma mão sobre a outra, ou mesmo um sorriso cúmplice. Talvez no momento em que Mariana, arrasada na calçada, apoiou-se nas mãos de Rogério para se erguer, o espocar da foto dava a impressão de que ela estava se atirando em seus braços.

É... Cada um vê o que quer. Teresa queria forçosamente, claro, que Inácio visse um casal apaixonado. E Inácio caiu na armadilha e viu um casal. Não conseguia mais concatenar os pensamentos. Teresa aproveitou o estado emocional do rapaz e deu-lhe o golpe de misericórdia:

— As fotos podem ser um erro, um engano qualquer.

— Não creio — disse ele, enfático.

Ela aproximou-se e tocou levemente em seu braço.

— Essas fotos podem ser armação, um truque de fotografia, talvez.

Inácio caiu na armadilha. Nem sequer pensou que Teresa estivesse fazendo cena.

— Por favor, não queira proteger a Mariana. Vocês, mulheres, são incompreensíveis. Querem acobertar os delitos de alcova que cada uma comete. Não tem piedade de mim?

Ela fez beicinho:

— Oh, querido! Creio que estou me fazendo passar por lobo em pele de cordeiro. Jamais agiria dessa forma.

— As fotos não mentem.

— Claro que não.

O circo estava armado. Teresa foi implacável:

— Diga-me uma coisa...

— O quê? — perguntou Inácio, mãos trêmulas e suando frio.

— Notou alguma diferença de comportamento?

— Como assim?

— Ah, sei lá, Mariana tem se comportado normalmente ou está diferente? Porque, se ela estiver agindo com naturalidade, se não há diferença de tratamento que você tenha notado, então isso foi um equívoco e essas fotos devem ser queimadas e encerramos o assunto aqui. Agora, se Mariana estiver se comportando de maneira estranha, o que não creio, então deve procurá-la para uma conversa.

— Mariana tem se comportado de maneira bem estranha, se quer saber.

— Jura? Como assim?

— Ela não atende aos meus telefonemas. Tem-me evitado.

Teresa escondeu o rosto entre os volumosos e sedosos cabelos para ocultar o sorriso de satisfação. Recompôs-se:

— Bom, nesse caso, se ela tem adotado comportamento estranho, então...

Ela deixou a frase solta no ar. Inácio andava de um lado para o outro do escritório. Estava possesso. Tudo se encaixava. Ele, idiota, acreditando que Mariana estava brava, triste, e agora descobria que ela não passava de uma...

Ele censurou os pensamentos. Não podia descer tanto em sua escala moral. Estava bastante nervoso, e quando se está fora de si o melhor é não pensar nada, para não se arrepender depois. O rapaz deixou-se cair pesadamente sobre a cadeira. Apoiou os cotovelos sobre a mesa e cobriu o rosto, com enorme pesar.

— Ela me parecia ser tão sincera em seus sentimentos!

— A gente se engana com as pessoas — volveu Teresa.

— Se não fossem essas fotos, eu jamais acreditaria.

Teresa riu triunfante. Nada como contar com a ajuda de um viciado. Artur era excelente fotógrafo, mas não parava em nenhum emprego por conta de seu namoro com as drogas, pois elas começavam a interferir em seu trabalho. Teresa já o conhecera na intimidade e sabia do gosto do rapaz por destilados e substâncias tóxicas em geral. Foi só lhe oferecer um papelote de cocaína em troca do serviço. Artur aceitou de pronto, e o serviço era uma barbada. Em menos de uma semana conseguiu fotografar Mariana numa situação adequada aos interesses de Teresa. No final das contas, Artur cheirou sua cocaína e Teresa abalou a relação dos pombinhos felizes.

Momentos antes, logo depois que Inácio conversou com Nair, ela desligou o telefone e olhou para a filha, estendida no sofá, rodeada de lenços de papel, aparência nada atraente. Mariana estava prostrada no sofá, não tinha vontade de se alimentar, de tomar banho, de ir à faculdade. Dera uma desculpa meio esfarrapada e saíra mais cedo da clínica do Dr. Sidnei.

— É a quinta vez que Inácio liga hoje — volveu Nair.

— Pode ligar a sexta e milésima vez, eu não vou atendê-lo.

— Por que está tão desconfiada?

— Mãe, contei milhões de vezes a mesma história. Eu vi com meus próprios olhos. Inácio estava de amores com uma fulana. Ninguém me contou, eu vi.

— Não custa nada conversarem a respeito. Pergunte a ele. Caso diga que não fez nada naquela noite, que não saiu, caso invente uma desculpa que não confira com a realidade, então o melhor é se separar. Não tem nada pior do que amar e desconfiar de alguém. Amor e desconfiança não andam juntos.

— Eu sei, mãe. Não combinam.

— Mas — prosseguiu Nair —, se ele confessar que saiu e foi jantar fora naquela noite, então há uma chance de conversar, de retomar o namoro, e isso vai até acabar fortalecendo e melhorando a relação de ambos.

— Obrigada. Mas tenho medo de encarar a verdade. E se ele mentir? Vou ficar mais decepcionada ainda. Por enquanto a dúvida me assola, mas eu prefiro a dúvida à verdade.

— Melhor ouvir a verdade do que ficar sendo corroída pela dúvida. Pelo menos você pode tomar alguma atitude.

— E ficar mais arrasada e mais decepcionada?

— Pior do que você está? Duvido.

Mariana fez força e sentou-se no sofá, indignada.

— Você sempre se pareceu muito comigo. Pensávamos da mesma maneira. Você tem mudado bastante. Saiu daquela depressão, tem uma vida ativa, começou a costurar para fora...

— Estou fazendo o melhor que posso. Letícia me ensinou isso. Cometi muitos erros no passado.

— Que erros?

— Isso não é da conta de ninguém. Tem a ver com a minha vida, não compromete nem você nem sua irmã. Aprendi muita coisa nesses anos todos, e agora cansei de ser triste. Cansei. Ponto final.

— Não dá para mudar de uma hora para outra.

— Dá, sim. Com vontade e determinação, todos podemos mudar. É uma questão de reforma interior, de mudança de atitudes, renovação de crenças e posturas.

— Isso é impossível. Somos o que somos e não há como mudar nosso jeito de ser.

— O jeito de ser não muda, faz parte do espírito. Entretanto, a maneira de enxergar os fatos, de encarar a vida pode ser mudada. Eu resolvi mudar. Passei vinte anos ao lado de seu pai, como se fosse um vegetal, e, agora que as criei e cumpri meu papel de mãe, quero cuidar de mim.

— Estou espantada. Você mudou bastante.

— Mudei e quero mudar mais ainda. Quero ser dona de mim.

— Gostaria de pensar como você.

— É uma questão de escolha. Prefere mudar ou vai continuar aí sofrendo e ruminando por algo que nem mesmo possa ser verdade?

Mariana não sabia o que dizer. O espírito de Homero aproximou-se de Nair e ela, sem saber, captou o que ia em seu pensamento. Com a modulação de voz levemente alterada, ela disparou:

— O que você tem a perder? O diálogo é a melhor maneira de entendimento entre duas pessoas. Ligue para Inácio, converse com ele a respeito. Quem sabe você não terá uma grata surpresa e se sentirá uma tola apaixonada?

— Tola?

— Melhor se sentir tola do que perder a chance de viver uma linda história de amor. Depois não venha me dizer que a vida lhe foi injusta. Você está jogando sua felicidade pela janela. Não faça como eu.

Nair falou num rompante, levantou-se da poltrona, rodou nos calcanhares e caminhou até a cozinha. Mariana estava estupefata. A mãe estava bem mudada, já havia notado algumas mudanças desde quando Nair passou a costurar para fora e conciliar esse novo trabalho com os afazeres domésticos. A casa estava mais bem arrumada, os móveis pareciam mais bem tratados, as louças bem mais limpas e impecavelmente dispostas nos armários. E havia um brilho nos olhos da mãe que ela nunca notara antes.

Sua mãe num ponto tinha razão. Era melhor saber toda a verdade do que ficar remoendo possibilidades, ficar presa nesse mar de inseguranças e aflições. A dúvida não é boa conselheira, e estava na hora de dar um basta naquele estado de prostração.

Homero soprou sobre a cabeça de Mariana, e logo a tonalidade cinzenta de sua aura foi adquirindo nova cor, surgindo um azul tímido a princípio, e logo uma tonalidade de azul mais intenso ganhou forma, espalhando-se ao redor de seu corpo todo, trazendo-lhe bem-estar e disposição. Imediatamente Mariana lembrou-se de Inácio, de seu amor, dos momentos felizes juntos, e ligou para o escritório.

Isabel atendeu e passou a ligação justamente no instante em que Inácio acabara de ver as fotos, jogava-se na cadeira e apoiava os cotovelos sobre a mesa, cobrindo o rosto com as mãos. Ele atendeu o telefone de maneira ríspida:

— O que foi?

— Desculpe, Dr. Inácio, mas a senhorita Mariana está ao telefone. Necessita falar-lhe com urgência.

— Impossível atendê-la.

Ele sentiu tremenda raiva brotar dentro de si. Finalizou:

— Diga a ela que estou numa reunião importante e que ligo depois.

— Sim, senhor.

Isabel transmitiu o recado a Mariana. Ela desligou o telefone desapontada. Ansiava falar com o namorado. Entretanto, renovada em suas energias, sorriu para si mesma, deu de ombros e pensou alto:

— Quem sabe, dia desses, no fim da tarde, eu apareça no escritório? Sairei mais cedo da clínica e lhe farei uma surpresa. Ah, como eu o amo...

Homero riu com satisfação. Consuelo aproximou-se.

— Não gostaria que interferisse na vida das duas.

— Só estou ajudando. De certa forma me sinto responsável também pela felicidade das garotas. Mariana se parece muito com a mãe. Letícia é mais forte, independente, e sabe se virar.

— Todos sabem se virar, de uma maneira ou de outra — afirmou Consuelo. — Por favor, pense em sua própria melhora, nas coisas boas e nas pessoas que o esperam. Ficar preso nesta dimensão não é apropriado. As energias da Terra são naturalmente mais densas, e você pode ser atacado a qualquer momento. Há muitos espíritos perdidos por aqui, e não temos como protegê-lo caso uma falange de espíritos infelizes se aproxime.

— Sei me defender dos arruaceiros.

— Entretanto vai chegar um ponto em que você não poderá mais ficar preso às energias deste mundo. Você morreu, desencarnou, não faz mais parte deste ambiente. Já percebeu há quantos anos está aqui parado, tentando inutilmente ajudar Nair?

— Preciso reparar meu erro. Já fiz curso no astral, tentei melhorar por meio de terapia, mas não consigo. Meu terapeuta disse que o melhor a fazer para diminuir o peso da minha consciência seria retornar e tentar remediar. E aqui estou. Não importa se estou aqui há dez, vinte anos. O tempo é o que menos importa. Eu separei Virgílio e Nair. Agora vou tentar uni-los de novo.

— Você é quem sabe. Marta está saudosa.

Homero sorriu emocionado.

— Marta é espírito evoluído e pode esperar. Ela me prometeu. Tenho certeza de que logo estarei quite com esses dois e com minha consciência e poderei partir.

— Mas...

— Por favor — ele suplicou. — Me dê um pouco mais de tempo.

— E se você tivesse uma conversa com Nair? Não seria mais proveitoso?

Homero deu de ombros.

— Ela ainda tem raiva de mim.

— Vai precisar enfrentá-la, se quer mesmo se redimir.

Homero hesitou.

— Prefiro ficar oculto, ajudá-la a distância.

— Você é quem sabe — ponderou Consuelo.

Capítulo 12

Nicole acordou e seus olhos timidamente procuraram identificar o local em que se encontrava. Virou lentamente a cabeça para os lados, mas não reconheceu o ambiente de imediato. Havia um homem próximo à cama e ela precisou espremer os olhos e fazer tremendo esforço para lembrar-se de quem era. Virgílio apertou delicadamente sua mão.

— Onde estou? — indagou sonolenta, voz pastosa.

— Não se preocupe, meu bem. Papai está aqui.

— Papai? — estranhou.

— Sim, querida. Estou aqui ao seu lado.

— Que lugar é este?

— Seu quarto. Você está no seu quarto, em casa.

— Mas a ambulância, o resgate... Estou com a mente embaralhada.

— Chi! Calma, meu amor. Você teve ligeiro mal-estar ontem. Foi hospitalizada e hoje cedo foi liberada. Eu a trouxe para casa.

— Não me lembro direito do que ocorreu.

— Não se preocupe. Você vai ficar boa. Vou ajudá-la na sua recuperação.

Nicole ia dizer mais alguma coisa, mas a quantidade de sedativos que lhe fora ministrada deixara-a sonolenta. Ela virou o pescoço para o lado e adormeceu novamente.

Sidnei aproximou-se de Virgílio.

— Melhor deixá-la descansar. Sabe Deus como vai reagir na hora em que ela acordar de fato.

— Por quê? Acha que Nicole possa ter uma recaída?

— Receio que sim.

Virgílio levantou-se impaciente.

— Isso não pode ser verdade.

— Nicole é dependente química, Virgílio.

— Minha filha não é viciada. Cometeu alguns excessos, mas só.

Sidnei esboçou leve sorriso. Deu um tapinha no ombro de Virgílio.

— Sei que é duro admitir que temos sob nosso nariz um dependente químico, ou adicto — denominação preferida pela instituição Narcóticos Anônimos.

— Não posso crer. Minha filha não é nada disso.

Sidnei respirou e por fim disse, voz pausada:

— Nicole é portadora de uma doença chamada dependência química, progressiva, às vezes incurável e fatal, conhecida também como adição. Quem sofre disso tem obsessão para usar a primeira dose e, quando o faz, passa a sofrer de compulsão. Fica impossível exercer controle sobre si mesmo e não se consegue mais parar. O adicto deixa a droga influir em sua vida, entra em depressão, envolve-se em crimes e delitos.

— Isso é terrível.

— O importante é saber que sua filha se droga há muitos anos. Se você não aceitar o fato de que Nicole é viciada, então não poderei ajudá-la no tratamento de desintoxicação.

Virgílio estava aturdido. Admitir que a filha era viciada em drogas minava sua aura de suposto bom pai. Ele se sentia um crápula, sua consciência acusava-o de abandono e desleixo na educação da filha. A culpa corroía-o sem perdão.

— Diga-me uma coisa.

— Sim, colega.

— Como pode me ajudar?

— Tenho amigos e posso conseguir uma boa clínica para sua filha. Nicole passará por processo de desintoxicação, e só uma clínica especializada em viciados, ou adictos, é que poderá dar-lhe o tratamento adequado. O paciente torna-se agressivo, sente falta da droga, tem pesadelos e calafrios. É uma tortura inimaginável para nós que não tivemos contato com tipo nenhum de substância química.

— Sei disso tudo, mas é duro admitir que Nicole seja uma viciada. Olhe como ela dorme bem. Se fosse uma drogada inveterada, estaria agora agitada, clamando por alguma droga, não acha?

— Virgílio, sente-se aqui.

Sidnei indicou uma poltrona e pacientemente começou a conversar com o amigo.

— Segundo a Organização Mundial de Saúde, droga é qualquer produto, lícito ou ilícito, que afete o funcionamento mental e corporal de uma pessoa, podendo causar-lhe intoxicação ou dependência.

— O que você quer dizer com lícito ou ilícito? Não entendo.

— Pois bem. As drogas lícitas, por exemplo, podem ser o álcool e o tabaco, e são consideradas lícitas porque a sua venda é legal. Incluem-se também alguns tipos de chá, o café e os inalantes, que não são ilegais a não ser no seu propósito de uso para querer se intoxicar. As drogas ilícitas são substâncias controladas, algumas proibidas para qualquer pessoa, como a maconha, a cocaína, o ácido lisérgico...

— Ácido lisérgico é o LSD, que apareceu e caiu no gosto dos jovens nos anos 60?

— Esse mesmo.

Virgílio desesperou-se:

— Eu cheguei a experimentar o ácido lisérgico na faculdade.

— E daí?

— Será que Nicole é viciada por minha culpa? Isso é hereditário?

Sidnei apoiou seu braço no do amigo.

— Nenhum estudo científico, até hoje, conseguiu comprovar a origem da doença. Tempos atrás, um pregador declarou sua satisfação de ter recebido educação evangélica e, graças a essa educação, fora afastado do envolvimento com drogas. É um grave equívoco, porquanto nos centros de recuperação existem centenas de filhos e filhas de pastores, de católicos, de espíritas e toda sorte de orientação religiosa que, apesar da educação severa, se envolveram com drogas por causa da doença. Assim como existem milhões de lares desajustados onde, apesar de todo o sofrimento, não existem dependentes químicos.

O médico exalou profundo suspiro e continuou:

— Portanto, meu caro, isso é característica de cada um, não tem nada a ver com hereditariedade. Caso fosse assim, Bruno também teria queda por drogas. E não acho que esse seja o caso de seu filho.

— Muito pelo contrário. Meu filho nunca botou um cigarro na boca e não gosta de bebidas. Bruno é fã de refrigerante.

— Pois bem. Então acalme-se. Pare de se culpar. Você precisa estar bem, em equilíbrio, a fim de ajudar sua filha.

— Obrigado, meu amigo. Sabia poder contar com sua ajuda.

— Não há de quê.

Virgílio beijou a testa da filha. Passou delicadamente a mão pelo seu rosto. Voltou-se para Sidnei.

— Desculpe-me, mas você falava das drogas ilícitas. O assunto me interessa.

— Além do LSD, há também uma variedade de plantas alucinógenas e opiáceos*, e tantas outras que podem ser adquiridas por meio de prescrição médica, como os tranqüilizantes. Nicole deve ter algum médico amigo ou conhecido que lhe prescreveu as receitas para a compra desses tranqüilizantes.

— É bem provável — anuiu Virgílio. — É fácil conseguir uma receita médica.

O médico continuou:

— E essas drogas ainda podem se classificar em depressoras do sistema nervoso central, tais como o álcool e os soníferos; podem também ser estimulantes do sistema nervoso central, como a cocaí-

---

**Opiáceo — relativo ao ópio. O ópio é uma mistura de alcalóides extraídos da papoula, de ação analgésica, narcótica e hipnótica. É usado também na produção de morfina, codeína, heroína, etc. (N.A.)*

na; e ainda podem ser perturbadoras do sistema nervoso central, como a maconha e o ácido lisérgico.

— É tanta informação! Entretanto, acha mesmo que minha filha seja dependente química?

— Receio que sim — respondeu Sidnei, recostando-se na cadeira. — O usuário de drogas pode ser recreativo, usando-a por puro prazer, na hora em que bem entende. Geralmente é usuário que sabe a hora em que começa e termina, como quem bebe socialmente, por exemplo. Já o usuário dependente usa a droga como meio de fuga da realidade e não pode, não consegue de forma alguma ficar sem ela. A grande maioria dos usuários recreativos, como eu e você, que de vez em quando bebemos um uísque, nunca será dependente.

— Não é o caso de Nicole — disse por fim Virgílio, desolado.

— Creio que não. Por acaso nunca deu falta de nada de valor em sua casa? Um objeto, um quadro, uma jóia?

— Nunca dei falta de nada. Creio que Ivana também não, porquanto ela controla tudo, é extremamente ligada em dinheiro, nas nossas jóias, na riqueza. Mas Nicole ganha gorda mesada, talvez seja por isso que nunca tenha trocado algum objeto aqui de casa por droga.

— E notou por acaso reações tóxicas agudas, como vômitos, dores abdominais, convulsões?

— Sinto muito, mas não tenho dado muita atenção à minha filha.

— Está na hora de ficar de olho na sua pequena Nicole. Pelo bem dela e pelo seu próprio bem.

— Confesso — disse amargamente Virgílio — que fui um pai relapso.

Sidnei sorriu triste.

— Existem pais de toda sorte, meu velho. As crianças e adolescentes precisam de limites e uma boa dose de autodisciplina para enfrentar o mundo moderno. Entretanto também precisam de autoconfiança, de independência. Por que há pais bem-sucedidos na criação de seus filhos e outros que não conseguem sê-lo?

— Talvez seja o meu caso.

— A pesquisadora Diana Baumrind, anos atrás, classificou

os pais em várias categorias, tais como: pais competentes, pais autoritários, pais negligentes e pais ausentes. Na verdade, você se encaixa nesse último perfil.

— Está falando sério?

— Por que eu deveria mentir, Virgílio? Estou sendo sincero. Nicole cresceu com ausência total de atenção e afeto. Sua filha não recebeu alimento afetivo necessário para o reconhecimento de sua própria existência. Nicole tem dificuldades no convívio social e é comum encontrar essa característica em jovens usuários de drogas.

Virgílio afundou a cabeça entre as mãos. Era-lhe difícil escutar tudo aquilo de uma vez só. Ainda mais vindo de um grande amigo seu.

— Se Nicole for internada, estarei assinando meu atestado de pai incompetente. Não seria melhor tentar enchê-la de alguns carinhos, presentes, talvez um carro zero ou mesmo uma viagem ao estrangeiro? Nicole iria mudar e não precisaria passar por clínica nenhuma.

— Isso até seria possível, caso sua filha tivesse começado há pouco tempo. Pelo que conversei com Bruno, parece-me que faz uns bons anos que ela se droga. Não feche os olhos para a triste realidade que se abate à sua frente. Sei que é difícil. Muitos pais não aceitam a verdade e tentam se apegar em fórmulas as mais mirabolantes a fim de se sentirem menos responsáveis.

— Farei o possível para ajudar minha filha.

— Faz bem. Fico contente em saber que vai deixar o orgulho de lado e fazer o possível para ajudar Nicole. Eu não tenho filhos, mas, caso os tivesse, faria o mesmo — ponderou.

— Ainda há tempo de você ser pai. Afinal, é poucos anos mais moço que eu.

— Falta encontrar a mulher ideal — suspirou.

— Cuidado. O tempo está passando, e daqui a pouco você vai precisar não de uma esposa, mas de uma enfermeira — tornou Virgílio, entre sorrisos.

— Sei esperar.

— Eu tirei Ivana de você.

Sidnei riu.

— Agradeço por você ter interceptado nossa relação e tirado Ivana de mim. Olhe a esposa que eu iria ter.

Virgílio concordou.

— Estou pagando caro por isso.

— Não me leve a sério. Éramos namoradinhos, nada mais.

— Logo vai encontrar uma dona à altura.

— Quero alguém jovem, uma mulher mais nova. Eu me sinto jovem por fora e por dentro. Não me sinto com cinqüenta anos de idade. Preciso de uma companheira que sinta o mesmo. De preferência alegre, bem-humorada. E as mulheres de nossa idade estão preocupadas com ex-maridos, filhos, menopausa...

Conversaram mais um pouco e por fim Sidnei despediu-se e colocou-se à disposição para ajudá-los no que fosse preciso. Virgílio acompanhou o amigo até a porta de saída, sem antes dar à filha um carinhoso beijo no rosto. Chegando à porta, agradeceu o amigo imensamente.

Por conta da discrição de Sidnei, a internação de Nicole não chegaria ao conhecimento dos jornais, revistas de fofocas ou programas vespertinos de televisão, daqueles que vivem às custas da desgraça de gente famosa para atrair a atenção do público e ganhar míseros pontos no ibope.

Virgílio despediu-se e fechou a porta. Antes de subir as escadas, perguntou a um dos empregados por onde andava Ivana.

— Ela saiu logo cedo e disse que precisava visitar uma amiga em Campos do Jordão.

— Ivana subiu a serra? Num momento desses?

— Sim, senhor.

Aquela atitude era bem típica dela. Ivana odiava ser contrariada e não gostava também de aceitar a realidade e colaborar. Ela estava pouco se incomodando se a filha estava enfrentando graves problemas com a dependência química. Só pensava em si, sempre em si. Virgílio sentiu um nó na garganta. Seus olhos marejaram.

— Por que fui me deixar envolver e me casei com ela? Por que não fui mais firme e fiz outra escolha? Por quê, meu Deus? Por quê?

Bruno acabara de chegar e acercou-se do pai. Abraçou-o por trás.

— Não fique assim, meu pai. Estou aqui ao seu lado. Conte comigo e com Michele. Tenho certeza de que tudo faremos pelo bem de Nicole.

Michele passou a mão delicadamente sobre o ombro de Virgílio.

— Nicole precisa de carinho e atenção. Entretanto, também precisa decidir se quer ou não largar o mundo das drogas.

— Ela não tem condições de tomar decisões.

— Sei que não é nada fácil para o senhor pensar nisso, mas sua filha é responsável por tudo que lhe acontece.

— Nicole foi criada à deriva. Não tem culpa de ser assim.

— Engano seu. Bruno também foi criado à deriva, e olhe a diferença. Por que essa disparidade?

— Não sei.

— Porque ele não quis. Seu espírito é mais forte. E tem outra coisa...

Michele pigarreou e silenciou-se. Bruno apertou sua mão como sinal de cooperação e apoio. Ele virou-se para o pai:

— Michele é espírita.

— Que agradável.

— Acha? — indagou o filho, surpreso.

— Alguns anos atrás, cheguei a ler algo a respeito. Deixe-me lembrar — Virgílio pousou o dedo no queixo. — Ah, já sei.

Ele se levantou e foi até o escritório. Voltou em seguida com um livro nas mãos.

— É este aqui, *Reencarnação Baseada em Fatos*, de Karl Müller.

Michele pegou o livro e sorriu.

— Há muitas obras que tratam do assunto de maneira leve e descomplicada. Este livro em particular — apontou — é muito bom. Eu já o li. Inclusive, quem fez a apresentação da edição brasileira foi o Dr. Hernani Guimarães Andrade, diretor do Instituto Brasileiro de Pesquisas Psicobiofísicas.

Virgílio admirou-se com a sagacidade de Michele. Bruno beijou-a levemente nos lábios.

— Essa mulher, além de linda, é inteligente.

— Bem se vê — tornou Virgílio, bem-humorado.

— Dr. Virgílio — ela foi direto ao ponto —, sou assistente social e espírita. Eu tenho sensibilidade bem apurada, ou mediunidade, caso fique mais claro.

— Interessante — comentou Virgílio.

— Lá na periferia, no tocante à população em geral, o assistente social atua principalmente com famílias, mulheres chefes de família, crianças e adolescentes, idosos, pessoas portadoras de deficiência e, em geral, pessoas em situação de risco social. Fazemos um belo trabalho com os jovens, a fim de que não entrem no mundo das drogas. Formamos um grupo de assistentes sociais, médicos e psicólogos.

Michele suspirou e prosseguiu:

— Às vezes, tratamos de jovens dependentes químicos. Além de tratamento apropriado, rodeado de médicos competentes, concomitantemente temos pequeno salão onde promovemos debates, palestras, e também uma vez por semana realizamos sessões de passe, cura, oferecemos tratamento espiritual para aqueles que realmente precisam.

— Fico feliz que vocês estejam fazendo algo de útil e bom para si mesmos e para os outros. Quero discutir depois com Bruno sobre a ampliação de farmácias populares e...

Bruno interveio:

— Agora não, pai. Temos assunto mais urgente a tratar.

Virgílio pigarreou e recompôs-se.

— Desculpem-me. Eu me empolguei. Falaremos nisso numa outra oportunidade. Continue, Michele.

— Nicole necessita de tratamento físico. Ela é dependente e precisa se tratar. Entretanto, sinto que ela sofre de interferência espiritual.

— Mesmo?

— Sim.

— Tem certeza? — indagou Virgílio, sinceramente preocupado.

— Quando cheguei ao hospital, senti uma sensação esquisita. Hospitais geralmente me dão calafrios, mas logo na entrada, avistei um amigo espiritual. Não sei se era parte de sua família, entretanto ele fez aceno com a cabeça e demonstrava estar preocupado com Nicole. Após a visita, assim que saímos do hospital, deparei com um espírito muito bravo, próximo ao estacionamento. Ele me xingou e disse que voltaria a assediar Nicole, que ela o tinha levado para o mundo do vício e agora ele estava se vingando.

Bruno foi categórico:

— Michele também tem vidência, pai.

— Santo Deus!

— É verdade, seu Virgílio. Eu o vi. E conversei com ele.

— Conversou com ele? Como?

— Por telepatia. Os espíritos percebem quando são notados.

— Não posso crer...

— Não foi muito difícil afastá-lo de Nicole. Existem tantas pessoas que se drogam no mundo que uma a mais ou a menos para os espíritos nada significa. Todavia este, em particular, dizia que ela o havia induzido às drogas.

— Não creio que minha filha chegasse a tanto. Nicole não é má pessoa. É somente uma dependente química.

— Pode ser de outras vidas. Nunca saberemos.

Virgílio estava confuso. Havia recebido muita informação. Assim que concatenou algumas idéias, indagou:

— Mas, se você diz *espírito*, é porque está morto. Se está morto, como pode ter vontade de se drogar?

— Ao desencarnar e se libertar do corpo físico, nosso perispírito ou nosso *eu* espiritual, carrega toda sorte de lembranças, vontades, tendências e vícios também. Uma pessoa que morreu em conseqüência do abuso de drogas dificilmente vai se livrar do vício após a morte. Seu espírito vai continuar preso às sensações e com forte necessidade de se drogar. E, como no astral o espírito ainda não tomou consciência de como criar ou mesmo adquirir a droga, ele se aproxima, cola-se a uma pessoa encarnada que é dependente química ou apresenta forte tendência para se drogar.

— E esse espírito, então, se afastou de minha filha?

— Por ora, sim. Mas, para que outros não se aproximem, é necessário que Nicole mude o teor de seus pensamentos. Ela precisa dar um basta, se tratar, procurar mudar seu estilo de vida. É imperioso que ela faça amizades saudáveis. E que também perdoe a si mesma, a fim de afastar inimigos de outras vidas.

— Entendo — tornou Virgílio, impassível.

— Além do tratamento em clínica especializada, Nicole poderia freqüentar nossas sessões e fazer tratamento espiritual aliado ao de desintoxicação.

— Tudo que eu puder fazer por minha filha, eu farei. A partir de hoje não vou mais desgrudar os olhos de Nicole.

Bruno emocionou-se:

— Obrigado, pai. Saber que posso contar com você me alivia e me deixa muito feliz.

Abraçaram-se. Virgílio beijou Michele na testa.

— Obrigado pela ajuda que está prestando à minha família. Você está nos fazendo muito bem.

Eles mudaram de assunto e foram para a copa fazer um lanche.

Capítulo 13

Mariana ligou outras tantas vezes, e Inácio continuava em reunião.

Aquilo era estranho. Mesmo ocupado, antes ele a atendia e falava rapidamente. E já fazia dois dias que ela tentava alcançá-lo, sem sucesso.

Mariana pousou o fone no gancho um tanto desapontada. Nair vinha da cozinha com alguns remendos e panos sobre uma grande cesta de vime.

— O que foi? Não conseguiu falar com Inácio?

— Não. Ele não me atende. Está sempre em reunião.

— Ele é homem ocupado. Talvez esteja num dia difícil.

— Sinto algo estranho.

— Como o quê?

— Um incômodo. Ele ligou várias vezes nesta semana, e há dois dias não liga mais.

— Faz sentido. Ele quis falar com você e não conseguiu. Talvez tenha se afundado no trabalho.

— Não acha que é estranho as ligações terem parado de uma hora para outra?

Nair deu de ombros.

— Como disse, talvez seja bastante trabalho. Escute, por que não se arruma e vai até o escritório?

— Pensei nisso, mas não sei se seria correto ir até o local de trabalho. O pessoal da Centax não me conhece...

— Deixe de lengalenga. Levante-se, tome um banho, coloque uma roupa bem bonita e vá esperá-lo na porta do prédio. Tenho certeza de que ele vai adorar a surpresa.

— Será?

— Deixe a dúvida de lado e tente.

— Pode ser.

— Você o ama, filha?

— Muito.

— Então não tenha dúvida. Vá se arrumar.

Mariana levantou-se de um salto do sofá, estalou um beijo na bochecha da mãe e subiu rapidamente as escadas.

Nair balançou a cabeça para os lados.

— Essa juventude! — suspirou.

Disse isso e botou a cesta de roupas sobre a mesinha de centro. Ouviu barulho na porta de casa e afastou delicadamente a cortina com os dedos da mão. Era Virgílio.

— Essa não! — exclamou ela.

Mariana estava em casa. O que sua filha iria dizer? Nair teve um lampejo e gritou para a jovem, na ponta da escada:

— Vou levar encomenda para a Dona Elvira. Volto logo.

— Está bem, mamãe. Vou tomar banho e prometo que voltarei feliz e contente. Tranque a porta. Eu levarei a minha cópia de chave.

Nair torceu as mãos aflita e correu até a porta. Abriu no exato momento em que Virgílio ia tocar a campainha.

— O que faz aqui?

— Preciso de ajuda.

— Ajuda? — perguntou ela, surpresa.

— Nair, por favor, estou precisando de um ombro amigo.

— A esta hora? Uma de minhas filhas está em casa. Você não pode entrar.

A expressão no rosto dele não deixava dúvidas: estava mesmo desesperado, triste e abatido. As olheiras tomavam lugar de destaque, formando uma faixa bem escura ao redor dos olhos. Nair encostou a porta e perguntou:

— Aconteceu alguma coisa grave?

— Estou com sérios problemas e preciso que me ajude.

— Eu?

— Sim. Preciso de um conselho, de opinião amiga.

— Agora?

— Vamos, entre no meu carro.

— Não posso.

— Um minuto só. Vamos até algum lugar sossegado. Preciso desabafar. Trata-se de minha filha Nicole. Estou desesperado.

Nair hesitou por instantes, mas sentiu que Virgílio estava falando a verdade. Ele não iria usar o nome da filha em vão somente para sair com ela.

— Está bem. Dê-me um minuto, sim?

Ele concordou com a cabeça.

Nair entrou em casa, apanhou a bolsa e saiu. Quando ela entrou no carro, Salete estava à espreita, do outro lado da rua. Fuzilou Nair com os olhos. Cutucou o braço de Creusa.

— Não disse que ela não prestava?

— Só vendo mesmo, para crer.

— Nair sempre foi leviana. Ela não presta. As filhas também não. Uma chegou outro dia com um desconhecido a tiracolo. A outra nos trata com frieza, com aquele ar metido e esnobe.

— Você está certa — assentiu Creusa. — Elas são um bando de levianas.

— Graças a Deus sou viúva de respeito e tenho um filho que vale ouro.

— É, seu filho vale ouro. Você e seu filho são exemplo aqui para a vizinhança, quiçá para o bairro. Uma família pequena, porém perfeita. Você foi abençoada, Salete.

Salete sorriu e olhou para o alto.

— Sou abençoada mesmo. Tenho a família perfeita.

Desde a entrega das fotos, Teresa ia todo fim de tarde até o escritório só para encher a cabeça do pobre Inácio de dúvidas e plantar insegurança, a fim de afastá-lo de Mariana. Estava conseguindo. Entretanto, faltava uma dose extra de veneno. Ela precisava sair com ele. E Inácio, mesmo descontente com Mariana, não se propunha a sair. Ou estava metido em reuniões, ou então ia para casa e se afundava no sofá. Ouvia músicas românticas e deixava o pranto correr solto. Por que Mariana o fizera de palhaço?

Inácio não quisera se envolver afetivamente com ninguém. Depois que os pais se separaram, ele não mais acreditou no amor. Se seus pais, que se amavam e eram felizes, se separaram, por que ele deveria acreditar que as relações amorosas pudessem dar certo? Isso era ilusão. Pura ilusão. E ele havia se atirado de cabeça naquele namoro com Mariana.

Ela lhe parecera a mulher ideal. Bonita, inteligente, companheira. Amava Inácio pelo que ele era, e não pelo que tinha. Isso o impressionara bastante. Também havia Otávio. Ele conhecera o pai dela e simpatizara muito com ele. E agora sentia essa dor sem igual, como se seu peito houvesse sido arrancado. Jamais se entregaria novamente dessa maneira. Nunca mais.

Mas nesse dia Teresa estava convicta de que iria arrancá-lo do escritório e levá-lo até um bar. Para isso apostou todas as fichas em seus dotes físicos e abençoados pela natureza. Teresa foi ao cabeleireiro, fez escova, alisou os volumosos cabelos. Fez as unhas das mãos e dos pés. Passou parte do dia descansando o rosto em cremes e, após o almoço, passou no *shopping*. Foi até uma loja elegante e fina, comprou um vestido de organdi pregueado, de cor vinho, bem decotado. Muito bonito.

Ela chegou em casa, tomou banho demorado, passou hidratante, perfumou-se com esmero. Maquiou-se com delicadeza. Colocou o vestido, calçou um bom par de saltos altos, apanhou sua pequena bolsa e foi à Centax.

— Hoje Inácio não me escapa.

E teve essa certeza assim que chegou à garagem do prédio comercial. Tão logo desceu do carro e entregou as chaves, Teresa foi motivo de muitas bocas abertas, queixos caídos e olhares de extrema cobiça. Os homens não conseguiam deixar de reparar em tamanha beleza, e ela sabia disso. Riu para si, e tomou o elevador decidida a despertar algo mais em Inácio.

— Boa tarde, querida.

— Senhorita Teresa, como está linda! — exclamou Isabel.

— Obrigada.

Havia dois homens sentados na sala de espera, contígua à mesa de Isabel. Nenhum dos dois conseguia deixar de apreciar o corpo bem-feito e aspirar o delicado perfume de Teresa. Um deles suspirou:

— Se eu tivesse uma dona dessas, eu seria o homem mais feliz do mundo.

— E eu jamais olharia para outra mulher. Mas a realidade é dura, e o que me espera em casa não chega aos pés dessa aí — reclamou o outro.

Teresa solicitou ser atendida e em instantes adentrou a sala de Inácio. Nesse dia em particular ele não deixou de notar o mulherão à sua frente. Talvez indignado pelo fato de Mariana o ter traído — assim ele pensava — ou até pelo fato de se sentir carente, Inácio ficou de queixo caído assim que Teresa entrou em sua sala. Ele não era de ferro.

— Você está linda.

— Obrigada.

— Vai a algum lugar em especial?

Ela o corrigiu:

— Nós vamos.

— Como assim?

— Vamos sair. Chega de ir para casa e se afundar em lágrimas e melancolia. Daremos uma espairecida, tomaremos um coquetel, jogaremos conversa fora.

— Não sei — disse ele, em tom hesitante.

Teresa mentiu:

— Estou preocupada com você. Está abatido.

— Não tenho fome, não tenho vontade de me alimentar. E, se quer saber, nem tenho vontade de tomar banho. Estou fazendo tudo no automático. Perdi o estímulo por tudo. Estou arrasado.

Teresa aproximou-se e fez beicinho:

— Oh, judiação! Vamos nos divertir um pouco, está bem?

Inácio convenceu-se. Ir de novo para casa e chorar as pitangas pela namorada não valia pena. Não agüentava mais ouvir música popular brasileira. Estava cansado disso. As fotos vinham fortes à sua mente. Ele estava plenamente convencido de que Mariana estava lhe escondendo alguma coisa. Teresa tinha sido bastante ousada e ardilosa.

Ao saírem da sala, Teresa fez questão de entregar lindo pacote, envolto por um grande laçarote vermelho, nas mãos de Isabel.

— O que é isso? — indagou a pobre moça, aturdida.

— Seu presente, lembra-se?

— A senhora estava falando sério?

— Claro, querida. Você é uma jovem muito bonita e atraente. Eu queria lhe dar uma roupa que combinasse com você.

Isabel sorriu comovida. Teresa era muito legal. Preocupava-se com ela e a enaltecia. Nem mesmo um cego seria capaz de elogiá-la.

— Obrigada. Não precisava se incomodar.

— Um mimo para você. Escute, querida, se alguém da família ligar — Teresa mudou o tom de voz nessa hora —, diga que estamos no bar do hotel Hilton.

Isabel anotou com satisfação e sorriu alegre assim que ela e Inácio passaram pelo corredor.

— Teresa é pessoa tão boa, tão simpática, uma mulher fantástica — deduziu Isabel.

Ivana estava cansada de fazer nada. Havia três dias que estava no chalé de Otília, em Campos do Jordão. Saíra da cidade a fim de não encarar os problemas de frente. Gostava de ficar sozinha em casa, e agora isso era impossível. Odiava dividir seu espaço com os outros. Nicole levaria mais uns dias até se restabelecer. Por esses dias também chegaria a sobrinha, vinda de longe.

A pequena e charmosa cidade não lhe atraía em particular. Campos do Jordão fazia Ivana lembrar-se do passado, e ela não queria nada de lembranças. Fez tremendo esforço para esquecer um monte de recordações desagradáveis. Preferia que Otília estivesse na praia, ou em outro lugar qualquer. Mas fazer o quê? Ela não queria ficar sozinha e tinha de pagar o preço de subir a serra. E foi o que fez, assim que Virgílio correu ao hospital para acompanhar a internação da filha.

Portanto, espairecer era o melhor, mas o ambiente estava

ficando enfadonho. Otília gostava de fazer caminhadas, respirar ar puro, fazer exercícios ao ar livre. Ivana achava tudo isso muito chato. Não gostava de se exercitar, e começava a ficar impaciente. Sentia vontade de atirar algum objeto contra a parede. E nem tivera motivo nesses dias para ter um chilique que fosse.

Pensativa, Ivana pousou a xícara de chá sobre a mesinha de centro e disse a Otília, num tom odioso:

— Não sei o que fiz para ter uma família tão estúpida. Acho que grudei chiclete no cabelo de Jesus.

Otília riu à beça e contemporizou:

— Não exagere, amiga. Você tem uma linda família.

— Nem me diga uma coisa dessas! Não sei por que Deus me dotou de família, sabe? Se eu pudesse, voltaria no tempo e teria feito uma cirurgia. Poderia ter me dado o presente da esterilidade.

Otília bateu três vezes na madeira.

— Não fale um absurdo desses.

— Falo, sim, com conhecimento de causa.

— Tenho algo a lhe confessar.

Ivana encarou a amiga nos olhos.

— Confissões? Adoro confissões.

— Eu e Adamastor não tivemos filhos porque ele é estéril.

— Nunca me contou isso antes.

Otília mordeu os lábios, apreensiva.

— Talvez culpa, talvez vergonha. Pensei em adotar uma criança, mas Adamastor foi contra, sempre. Eu aceito seu modo de ser. Eu sempre amei meu marido, acima de tudo.

— E nem cogitou mais a adoção?

— Não. Com o passar dos anos, usei meu instinto maternal na promoção desses jovens artistas. Sinto-me como se fosse uma mãe para todos eles. Isso me conforta.

Ivana fez uma careta.

— Eu deveria fazer assim também. Dava um dinheiro, bancava uma exposição e depois adeus.

— Você me ofende ao falar nesse tom.

— Desculpe-me. Mas deveria ficar feliz em ter um marido estéril. Deus lhe deu o marido que deveria ter dado a mim.

— Não fale assim nem por brincadeira.

Uma pequena lágrima escorreu pelo canto do olho de Otília. Ela tinha certeza de que Ivana não podia estar dizendo a verdade. Era muito desumano.

Ivana prosseguiu, sem tato suficiente para desviar e até mesmo mudar o assunto.

— Fez bem você de não adotar, de não criar nenhuma criança. Eu estraguei meu corpo, sofri para colocá-los no mundo, tive de contratar enfermeiras, babás, amas-de-leite. Ao invés de gastar nesses anos todos com empregados e educação, poderia muito bem ter empregado o dinheiro em viagens, cirurgias plásticas e uma vida menos enfadonha. Veja só: Bruno é um molengão que adora se meter com gente bem aquém de nosso nível social. Está sempre rodeado de gente pobre e sem cultura. Um desgosto só. Se desgosto fosse uma doença incurável e fatal, eu estaria agonizando a esta hora.

Otília pigarreou:

— E Nicole...

— Bom, essa é uma perdida.

— Acho Nicole tão bonita!

— Bonita e drogada, grande coisa... É viciada e não quer saber de se tratar. Só atrapalha.

— Em todo caso, é sua filha e precisa de sua atenção.

— Ela é adulta e sabe cuidar de si.

— Não sabe — protestou Otília. — Nicole precisa de você.

Ivana levantou-se irritada.

— Só não atiro esta xícara pelos ares porque o serviço de chá é inglês e sei que era de sua bisavó. Além do mais, você é minha amiga. Mas, por favor, nunca mais me diga uma barbaridade dessas.

— Bom, é que não estamos falando de qualquer pessoa, mas de sua filha. É sua responsabilidade fazer algo para o bem-estar de Nicole.

Ivana cheirou a xícara da amiga. Otília espantou-se.

— O que está fazendo?

— Cheirando sua xícara para saber se tinha algo estranho. Pensei que estivesse tomando algum chá alucinógeno.

— Nem por brincadeira.

— Então não fale mais besteira. Essa menina não vale o prato que come. Isso se chama ingratidão. Eu a coloquei nas melhores escolas, dei-lhe estudo, boas babás, brinquedos, roupas, uma vida de princesa, e Nicole prefere se meter em buracos, guetos e andar na companhia de viciados, de dependentes químicos. A responsabilidade é minha por ela ser torta?

— Sim. Ao menos trate de conversar com sua filha. Às vezes uma boa conversa ajuda bastante.

— Eu não tenho habilidade para isso. Não sou terapeuta para escutar problema dos outros.

Otília balançou a cabeça para os lados. Ivana estava irascível. Era dura como uma pedra. Por fim retrucou:

— Você também é viciada.

— Eu?! Está louca?

— Você fuma cigarro.

— Vício aceitável pela sociedade.

— Não importa, mas é um vício.

— No entanto, se fizer algum mal, só farei a mim mesma. Eu não atrapalho a vida de ninguém, não crio problemas, não tenho ataques nem entro em convulsão caso acabe meu maço de cigarros. Eu sou controlada, oras! Não sou um estorvo para a sociedade. Mas Nicole é. Ela pensa que análise não custa caro. Eu pago uma fortuna para essa menina fazer terapia. E tenho certeza de que muito em breve terei de gastar dinheiro com clínicas para viciados.

— Converse com sua filha antes que seja tarde.

— Tenho certeza de que cada vez mais fica distante uma cura. Creio que Nicole não tem salvação.

— Não teme pelo pior?

— Como assim?

— Sei lá, uma *overdose*, por exemplo.

— Problema dela. Ela escolheu essa vida, ela que responda por isso. Não moverei mais uma palha para ajudá-la. Ela é crescidinha, adulta. Ela quer usar drogas? Pois que use, oras. Mas saiba se controlar. Lembra-se de quando íamos às festas da Ângela?

Otília esboçou leve sorriso.

— Lembro-me como se fosse hoje.

— Tínhamos de tudo à mão, não tínhamos?

— Os tempos eram outros. Era uma época de liberação de costumes, de paz e amor, de quebra de convenções sociais. Foi um período de libertação, de brincadeiras. Éramos jovens e nunca poderíamos falar abertamente com nossos pais. Entretanto, hoje é diferente. Pais e filhos estão mais próximos.

— Diferente, nada — esbravejou Ivana. — Naquela época não tínhamos limite, nem nós nem toda a alta sociedade carioca, paulista e mineira juntas. Contudo, estamos aqui inteiras. Por quê?

— Bom, porque sabíamos o que queríamos e tudo não passava de brincadeira, de experimentos, mais nada. Nunca fomos ligados em droga alguma.

— Exatamente isso. Não éramos depressivas e dependentes. Mas Nicole não tem firmeza, não tem dignidade suficiente para se manter no controle sem cair no ridículo.

— Não teme se arrepender?

Ivana deu de ombros.

— Eu lavei as minhas mãos. Não quero mais saber dela e de seu envolvimento com drogas. Ela que pague o preço. Ou Virgílio. Ele quer se redimir e está atacando de bom pai.

— Talvez seja o remorso.

— Pior para ele. Eu não sei o que é remorso. Ainda bem.

— Nicole ainda namora aquele rapaz?

— O Artur?

— Esse mesmo.

— Não faço idéia. Eu o vi algumas vezes lá na porta de casa.

— Ele é um delinqüente.

— Exagero.

— Ele pode ser uma má influência para sua filha. Não me disse dia desses que Nicole piorou depois que passou a namorar Artur?

— Artur, Celso, João... São tantos os amigos que a levaram para o mau caminho... Nicole é fraca, essa é a verdade.

Otília notou a contrariedade nos olhos de Ivana. Procurou mudar a conversa.

— Quer outra xícara de chá?

— Não gosto muito de chá. Preferia uma vodca.

— Estamos no meio da tarde. E está um friozinho gostoso aqui na serra. Um chá, uma xícara de chocolate...

— Não. Você se cuida demais.

— É bom cuidar do corpo, da alimentação. Não acha que poderia se exercitar um pouco?

— Como assim?

— Fazer exercícios, dar umas caminhadas. O ar da serra é tão puro, tão bom... Como é gostoso encher nossos pulmões de ar fresco!

— Deus me livre! Não preciso. Não gosto. Não quero.

— Uma boa caminhada pode ajudá-la a descarregar as energias. Talvez diminuir sua irritação.

— Não creio ser necessário.

— Se mudar de opinião...

— Por falar em opinião, quando vai me levar na mulher que lê mãos?

— A Consuelo?

— Essa mesma — tornou Otília, desanimada.

— Descobri que é uma charlatona. Faz trabalhos escusos, tudo por dinheiro. Eu me enganei com ela.

Ivana deu de ombros.

— Eu falei. Esse povo que diz que vê e fala com espíritos, que lê cartas ou mãos, só quer arrancar dinheiro da gente.

— Não generalize. Existe muita gente boa que trabalha para o bem, que ajuda as pessoas de verdade.

— Você acredita demais no ser humano.

— Claro. Por que não deveria acreditar?

— Porque o ser humano mente, não é de confiança.

Otília consultou o relógio.

— Está ficando tarde. Vou acender a lareira.

— Não será necessário.

— Por quê?

— Estou cansada de ficar aqui, sem fazer nada.

— Trouxe algumas fitas de vídeo — volveu Otília, animada.

— Com aqueles filmes velhos e açucarados?

Otília riu da rabugice da amiga.

— Não. Trouxe alguns clássicos. Você escolhe.

Otília levantou-se e foi até uma prateleira no fundo da sala. Pegou algumas fitas de vídeo e trouxe até Ivana.

— Escolha você mesma. Tem Bette Davis, Lana Turner, Doris Day, Rock Hudson...

Ivana interrompeu-a:

— Poupe-me de assistir a essa velharia.

— São filmes que víamos quando jovens, nas matinês.

— Nunca gostei de matinês. Ia ao cinema somente para ficar mais à vontade com os garotos. Nunca assisti a um filme por inteiro.

— Então está na hora de assistir a uma película do começo ao fim. Vou mandar preparar um chocolate quente e fazer pipoca.

Ivana foi ríspida.

— Assista sozinha. Tenho de voltar.

— Será que sua sobrinha já chegou?

Ivana procurou se conter, mas a raiva foi bem maior. Pegou um cinzeiro sobre a mesinha de Otília e atirou o objeto contra a parede, dando um grunhido.

— Ai, que ódio! Só de saber que essa fulaninha ficará em casa, perco o controle.

Otília estava acostumada com os ataques de histeria da amiga. Sabia com antecedência quando Ivana ia à sua casa, fosse na capital ou em Campos do Jordão, e pedia aos empregados que substituíssem os cristais por peças de vidro comum. Ivana não notava a diferença e, quando os atirava contra a parede, Otília não a recriminava. Ela aprendera isso anos atrás, quando Ivana, num acesso de fúria extrema, acabou com uma coleção de cristal Lalique. Adamastor quase foi internado, tamanho desapontamento. Otília, esperta e vivaz, optou por trocar os objetos e manter a amizade. Gostava de Ivana. Talvez fosse a única pessoa no mundo que gostasse verdadeiramente dela.

Ivana voltou ao normal:

— Desculpe-me, não pude evitar.

— Não tem problema.

— Perdi as estribeiras.

— Eu lhe devo desculpas. Não deveria falar de sua sobrinha.

— Só de me lembrar de Cininha fico possessa. A garota sabe me irritar, ela tem o dom de me irritar. Sempre teve.

— Você não a vê há muito tempo?

— Nunca fomos íntimas.

— Ela é sua única parente, não?

— Sim. Só sobrou essa fedelha, mais ninguém.

— Pensei que você conversasse com sua irmã.

— Não. Eu e minha irmã tínhamos uma relação bem distante. Estávamos em dívidas, meu pai estava com a corda no pescoço e aquele acordo com a família de Virgílio nos tirou da beira da falência. Minha irmã achou que ficou em desvantagem financeira e nunca me perdoou. Então ela se mudou com papai para bem longe e se casou com um pobre coitado. Foi viver no Espírito Santo.

Ivana suspirou. Depois, prosseguiu:

— Nunca tivemos muito contato. Depois que meu pai e meu cunhado morreram, cheguei a visitá-la uma ou duas vezes, mas a relação com minha sobrinha nunca foi das melhores. Agora ela aparece do nada e vem passar uma temporada em casa.

— E se ela quiser ficar? — arriscou Otília, temendo novo ataque.

— Ela não vai ficar! — esbravejou Ivana. — Eu arrumarei um jeito de logo, logo, botar essa menina para correr. Você vai ver só.

— Talvez seja uma boa companhia para sua filha.

— Boa companhia... Essa é boa! — Ela riu em descontrole.

— Por que acha que não?

— Cininha vem de outro mundo, de outro planeta. É pobre, de vida comedida, não tem verniz social, e ela nada poderá fazer por uma viciada em drogas.

— E por que motivo vai recebê-la? Às vezes você tem atitudes que não compreendo.

— Não gosto dela, mas, se eu não a receber, ela pode fazer algo que me irrite ainda mais. Ela tem o gênio de minha irmã. Cininha é um ser insuportável. Eu sei lidar com gente dessa laia. Eu a acolho por alguns dias e depois arrumo uma grande briga, faço um grande escândalo. A tonta vai embora e não me procura mais.

Vou também dar um dinheiro para que ela compre uma casinha no subúrbio e desapareça de minha vida para sempre.

— Bom, então até mais, Ivana. Se precisar de mim, é só ligar.

Ivana abraçou a amiga e despediu-se.

— Obrigada. Sei que sempre poderei contar com você.

Ela ajeitou os cabelos no espelho do *hall*, apanhou a bolsa e saiu. A neblina estava alta.

Otília preocupou-se.

— Está muito ruim o tempo. Fique e vá embora amanhã.

— Tenho de ir. Cansei da serra e de tanto verde. Eu é que vou ficar verde se continuar mais tempo aqui. Adeus.

Ivana entrou no carro e deu partida, preparando-se para descer a serra em direção à capital e também em direção a todos os problemas que a esperavam.

Capítulo 14

Mariana vestiu-se com apuro e saiu contente de casa. Dobrou a esquina, andou mais algumas quadras e alcançou avenida bem movimentada. Logo depois adentrou a estação do metrô.

Vinte minutos depois, ela estava próxima do escritório da Centax. Assim que o elevador abriu e ela avistou a moça à sua frente, arriscou:

— Você deve ser Isabel, certo?

A secretária olhou-a espantada.

— Você é...

Mariana sorriu:

— Desculpe-me. É que nos conhecemos apenas por telefone. Eu sou Mariana.

— Ah, muito prazer — Isabel deu um sorrisinho malicioso. — À procura do Dr. Inácio?

— Isso mesmo. Será que ele já terminou a reunião?

— O Dr. Inácio terminou a reunião faz bastante tempo.

Mariana animou-se.

— Poderia chamá-lo? Preciso muito falar com ele.

Isabel ia responder com naturalidade, entretanto, ao virar-se para a visitante, seus olhos pousaram sobre o presente que havia ganhado de Teresa e ela subitamente mudou o tom de voz, mostrando quanto as pessoas são totalmente influenciáveis e podem mudar à deriva:

— Oh, sinto muito...

— Por quê? O que houve?

— É que o Dr. Inácio saiu faz mais de meia hora.

— Saiu? Estranho...

— Pois é.

— Ele volta ainda hoje?

Isabel riu maliciosa:

— Creio que não.

— Que pena! — tornou Mariana, entristecida. — Em todo caso, foi um prazer conhecê-la. Até mais.

— Até mais.

Isabel mordeu os lábios e, assim que Mariana começou a se afastar, ela comentou, sem mesmo pensar:

— O Dr. Inácio saiu daqui acompanhado pela senhorita Teresa Aguilar.

Mariana estancou o passo. Voltou até a mesa de Isabel.

— O que é que disse?

— Isso mesmo. Ele saiu daqui faz uma meia hora, acompanhado da senhorita Teresa.

Mariana sentiu as pernas falsearem por instantes. Teria ouvido aquilo mesmo? Procurou insistir:

— Tem certeza de que Inácio saiu daqui acompanhado pela... pela Teresa, a Teresa Aguilar?

— Essa mesma. Estavam numa prosa só. Animadíssimos, felizes!

Mariana pendeu a cabeça para os lados. Aquilo não podia estar acontecendo. Precisava ir mais a fundo nessa história.

— Tem certeza de que saíram?

Isabel fez ar de mofa. Estava ficando irritada por ter de responder várias vezes à mesma pergunta.

— Já disse que sim. E, a propósito, para você não ter mais dúvidas de que estou falando a verdade — ela consultou o relógio —, a esta hora ambos devem estar no bar do hotel Hilton.

Mariana saiu de rompante. Estava atarantada. Será que tudo

aquilo era verdade? Será que Isabel não estava mentindo? Será? Será? Era tanta dúvida, tanta insegurança, que Mariana preferiu ver e tirar a prova com os próprios olhos. Mais uma vez.

Chorosa, porém decidida, ela saiu do escritório e correu até a estação do metrô. Passava um pouco das seis da tarde, e muitas pessoas saíam dos escritórios e fábricas nesse horário.

Mariana enfrentou uma fila imensa, empurra-empurra e a lentidão dos trens, que nesse horário andavam mais devagar em virtude da quantidade enorme de passageiros. Depois de muito aperto, ela desceu na estação República, soltando fogo pelas ventas. Nem esperou pela escada rolante. Foi saltando os degraus da escada, até subir à praça. Estugou o passo até o hotel, ali perto.

Teresa e Inácio adentraram o *hall* do hotel e dirigiram-se até o bar, quase cheio. É que algumas pessoas, após o expediente, iam para casa, outras para a faculdade. Havia sempre um grupo de funcionários de bancos ou empresas que preferiam ir beber com amigos. Era o chamado *happy hour*, um momento de descontração após o expediente, quando muitos se reuniam para bebericar e relaxar, antes de voltar para seus lares.

Inácio cumprimentou um colega de outra empresa, acenou para mais outro. Todos no bar ficaram extasiados com a beleza provocante e sedutora de Teresa. O rapaz sentiu-se embevecido, enlevado de fato. Aproximou-se do bar, e o garçom logo os atendeu. Pediram suas bebidas e acomodaram-se sobre duas banquetas presas ao chão e encostadas no balcão do bar. Teresa fez questão de dar *aquela* cruzada de pernas. O *barman* quase derrubou o coquetel que estava fazendo, tamanho deslumbre ao notar aquele belo par de coxas bem torneadas, perfeitas.

Ela sorriu maliciosa para Inácio e disse, numa simpatia contagiante:

— Você precisa conversar com Mariana. Tenho certeza de que ela o ama.

Inácio coçou a cabeça.

— Não sei ao certo. Essas fotos... Ainda não as consigo tirar de meu pensamento. Isso é muito dolorido, me entristeceu demasiadamente.

— Não tire conclusões precipitadas. Essas fotos podem não ter nada a ver.

— Será?

— Confie em mim. Sou sua amiga e torço bastante pela sua felicidade. Mariana é uma boa moça e...

Teresa não terminou de dizer. Foi surpreendida por duas mãos firmes e decididas a puxar-lhe os cabelos. A força de Mariana era tamanha que Teresa desequilibrou-se e só não foi ao chão porque ficou com os cabelos sendo sustentados por Mariana. Uma dor terrível.

As pessoas ao redor estavam incrédulas, não acreditando na brutalidade de Mariana. Inácio abriu e fechou a boca. Não conseguia articular som que fosse. A cena era bizarra e surpreendera-o bastante. Mariana estava fora de si. Gritava ensandecida:

— Ordinária! Se passando por amiga da onça!

Teresa sentia dor, mas ao mesmo tempo sentia um prazer sádico em constatar que seu plano estava dando certo. Fingiu chorar:

— Por favor, não me machuque. Só estava conversando com seu namorado. Eu imploro, não me machuque.

— Cale a boca — esbravejava Mariana.

Inácio estava atônito. De repente fora assaltado por pensamentos horríveis. Não podia ter se enganado tanto assim. Mariana não podia ser tão maldosa. Aparentava doçura, era inteligente, amorosa... Aquela à sua frente não se parecia em nada com a mulher por quem se apaixonara de verdade.

Enquanto Inácio tentava realinhar as idéias, logo após o grande susto, Teresa sentia muita dor, mas estava feliz. Em seu íntimo, conseguira realizar grande feito, mesmo percebendo que seus cabelos poderiam ser arrancados do couro cabeludo, tamanha a fúria de Mariana.

As pessoas ao redor se afastaram, chocadas. Dois garçons vieram apressados e tiveram dificuldade em apartar a briga. Inácio ficou parado, sem ação. Os rapazes conseguiram separá-las, por fim. Teresa incorporou a vítima. Tão logo viu-se livre de Mariana, passou a mão nos cabelos e atirou-se nos braços de Inácio, fingindo medo.

— Deus do céu! Essa moça não está em seu juízo perfeito.

Mariana estava fora de si.

— Cale a boca, ou eu...

— Ainda por cima me ameaça? Cuidado, senão eu a processo!

— Atrevida!

Teresa fez muxoxo. Aproveitava a situação e apertava seu corpo contra o de Inácio.

— O que deu em você? — indagou Teresa, fingindo estupor. — É tão possessiva e ciumenta que não reconhece que seu namorado e eu somos amigos?

Mariana bufava de raiva.

— Você não presta!

Teresa procurou ajeitar os cabelos. A cabeça latejava de dor, mas a cena valia bastante. Não tinha preço. Ela fez beicinho e encarou Inácio. Ele confirmou:

— Teresa é minha amiga.

— Ah, sua amiga — respondeu Mariana, voz entrecortada.

— Você não tinha o direito de entrar aqui e fazer essa cena. Que escândalo, Mariana! Não tem modos?

— Está me recriminando?

— Sim — disse ele, secamente.

— Ela está tentando nos afastar — suplicou a jovem, num sopro de voz.

— Creio que está na hora de ir embora.

— Temos de conversar, Inácio, por favor.

— Aqui não é o local ideal.

— Mas...

— Por favor — ele estava se impacientando —, não me obrigue a ser rude. Eu também estou magoado com você.

— Então vamos aproveitar e...

Inácio pendeu a cabeça para os lados, negativamente. Ele apanhou a carteira, tirou um punhado de notas e colocou-as nas mãos de Mariana.

— Pegue um táxi e vá para casa. Conversaremos outro dia.

— Está me dando dinheiro para ir embora?

— Por favor...

— Vai ficar aqui com essa... essa sirigaita?

— Mariana... — Ele adotou postura enérgica na voz: — Por favor, vá embora e não queira mais nos causar problemas.

A jovem balançou a cabeça para os lados. Estava triste, desapontada, desiludida. Inácio não enxergava a realidade. Ela apanhou as notas de dinheiro e as jogou para o alto.

— Não preciso do seu dinheiro. E vou fazer um empréstimo para pagá-lo.

— Pagar-me? Não entendi.

— O dinheiro que nos emprestou quando meu pai morreu, eu vou arrumar um jeito de pagá-lo. Ah, se vou.

— Isso não tem nada a ver, e...

Mariana foi seca, curta e grossa:

— Nunca mais quero vê-lo na minha frente.

Disse isso e, antes de sair, seus olhos encontraram os de Teresa. A morena susteve a respiração.

— Você ainda vai se arrepender de ter feito isso conosco.

Ela falou e saiu, cabisbaixa. Dessa vez Mariana não chorou. Pelo contrário, sentiu uma força sem igual. Caminhou até a Praça da República e adentrou a estação do metrô. Não queria pensar em mais nada. Estava perplexa e chocada, tanto com a situação quanto com sua atitude. Ela não era dada a brigas, odiava violência. Mas Teresa havia chegado longe demais.

Assim que o trem chegou e as portas se abriram, Mariana jogou-se sobre um dos bancos, baixou o tronco e abraçou-se às pernas. Não queria mais pensar em nada. Queria chegar em casa, de qualquer maneira.

Dominada pelo cansaço e embalada pelo ritmo hipnótico do trem passando nos trilhos, deixou-se tomar por leve estado de inconsciência. Em sua mente, de forma desordenada, começaram a desfilar imagens e sons dos acontecimentos recentes. Entremeando o devaneio, Teresa aparecia à sua frente várias vezes, vangloriando-se: "Agora ele é meu, querida! Agora ele é meu, querida!"

Como se tivesse recebido um choque, Mariana acordou num salto. Imediatamente lembrou-se do dia do trote telefônico. Aquele vício de linguagem, *querida*, era o mesmo usado pela interlocutora na noite do trote. A mesma flexão de voz, o mesmo tom jocoso.

A jovem teve um lampejo de lucidez e disse para si:

— Meu Deus! Foi Teresa!

Ela ficou feliz em descobrir isso. Seu peito se abriu, era como se sua intuição estivesse lhe mostrando o caminho a tomar. Mas agora de nada adiantava.

Ivana contornou o suntuoso chalé de Otília, uma construção antiga porém bem conservada, cuja mistura de pedra e madeira lhe conferia ar aconchegante. A casa era margeada por lindo jardim de azaléias. Ivana desceu o caminho e ganhou a rua.

— Não gosto desta cidade — disse para si, fazendo uma careta. — Tenho medo de pegar uma doença.

Localizada na Serra da Mantiqueira, a uma altitude de quase 1.700 metros, distante a duas horas da capital paulista e próxima à divisa dos Estados de Minas Gerais e Rio de Janeiro, a cidade de Campos do Jordão possui clima de montanha, reconhecido como um dos melhores do mundo, idêntico ao dos Alpes suíços e local ideal para quem necessita se recuperar de doenças respiratórias.

Quem fosse rico e tivesse problemas respiratórios ou fosse apanhado pela tuberculose, doença incurável anos atrás, ia se tratar na Suíça. Quem era pobre e tísico — nome popular da tuberculose —, ou quem não pudesse bancar uma viagem ao exterior, tinha de se contentar em se tratar na cidade, que se tornou um reduto no combate à doença.

Alguns sanatórios foram construídos a fim de atender à grande demanda de doentes que procuravam a estância, sendo o primeiro deles o Divina Providência, em 1929. Só as pessoas ricas tinham acesso à internação. Todavia, muitos doentes carentes e sem recursos se abrigavam na estação ou mesmo nos vagões da estrada de ferro Campos do Jordão.

Alguns milionários que freqüentavam a região se sentiram sensibilizados e criaram uma sociedade beneficente, a Associação dos Sanatórios Populares de Campos do Jordão, que consistia num hospital feito em madeira, com poucos leitos, mas nos padrões dos sanatórios europeus.

Por volta da década de 1940, o nome Sanatorinhos surgiu da expressão popular. Era só alguém apresentar o sintoma da doença e logo se ouvia:

— Meu Deus! Você vai acabar no Sanatorinhos.

Os médicos do grupo, extremamente competentes e dedicados, viajavam à Europa para se atualizar com métodos modernos de tratamento. A qualidade de atendimento foi melhorando, tornou-se conhecida e respeitada, e o nome *Sanatorinhos* passou a ser visto como sinônimo de qualidade e respeito.

Em seguida, a associação construiu grande e portentoso hospital, todo em alvenaria, com quartos e enfermarias amplos, dotados de modernos aparelhos médicos e cirúrgicos.

Esse era o motivo por que Ivana não gostava de ficar em Campos do Jordão. A cidade lhe trazia recordações muito desagradáveis, fatos do passado que de vez em quando a atormentavam.

Quando Ivana tinha seis anos de idade, sua mãe adoeceu. Começou com uma tosse seca, e alguns dias depois sua mãe tossiu e encharcou o lenço com sangue. Ivana soube que a mãe fora se tratar em Campos do Jordão. Sua mãe nunca mais voltou para casa. Esse fato marcou profundamente a vida de Ivana.

Com o tempo, personalidades do mundo social, artistas, políticos e empresários, principalmente de São Paulo, entraram numa moda que perdura até os dias de hoje: ter uma casa de veraneio em Campos do Jordão. Isso lhes conferia *status*, prestígio, e desse modo a fisionomia da cidade foi mudando, a partir da década de 1930. Foi então que Campos do Jordão deixou de ser cidade-sanatório e transformou-se numa próspera e aconchegante cidade turística, cheia de gente bonita e voltada para o turismo e lazer.

Mas Ivana continuava presa ao conceito antigo de que a cidade servia somente para tratamento de tísicos. A menção à cidade também lhe fazia voltar nos anos e lembrar-se da morte de sua mãe, vítima *daquela* doença. Embora toda a transformação da estância tivesse ocorrido havia mais de quarenta anos, era-lhe difícil mudar o conceito.

Ivana era pessoa preconceituosa, além de emocionalmente desequilibrada, e havia duas coisas que a tiravam verdadeiramente do sério, deixavam-na amedrontada: a falta de dinheiro e a possibilidade de ser vítima de alguma doença grave. Ivana tinha horror à pobreza e a algum tipo de doença que viesse a lhe deixar inválida, imóvel, presa a uma cama.

— Meu santo é forte — bradou no carro.

Ela desceu a serra e, ao sair da Via Dutra e desembocar num braço da marginal do Tietê, notou o trânsito parado, cenário comum da cidade nos fins de tarde. Foi então que Ivana se deu conta de que devia ter saído de Campos do Jordão ou mais à noite ou na manhã seguinte, evitando o horário do *rush*.

— O que faço? — esbravejou para si, irritada.

Um motorista buzinou logo atrás. Ivana bufou. O trânsito estava praticamente parado, as vias todas congestionadas. Ela não tinha como dar passagem. Ivana fez sinal com as mãos, pelo retrovisor. O motorista não deu trégua e buzinou, sem cessar.

Ivana não pensou duas vezes. Desceu o vidro e fez tremendo gesto obsceno com os dedos da mão. Após gritar alguns impropérios, subiu os vidros.

— Animais! — vociferou. — Pensam que, porque sou mulher, vou baixar a crista?

Mas, por conta de sintonia energética e o azar de Ivana, ela foi justamente se envolver com outro nervoso e neurótico, tão esquentadinho quanto ela. O sujeito não teve dúvida: acelerou e meteu seu carro na traseira do dela, sem dó nem piedade. O impacto foi tão forte que o carro de Ivana morreu... e não ligou mais.

Indignada e enfurecida, ela desceu do carro e partiu para cima do carro do rapaz, com chutes e murros. Dois funcionários da Companhia de Engenharia de Tráfego passavam pelo local e conseguiram controlar a situação, evitando uma tragédia. A muito custo conseguiram controlar a ira de Ivana. O rapaz dentro do carro, num reflexo natural, afastou-se e encolheu-se no banco de trás.

— Essa é mais doida que eu — sibilou ele, desesperado.

Após aplacar sua raiva, Ivana foi até um orelhão, ligou para sua companhia de seguros e em seguida ligou para o guincho. Avisou onde o carro estava — os rapazes da CET ajudaram-na a empurrar o veículo até o meio-fio — e tomou um táxi.

O motorista, habituado com o trânsito caótico da cidade, sugeriu alternativas.

— Faça o que bem entender, oras.

Todo simpático, o rapaz foi puxando conversa.

— Olha que trânsito, e...

Ivana cortou-o de supetão:

— Eu vou pagar pela corrida. E no preço não está incluído conversar com o motorista. Faça o favor de dirigir em silêncio. Fui clara?

O motorista engoliu seco. Pensou:

"Se não precisasse do dinheiro, eu a largava na rua. Nunca peguei um passageiro tão grosso e estúpido."

O rapaz foi cortando o trânsito pesado e, habilidoso e acostumado com as ruas da cidade, conseguiu se safar do congestionamento da marginal. Fez caminhos alternativos, remendou aqui e ali, cruzou ruas e avenidas por onde Ivana nunca passara antes.

Quando o motorista parou num sinal vermelho, Ivana tomou um dos maiores sustos de sua vida. Ela até passou a mão pelo vidro do carro, meio embaçado, para ver se enxergava melhor. Só teve tempo de dizer, entre dentes:

— Malditos!

Capítulo 15

Fim de mais um dia de trabalho. Michele terminava uma consulta com uma jovem de quinze anos de idade, solteira e grávida de seis meses, quando Bruno adentrou o pequeno salão nos fundos da farmácia. A adolescente levantou-se e despediu-se de Michele. Quando a garota saiu, Michele sorriu para Bruno e, deslizando pela sala, chegou até ele e beijou-o nos lábios.

— Como foi o seu dia?

— Corrido.

— E sua irmã?

Bruno passou a mão pelos cabelos.

— Nicole se recupera aos poucos. Assim que começou sua crise de abstinência, eu e papai a levamos para uma clínica especializada no interior, recomendação do Dr. Sidnei. Hoje ela freqüentou sua primeira reunião em um grupo dos Narcóticos Anônimos*.

— O processo de desintoxicação não é fácil. Além de bons

---

*Narcóticos Anônimos — NA — é uma associação comunitária de adictos a drogas em recuperação. O movimento dos NA, iniciado por volta da década de 1950, é um dos maiores e mais antigos desse tipo, com aproximadamente 30 mil reuniões semanais em mais de cem países. Mais informações podem ser obtidas na Internet, no *site* www.na.org.br (N.A.)

profissionais, é preciso muita força de vontade para se livrar da dependência química. E, paralelo a essa força, a reunião e ajuda dos Narcóticos Anônimos é vital para recuperação do indivíduo. Torço e rezo por Nicole.

— Tem notado algum envolvimento, alguma interferência espiritual?

— Nicole está livre das entidades sugadoras, por ora. Ela resolveu se tratar e, caso não tenha recaídas, será difícil algum espírito viciado aproximar-se dela. As orações que temos feito em grupo ajudam.

Bruno bateu três vezes na madeira. E procurou dar outro rumo à conversa:

— Este salão logo vai se transformar numa clínica completa.

— Deus o ouça. Os atendimentos não param. E estou muito feliz que a empresa de Inácio esteja nos dando suporte financeiro. A verba da prefeitura não estava cobrindo nossas despesas. Creio que em breve seremos auto-suficientes.

— Depois da conversa que tivemos com papai, ele quer se sentar comigo e propor negócio. Em pouco tempo, não precisaremos mais da Centax nem da prefeitura. Bancaremos tudo por conta própria.

— Isso me alivia — suspirou Michele. — É bom ser auto-suficiente, não ter de prestar contas e dar satisfações para quem não está envolvido de corpo e alma no trabalho social. Às vezes tenho de dar satisfações sobre gastos que eles não compreendem, porquanto não passam o dia todo aqui, com a população.

— E não precisaremos mais cobrar pelas consultas — sorriu Bruno, feliz.

— Com ou sem apoio financeiro, eu vou continuar a cobrar pela consulta.

— Sério?

— Sim.

— Não concordo muito com sua posição de cobrar pela consulta, Michele. Essas pessoas são pobres, miseráveis, mal têm dinheiro para comida, para o sustento de suas famílias.

Michele sorriu.

— São pobres, mas não podem perder o respeito por si

mesmos. Têm de manter sua dignidade. A pobreza é um estado mental, em que a própria pessoa se põe numa situação cheia de limites.

— Bastante genérico. E os que já nascem nesse ambiente?

— Pura afinidade. Reencarnamos na Terra por afinidade de pensamentos e atitudes. Isso vai determinar o tipo de pais que teremos, o ambiente onde vamos nascer, o tipo de corpo que iremos desenvolver. Quem se priva e acredita no pouco, no menos, terá grande chance de viver muitas vidas na pobreza.

— Pela óptica espiritualista, eu sempre acreditei que nascemos pobres porque fomos ricos em outras vidas e não soubemos dar valor ao dinheiro.

— Não. Isso é uma maneira preconceituosa e cômoda de ficar estacionado na pobreza. A pessoa acredita que é um carma, que Deus quis assim, que a vida tem de ser cheia de sacrifícios, cria uma série de desculpas e assim vai ser. Cada um tem a vida que acredita.

— Talvez.

— É muito cômodo aceitar que sua vida é limitada, porquanto não precisa fazer muito esforço para crescer. Aquele que é forte, que não se contenta com pouco e acredita em si, em seu potencial, vence qualquer obstáculo. Nada lhe é empecilho, nem mesmo a pobreza. A pessoa arruma um jeito e vai crescendo, de uma forma ou de outra. As leis universais, que trabalham única e exclusivamente para o bem, acabam por criar situações favoráveis para aqueles que almejam uma vida melhor.

Bruno interveio:

— Dessa forma a pessoa arruma um emprego melhor, conhece alguém que lhe estende a mão. Seria isso?

— Isso mesmo. Tudo começa a fluir de maneira positiva na vida da pessoa, porque ela decidiu mudar e não ficar presa à limitação que a pobreza lhe impôs, em todos os sentidos. Por essa razão — ela passou delicadamente o dedo no queixo de Bruno — vou cobrar um valor bem baixo, até simbólico, mas vou cobrar. Caso eu os atenda de graça, eles não darão valor ao meu trabalho e em breve começarão a exigir mais e mais de cada um de nós.

— Nisso você tem razão.

— Esses jovens precisam ser valorizados, necessitam que lhes demos estímulos, condições de trabalho e estudo, além de alimentá-los de idéias positivas e prósperas. Aqueles que tiverem um espírito de luta e valentia irão para a frente e logo sairão de suas vidas limitadas. Outros, infelizmente, continuarão tendo vida miserável e sem futuro algum, mas por pura imaturidade espiritual.

— Você fala com muita propriedade.

— Digo isso porque eu e Daniel somos negros e crescemos pobres e sob os olhos preconceituosos da sociedade. Se deixássemos nos levar pelo vitimismo, não teríamos progredido na vida. Nossos pais, antes de morrer, ensinaram-nos os verdadeiros valores do espírito. Acredito na existência do espírito, na força que dele podemos extrair. Sem o espírito, somos apenas um punhado de matéria, de carne — ela se tocou —, e mais nada. Nosso corpo físico só tem função por conta da existência dessa substância imaterial, incorpórea, inteligente, consciente de si, na qual se situam os processos psíquicos, a vontade, os princípios morais.

— Falou difícil, mas falou bonito.

— Essa definição você encontra em qualquer dicionário — tornou ela, sorridente. — Nunca se esqueça de que somos dotados de algo aqui dentro — Michele apontou para si — que nos faz semelhantes porém completamente distintos uns dos outros. Veja como cada um de nós tem traços diferentes: cor de pele diferente, estaturas as mais variadas, feições diversas. Não há pessoas idênticas; nem mesmo os gêmeos o são. Sempre há uma mínima diferença, até imperceptível, seja física ou de caráter. Somos semelhantes, meu amor, mas jamais seremos iguais uns aos outros. A natureza é feita de diferenças, e devemos aceitá-las e apreciá-las.

— Faz sentido o que pensa.

— Veja essas pessoas aqui neste bairro afastado e desprovido de toda e qualquer infra-estrutura. Por que estão morando aqui e por que eu tenho uma vida melhor que a deles? E por que cargas d'água você vive melhor ainda?

— Não sei, talvez obra do destino.

— Resposta simplória, que nos deixa à margem de muitas indagações. Nunca parou para pensar por que algumas pessoas nascem com a saúde debilitada e outras nascem perfeitas e saudáveis? Por que Deus, ou a força inteligente que sustenta o universo, criaria um jogo de interesses tão desvantajoso para nós? Não creio que a providência divina queira brincar conosco. Estamos em ambientes distintos e posições sociais, físicas, financeiras e morais diferentes por conta de nosso conjunto de crenças, atitudes e escolhas feitas ao longo de muitas e sucessivas vidas.

Bruno mordeu o lábio superior para evitar o riso. Michele falava de maneira especial. Lembrou-se da conversa que tiveram com Virgílio. Bruno estava interessado e queira conhecer cada vez mais sobre si mesmo e o mundo espiritual.

— Claro — tornou ele — que uma explicação espiritual diminui em muito minhas dúvidas acerca das diferenças sociais, dos mistérios da vida e da morte. Mas será que tudo isso é mesmo verdade?

Michele retorquiu:

— Se é verdade ou não, cabe a cada um de nós acreditar. Mas vamos falar de você.

— De mim?

— Sim. Responda-me: por que, afinal de contas, você nasceu num lar cuja mãe nunca lhe deu carinho e atenção?

— Não sei dizer...

— Por que sua mãe não é igual às outras? Por que Ivana é diferente e o trata de maneira fria e distante?

Bruno deixou-se pegar de surpresa. Não sabia o que responder. No seu íntimo, ansiava por saber a resposta. Sempre se fizera tal pergunta desde pequeno, e nunca encontrara uma resposta que pudesse aplacar sua revolta. Na infância e na adolescência fora muito duro viver privado dos carinhos de Ivana. Ela nunca lhe dera carinho, nunca demonstrou amabilidade. Jamais participara de nenhuma atividade que envolvesse os filhos, nunca fora a uma competição de colégio, por exemplo. Os anos passaram e Bruno cresceu. Decidido a ser feliz, estudou, fez terapia, melhorou bastante e não ligava mais para a falta de atenção da mãe. Acostumara-se com o distanciamento de Ivana.

Michele arrancou-o de seus pensamentos e prosseguiu:

— Você atraiu uma mãe assim para crescer por si, dar-se o amor e o carinho que ela não lhe deu. A vida fez isso para você se tornar pessoa forte, diminuir suas fraquezas. Ivana é pessoa nervosa e desequilibrada emocionalmente. Ela tem dificuldade em controlar suas emoções e sentimentos. A vida procurou lhe dar filhos para ver se atenuava essa ira que talvez venha de muitas vidas, mas a maternidade não serenou sua mente nervosa e agitada, tampouco enterneceu seu coração. Muito pelo contrário: sua mãe continuou fria, distante, não se deixou tocar pela bênção da maternidade. Parece que tem medo de si mesma, medo de sentir.

— Nunca olhei minha mãe por esse ângulo. Na verdade nunca compreendi o porquê de ela não gostar de mim ou de minha irmã.

— Sua mãe gosta de vocês do jeito dela. Vocês criaram em suas mentes que ela deveria se comportar como a mãe modelo, talvez como a maioria das mães de seus amiguinhos.

— Sempre esperei por isso. E nunca aconteceu.

— A mãe ideal não existe.

— Custei a perceber.

— Não adianta querer que as pessoas sejam como desejamos. Isso é terrível, nos causa mal-estar interior. É melhor aceitar que a vida lhe deu uma mãe ausente, aprender a se amar incondicionalmente e parar de implorar por uma migalha de atenção.

— Nunca implorei.

— Mas é o que deseja. Talvez seja por isso que teve uma mãe como Ivana.

— Acha mesmo?

— Claro. Você teve uma vida de órfão, porquanto seu pai também foi distante. Virgílio pode ter sido amoroso, mas nunca participou de sua vida. E o que você ganhou com isso?

— Não consigo perceber — considerou Bruno, pendendo a cabeça para os lados.

— Você foi obrigado a descobrir seus potenciais, melhorar sua auto-estima. A vida quis lhe mostrar que você não precisa de ninguém lhe paparicando, que você é auto-suficiente e pode se dar carinho e atenção a si próprio.

— Você está impossível hoje — disse Daniel, que entrava na sala.

— Michele me pegou para cristo hoje — disse Bruno, rindo.

— Mas fez-me pensar sobre muita coisa. Disse-me coisas muito interessantes.

— Minha irmã é uma mulher toda interessante — tornou Daniel, beijando-a na face.

— Não sinto ciúmes, porque são irmãos — advertiu Bruno, entre risos. — Se não fossem...

Daniel não chegara sozinho. Partiu paras as apresentações:

— Esta é Sílvia, irmã de Inácio.

Eles a cumprimentaram com satisfação e alegria. Michele foi simpática:

— A ajuda que a empresa de seu irmão está nos dando é maravilhosa; complementa a verba da prefeitura. Pena que Inácio não tenha tempo de vir aqui com mais freqüência para saber a quantas anda o progresso dessas pessoas.

Sílvia retribuiu o cumprimento:

— Ele confia no trabalho de vocês. E na verdade esse dinheiro da Centax vai gerar bons profissionais no futuro, inclusive para o próprio quadro de funcionários da empresa. Um dos trabalhos sociais que vocês vêm realizando é o de afastar esses jovens do caminho das drogas e lhes proporcionar novo horizonte, perspectivas de vida positivas. Creio que se tornarão ótimos profissionais, e amanhã também serão melhores pais e cidadãos.

— Sem dúvida — disse Michele. — Essa é nossa meta. Fico contente em poder contribuir pela melhora da vida das pessoas, em todos os sentidos.

Daniel sorriu:

— Sílvia realizava trabalho semelhante na comunidade da Rocinha, no Rio de Janeiro.

— É mesmo? — perguntou Michele, interessada.

— Sim — respondeu Sílvia. — O trabalho de vocês se assemelha ao meu.

— Pretende ficar em São Paulo? — indagou Bruno.

— Sim. Penso em morar aqui.

— Poderemos conversar outra hora e, se quiser, estamos precisando de gente para trabalhar. A quantidade de pessoas atendidas aumenta a cada mês.

Sílvia sorriu satisfeita:

— Adoraria.

Bruno estendeu-lhe a mão e tornou:

— Estávamos tendo uma pequena aula de espiritualidade.

Sílvia admirou-se:

— O mundo espiritual me fascina. Só para constar, a crença na espiritualidade mudou muito minha vida.

— Não diga! — exclamou Michele.

— Eu sempre tive sensibilidade, sabe? — retorquiu Sílvia. — E desde pequena tenho sonhos.

— Sonhos? — indagou Bruno, surpreso.

— É. Sonhos premonitórios.

— Interessante... — ponderou Bruno. — Eu comecei este projeto porque tinha sonhos repetidos com este lugar, este bairro. Michele me afirmou que existem amigos espirituais que aproveitam nosso momento de descanso e nos enviam mensagens por meio dos sonhos. No princípio achei inverossímil, mas hoje, olhando para este prédio e estes jovens, tenho plena certeza de que fui orientado nos sonhos por amigos do astral superior.

— Como ele não é, ainda, estudioso do mundo espiritual, os espíritos decidiram escolher os sonhos para se comunicar com Bruno — finalizou Michele.

— Os meus geralmente são premonitórios — atestou Sílvia.

— Você enxerga o futuro? — indagou Michele.

— Às vezes. E isso me deixa um tanto encabulada. No começo era difícil, porque eu não conseguia manter a boca fechada e contava tudo, fosse na escola, fosse em casa. Arrumei algumas confusões e, depois de estudar o assunto e compreender melhor o que me ocorria, passei a ser mais discreta. Hoje só falo quando tenho liberdade, intimidade com a pessoa.

Sílvia e Michele simpatizaram-se de imediato, e as duas foram naturalmente entabulando conversação, deixando os moços à matroca.

— Que bela moça! — elogiou Bruno.

— Linda, não? — completou Daniel. — Inácio nos apresentou um ao outro semana passada. Ela realizava bonito trabalho de promoção social. Sofreu terrível desilusão amorosa e veio para São Paulo se recuperar, junto à mãe e ao irmão.

— E pelo jeito ela vai se recuperar rapidinho dessa desilusão amorosa...

— Por que diz isso?

— Seus olhos brilham a cada momento que toca no nome de Sílvia. Você está apaixonado por ela. Não dá para disfarçar.

— Não dá, não é mesmo?

— Negativo.

Ambos caíram na risada.

— Você já se declarou?

Daniel balançou a cabeça.

— Ainda não. Ela está muito animada com o projeto e quer trabalhar conosco. No momento certo, creio eu, pretendo me declarar.

— Tomara que dê certo, meu amigo. Gostei da Sílvia.

— Ei, que tal todos irmos tomar um lanche? Estou faminto.

— Eu topo — assentiu Bruno. — Ei, garotas, estão a fim de pegar uma lanchonete?

— Claro! — responderam as meninas, em uníssono.

Enquanto se dirigiam ao exterior do salão, Sílvia sugeriu:

— Gostaria de dar uma passadinha num *shopping*. Preciso ver uma blusinha para uma festa.

Daniel suspirou:

— Ah, essas mulheres! São alucinadas por *shopping centers*, lojas e compras. Será que isso já vem no sangue de vocês? — perguntou, em tom de brincadeira.

Sílvia e Michele fizeram careta e, todos animados, entraram no carro de Bruno.

Capítulo 16

Virgílio encostou o carro numa rua tranqüila. Desligou o motor e suspirou angustiado.

— O que está acontecendo? — perguntou Nair, preocupada.

— Não tenho me sentido bem ultimamente.

— Algum problema de saúde?

— Não. São tantos problemas, que...

Virgílio não segurou o pranto. Cobriu o rosto com as mãos em profundo estado de desespero.

Nair condoeu-se. Pousou suas mãos sobre as dele a fim de lhe transmitir conforto.

— Temos muito o que conversar. Há coisas que estão entaladas na minha garganta por mais de vinte anos. Entretanto, agora não sinto que seja momento apropriado. Mas essa sua angústia me preocupa. O que acontece? Por que você está me vigiando desde que Otávio morreu?

Virgílio enxugou os olhos com as costas das mãos. Deu duas fungadas e disparou:

— Desculpe meu descontrole. Estou me sentindo no limite de minhas forças. Parece que toda a minha vida está ruindo. Nem sei por onde começar...

— Comece pelo fato de estar me vigiando.

Ele sorriu.

— Não a estou vigiando. Eu fico entupido de problemas no trabalho e em casa. Pego o carro e saio por aí e acabo vindo parar na sua porta. É como se eu sentisse certo conforto, segurança, algo que não sei explicar. Por incrível que isso possa parecer, toda vez que chego perto de sua casa eu me lembro do meu pai.

Nair espantou-se.

— De seu pai? O Dr. Homero?

— Sim. Parece loucura, não?

— Você não deve estar bem da cabeça mesmo.

— Minha vida não anda nada boa.

— Ao chegar à minha casa, você poderia pensar em qualquer um, menos no seu pai. Aquele homem arruinou a minha vida.

— Soube da trama sórdida ungida entre meu pai e a família de Ivana. E tenho tantas dúvidas aqui comigo — disse ele, apontando para o peito. — Sinto que temos muito o que conversar.

— Não creio que temos muito o que conversar. O tempo passou, estamos ficando velhos.

Ela desviou o assunto. Nair ainda tinha segredos acerca daquele passado e não se sentia preparada para tocar no assunto.

Virgílio cortou-a abruptamente:

— Não diga isso. Você mal completou quarenta anos. Eu estou com cinqüenta e dois. Temos ainda muito pela frente. — Ele apertou a mão de Nair. — Quero ainda conversar com você sobre nosso passado e nossa separação.

Ela sentiu as faces arderem. Não estava preparada para voltar e remexer em seu passado. Abriu a boca, mas Virgílio impediu-a:

— Também não quero tocar nesse assunto agora. Não seria justo nem para você nem para mim. Ainda há coisas na minha cabeça que preciso esclarecer a mim mesmo. São como peças de um quebra-cabeças que aos poucos me são mostradas. O que me trouxe até você foi... foi...

Nair estava impaciente.

— Diga logo, homem!

— Minha filha, a Nicole.

— Sua filha?

— É.

— Quer falar comigo sobre sua filha?

— Sim.

— Não tem a mãe dela para conversar? — perguntou ela, em tom jocoso.

— Não me leve a mal, por favor. Ivana não liga para os filhos. Sempre os tratou com frieza e distância, se você quer saber.

— Como assim?

— Ivana teve Bruno e Nicole à deriva, talvez até meio a contragosto. Nunca suportou assumir seu papel de mãe, nunca quis saber de participar da educação de meus filhos, jamais se sentiu responsável por eles.

— Que horror!

— Pois é.

— Eu tenho duas filhas e sou tão apaixonada por elas! Não consigo imaginar-me criando-as sem eira nem beira, com frieza e distanciamento.

— Ivana mal conversa com os filhos. Eu confesso ter sido pai ausente, fui relapso mesmo. Dediquei-me a vida toda ao trabalho e ao acúmulo de nossa fortuna, a fim de garantir bom futuro às crianças.

— Você fez o que geralmente um pai faz. Vai à luta para manter o bem-estar da prole.

— Mas me tornei ausente. Eu me arrependo de não ter participado das festinhas de meus filhos, dos aniversários, das reuniões escolares, de ser amigo e poder conversar sobre vários assuntos. Eu me distanciei de meus filhos e creio que esteja numa situação irreversível.

— Não existe situação irreversível. Para tudo se tem uma saída. Aprendi isso na pele, desde quando você me abandonou, e algum tempo atrás, quando perdi o Otávio. A gente escorrega, cai, se machuca, mesmo assim consegue se reerguer e vai tocando a vida. Aprendi que tudo é uma questão de força de vontade. Isso depende única e exclusivamente de cada um.

— Sei disso. Compreendo. Meu filho Bruno é belo rapaz. Bonito, estudioso, esforçado, trabalha com jovens carentes na periferia.

— Que belo trabalho! Você deve sentir muito orgulho de seu filho.

— Sim. Bruno é o exemplo de filho ideal. Nunca deu problema na escola, sempre tirou boas notas. Graduou-se em Economia e namora uma menina linda. Tenho certeza de que meu filho será muito feliz.

Nair esboçou leve sorriso. Virgílio, aparentemente, não tinha do que reclamar. Será que estava tentando criar todo aquele clima para se aproximar? Ela ressabiou-se. Virgílio, cabeça baixa, prosseguiu:

— O meu maior problema é Nicole, minha filha. Ela é o oposto de Bruno.

— Como assim?

— Nicole também cresceu à deriva, rodeada de babás e empregadas. Eu sempre viajando a negócios e Ivana sempre ocupada com seus afazeres, como lojas e salões de beleza. Eu não percebi o quanto minha filha sentiu nossa falta, precisou de nosso carinho, de nosso colo. Agora creio ser tarde demais. Se ao menos eu tivesse percebido, minha filha poderia ter maiores chances de recuperação.

— De que está falando? O que tem sua filha?

Ele cobriu novamente o rosto com as mãos, não de vergonha, mas por profundo desespero.

— Nicole é viciada em drogas.

Nair levou a mão à boca. Lembrou-se de suas filhas.

— Que triste!

— Triste e dolorido. A droga está acabando com a vida da minha filha e com a minha também.

— Imagino como deva estar se sentindo.

Virgílio suspirou e começou a contar a Nair tudo sobre o envolvimento da filha com as drogas, como Nicole tornou-se uma dependente química, desde a adolescência. Conforme ele ia falando, Nair sentia o peito oprimir-se. Ela procurava entender a dor do pai e tentar ajudá-lo de alguma maneira.

O espírito de Homero, sentado no banco de trás do carro, emocionou-se com o relato do filho. Ele estava tão concentrado em redimir-se perante Nair que se esqueceu do filho, da nora, dos netos. Homero sentiu uma ponta de remorso e, assim que fechou os olhos, transportou-se para a colônia espiritual da qual fazia parte. Foi direto ao gabinete de Consuelo.

— Preciso fazer alguma coisa pela minha neta. Ela não está bem, tornou-se uma dependente química. Eu não sabia.

Consuelo nada disse. Balançou a cabeça para cima e para baixo. Homero prosseguiu:

— Estou me sentindo muito mal, porquanto fiquei com os olhos voltados para o meu próprio umbigo. Se eu tivesse zelado pela minha neta, talvez Nicole estivesse seguindo outro caminho.

— Quer ser Deus de novo? — perguntou Consuelo, voz pausada e doce.

— O que disse?

— Deu para consertar a vida de todo mundo? Não acha ser isso impossível?

— Mas veja Nicole... Ela está se matando.

— Não podemos atuar nessa jurisdição.

— Como assim?

— Nicole tem seu próprio guia espiritual.

Consuelo levantou-se e aproximou-se dele, tocando-lhe delicadamente o ombro.

— Não se esqueça de que todos os encarnados têm um guia, um anjo da guarda, um mentor, se assim preferir chamar. De certa maneira, você assumiu o papel de guia espiritual de Nair, só por enquanto. Isso foi permitido por conta dos laços que os unem há várias vidas. O guia dela afastou-se por ora, e você assumiu o cargo. Entretanto, todas as pessoas têm um protetor.

— Mas Nicole está sempre metida em drogas, más companhias, delinqüentes, gente da pior espécie. O guia dela não pode intervir? Que mentor é esse que deixa uma pobre menina inocente à beira da perdição, de um caminho sem volta?

Consuelo sorriu e nada disse. Pausadamente caminhou até a porta e mandou alguém entrar.

— Gostaria de apresentar-lhe. Creio que já se conhecem de outros tempos. Homero, este é...

Ele virou-se para a porta e seus olhos espremeram-se para enxergar melhor.

— Quem é você?

O espírito à sua frente fechou os olhos e concentrou-se. Em instantes adquiriu outra forma. Os olhos de Homero quase saltaram das órbitas. Não podia ser verdade. Ele balbuciou:

— Vo... vo... você?

Everaldo aproximou-se e estendeu-lhe a mão.

— Como vai, Homero? Quanto tempo!

Homero mecanicamente apertou-lhe a mão.

— Não nos vemos... bem... é...

— Não nos vemos desde aquela nossa conversa horrível. Eu bem me lembro. Pensa que para mim é fácil ter minha consciência acusando-me a todo instante? Num gesto de desespero fiz um acordo com você e acabei com a felicidade de minhas filhas.

— E de meu filho — ponderou Homero.

— Depois que desencarnei, mudei meu jeito de ver as coisas. Percebi e entendi, aqui no astral, que nada acontece por acaso. Em outra dimensão percebemos que as coisas acontecem de maneira peculiar. Não existe o certo nem o errado. As pessoas fazem escolhas e respondem por elas.

— Mas destruímos a vida de nossos filhos.

— Eu acreditei muitos anos nisso, mas hoje não enxergo assim.

— Não? — indagou Homero, surpreso.

Everaldo deu continuidade:

— Seu filho, Virgílio, deveria ser mais firme, pois é dotado de livre-arbítrio e podia recusar-se a casar com Ivana. Mas não se esqueça de que a vida, às vezes, nos mete em grandes enrascadas, tudo pelo nosso melhor.

— Como melhor? Veja como está a vida de Virgílio! Ou a vida de Nicole! Crê que estão caminhando para o melhor?

— Ele fez sua escolha, arcou com as conseqüências delas, aprendeu com o sofrimento, e no momento está repensando sua vida. Aos poucos ele está se desvencilhando de seus medos, culpas e frustrações. Logo vai assumir poder completo sobre sua vida e fazer novas escolhas, descobrir que ainda é possível ser feliz.

— Fiquei preocupado com Nicole.

— Estou cuidando dela — anuiu Everaldo.

— Então vai ser reprovado. Que espécie de guia é você que deixa sua protegida afundar-se num mundo tão vil quanto o da dependência química?

Everaldo fuzilou-o com o olhar. Consuelo interveio:

— Vamos nos acalmar.

Ela os afastou e indicou uma poltrona para cada um. Ambos obedeceram e sentaram-se. Consuelo procurou ser didática:

— A nossa tarefa, qual é?

Homero respondeu, tímido:

— Nossa tarefa se resume em amparar um espírito com o qual temos afinidade, durante toda a sua jornada na Terra.

— Isso mesmo — afirmou Consuelo. — Todas as pessoas possuem um guia, um mentor. Geralmente, são designados os espíritos afins e simpáticos para estabelecer tal relação. Um guia espiritual é, via de regra, um espírito mais evoluído que o seu protegido. Não raro, se vêem mães guiando filhos ou maridos guiando esposas, e assim por diante. Um guia acompanha o seu protegido, oferecendo-lhe apoio num momento de sofrimento, esclarecimento numa hora de dúvida, ajuda num instante de perigo, etc. As pessoas, mesmo sem perceber, estão submetidas à influência benévola desse guia constantemente e, ao mínimo pensamento feito a ele, o bondoso espírito se faz presente e exerce sua tarefa caridosa e despretensiosa.

Homero assentiu com a cabeça. Lembrou-se do curso de guia espiritual que fizera anos atrás. Everaldo tomou a palavra:

— Um guia está profundamente ligado a seu protegido por motivos de afinidade espiritual e sempre executa sua missão com sentimento espontâneo de ajuda, porquanto essa ajuda também significa o seu próprio desenvolvimento e evolução. A terminologia "anjo da guarda", utilizada por outras religiões, se encaixa no equivalente a protetor espiritual ou mentor espiritual, pois se enquadra perfeitamente para esse espírito missionário, que consiste no amigo constante e amoroso que a vida dispõe a todos os encarnados durante sua vida no orbe terrestre.

— Estamos num estágio de evolução em que cada ser encarnado na Terra está ligado a um protetor, um guia espiritual. Todos, sem exceção. Acontece que alguns são receptivos a esses guias.

Outros nem imaginam que eles estejam por perto. E outros até conseguem afastá-los de suas vidas.

— Afastá-los?

— Sim.

— Isso é impossível! — exclamou Homero, contrariado.

— Não. Um guia não fica à mercê do encarnado, fazendo-lhe as vontades e protegendo-o vinte e quatro horas por dia, sete dias por semana. Um guia tem o papel de orientar, sussurrar palavras de força e estímulo, transmitir mensagens positivas. Ou você se esqueceu do curso?

— Não me esqueci.

— Qual é o lema de um guia?

— Qual é? — retrucou Everaldo.

— Jamais se intrometer na vida do encarnado.

Consuelo ajuntou:

— Isso mesmo, Homero. Nós, como guias, não podemos interferir nas decisões, nas escolhas que os encarnados fazem. Podemos induzi-los a mudar, a tomar outro caminho, mas jamais fazer por eles. Veja o caso de Nair. Você só teve permissão de aproximar-se dela caso não interferisse em sua vida. Você simplesmente lhe sugere idéias. Ela tem o livre-arbítrio e pode captar ou não o que você lhe diz. Mais nada. Fazer por ela é algo que nem mesmo espíritos mais evoluídos que nós têm permissão de fazer. Cada ser é único e deve responder por tudo aquilo que pratica, seja bom ou não.

— Mas Nicole pode morrer.

Everaldo interveio, mais calmo:

— Pode, sim. Em todo caso, um dia todos que estão na Terra vão morrer, vão desencarnar. Uns mais cedo, outros mais tarde.

Homero baixou a cabeça, triste. Everaldo tocou em seu braço.

— Você precisa saber um pouco sobre algumas vidas passadas de sua neta.

— Ajudaria bastante.

— Nicole adotou uma postura de vítima nas duas últimas encarnações por conta de uma desilusão amorosa. Sentindo-se traída e sozinha, ela afundou-se no álcool e morreu em decorrência dos excessos provocados pela bebida. Surgiu nova oportunidade de reencarne, e então Nicole nasceu numa família rica, só que dessa vez sem perspectiva de vida afetiva, a fim de evitar nova desilusão amorosa. Entretanto, Nicole ansiava por nova paixão. Seu espírito possuía esse temperamento, e ela não conseguiu evitar. Apaixonou-se de novo.

Everaldo suspirou. Em sua mente vieram muitas lembranças. Era como se ele pudesse voltar e reviver aqueles tempos.

— Nicole apaixonou-se perdidamente por um oficial do exército inglês e parecia que tudo caminhava para um final feliz, porquanto ele também a amava.

— Então ela teve uma vida feliz, suponho?

— Ledo engano.

— O que aconteceu? — indagou Homero, apreensivo.

— Tudo mudou assim que Nicole recebeu um telegrama do Departamento Britânico de Guerra. Os telegramas, nos idos de 1916, eram enviados somente em caso de morte. Nicole entrou em profunda depressão. Desesperada, perdida e sem rumo, novamente atirou-se à bebida. Só que naquele tempo as pessoas começavam a se viciar em drogas. Muitos usavam ópio e heroína. Nicole afundou-se nas drogas e desencarnou. Agora procuro ajudá-la a se afastar das drogas e não sucumbir novamente. Mas isso compete ao espírito dela. Não posso intervir. Nem tenho permissão para isso.

Consuelo acrescentou:

— Para que serviria viver na Terra se, a todo problema, um guia pudesse intervir e fazer o que compete ao encarnado?

Homero mordeu os lábios:

— Você tem razão — e, virando-se para Everaldo, perguntou: — Por que se interessa tanto por Nicole?

Everaldo exalou profundo suspiro. Encarou Homero nos olhos.

— Fui eu que abandonei Nicole, duas encarnações passadas.

Homero olhou-o espantado.

— Você?

— Sim.

Everaldo fechou os olhos e novamente voltou à forma de duas vidas atrás, da época em que Nicole se viciou pela primeira vez.

— Faço o possível para que ela consiga vencer o vício. Uma parte minha se sente responsável por tudo isso. Sei que somos cem por cento responsáveis por tudo que nos acontece, entretanto eu contribuí para o infortúnio de Nicole. É uma questão de consciência, e, ao invés de me matar de culpa, procuro fazer algo de positivo, algo de bom.

— Everaldo tem conseguido grandes feitos. Entretanto, há um obsessor encarnado, se assim podemos chamá-lo, que atrapalha bastante.

— Quem é? — indagou Homero, interessado.

— Trata-se de Artur. Ele tem forte ascendência sobre Nicole — declarou Consuelo. — Artur e Nicole se encontraram no umbral, após sua última encarnação. Ficaram anos encostando em encarnados viciados e sugando-lhes as energias para sentir o prazer que a droga lhes proporcionara em vida. Muitos dos que morreram, vítimas da dependência química, hoje no umbral, abusam de Nicole e Artur. Ou seja, estão fazendo a eles o mesmo que os dois faziam quando desencarnados.

— Situação complicada para todos.

— Mas tudo caminha para o melhor — tornou Everaldo, sorrindo. — Estou ao lado de Nicole e me comprometi que vou ajudá-la no que for possível. Penso em voltar à Terra como seu filho.

— Isso seria maravilhoso. Nicole poderia se livrar das drogas, tornar-se mãe, constituir família e ser feliz.

— É o que almejo — concluiu Everaldo.

A conversa fluiu agradável até o momento em que Homero sentiu sinal de perigo. Consuelo, sentada a seu lado, fez sinal afirmativo com a cabeça.

— Pode descer. Estou sentindo cheiro de confusão. Eu e Everaldo vamos ficar na vibração positiva. Boa sorte.

Homero levantou-se de um salto e sumiu. Em instantes estava novamente dentro do carro. Virgílio continuava falando sobre sua filha, sua vida, seus problemas. Discursava sobre seu casamento malogrado, suas frustrações, enfim, fazia um desabafo completo e total de tudo que vinha lhe acontecendo nos últimos anos. Nair estava sensibilizada e num ou outro momento deixou que lágrimas escorressem pelo canto do olho.

Homero viu pela janela lateral, mas nada pôde fazer para evitar a tragédia que se abateria sobre ambos. Ele fechou os olhos e orou, orou com força e vontade. Logo pequena luz se fez presente dentro do veículo.

Ivana apareceu em total descontrole, feito um bicho. Saltou do táxi e avançou para cima do carro. Antes, pegou um pedaço de uma barra de ferro no meio da rua e o arremessou sobre o veículo, repetidas vezes. Nair encolheu-se no banco e Virgílio fechou os vidros.

Ivana estava fora de si.

— Malditos! Ordinários! Saiam já desse carro. Eu vou acabar com a vida dos dois, ou não me chamo Ivana!

Capítulo 17

Bruno e Daniel resolveram dar uma volta enquanto Sílvia e Michele seguiram até uma loja de roupas femininas.

— Não demorem — asseverou Bruno. — Estamos com fome.

— Seremos rápidas — disse Sílvia. — Bem rápidas.

Despediram-se com um aceno. Bruno e Daniel se entretiveram numa loja de artigos eletrônicos enquanto as garotas passeavam, gesticulando animadas, olhando as vitrines. Sílvia encantou-se com um modelo de blusa numa vitrine e sugeriu:

— Gostei. Vamos dar uma olhada?

Entraram e foram atendidas em seguida.

— Desejam alguma coisa?

— Estou interessada naquela blusa que está na vitrine — Sílvia apontou com os dedos.

— Essa blusa está vendendo bastante. É muito bonita. Você tem excelente gosto.

— Obrigada.

— Qual o número, por favor?

— Creio que tamanho médio.

— Hum, infelizmente esse tamanho está em falta. Mesmo assim, vou dar uma olhada no estoque. Um minuto só.

Sílvia foi para o meio da loja. Michele comentou:

— Gostei muito dessa moça. Parece ser bem simpática, tem uma energia muito boa.

— Também senti a mesma coisa — concordou Sílvia.

Letícia voltou em seguida com dois modelos. Estava desolada:

— Desculpe-me, mas só temos tamanho grande. Creio que teremos o seu número em estoque daqui a uns dois dias.

— Que pena! — tornou Sílvia. — Gostei bastante do modelo.

A gerente aproximou-se.

— Algum problema?

— Não — respondeu a vendedora. — Esta senhorita estava procurando pela blusa da vitrine, mas não temos o número dela.

A gerente encarou Letícia de maneira atravessada.

— Verificou se o modelo que veste a manequim na vitrine é tamanho médio?

— Sim, fiz isso assim que retornei do estoque, mas o modelo da vitrine veste tamanho grande.

— Experimente — sugeriu a gerente, encarando Sílvia, com sorriso patético nos lábios.

— Não, obrigada.

— Por quê?

— Eu não uso um tamanho tão grande assim. Prefiro esperar pelo modelo médio.

— Você tem os ombros largos, talvez o grande não fique tão mal — insistiu a gerente.

Sílvia ia responder, mas Letícia retrucou:

— Não vai ficar bom — disse, virando-se para a gerente. — Ela usa tamanho médio, e não grande.

A gerente fuzilou-a com o olhar. Sílvia e Michele perceberam a saia justa. Sentiram-se constrangidas. Sílvia tomou a palavra:

— Aqui está o meu número de telefone. — Ela anotou-o num papelzinho. — Assim que chegar o próximo lote de blusas, você me liga.

Letícia sorriu e agradeceu. As duas estavam saindo da loja quando o bate-boca começou. Sílvia e Michele pararam para escutar. A gerente estava possessa:

— Podia ter empurrado aquela blusa.

— Eu não sou de empurrar nada para ninguém.

— Por que não?

— A moça queria tamanho médio. Se não o temos, paciência.

— Você não sabe vender.

— Como não?

— Crê que elas vão voltar?

— Claro que vão. Fui cortês.

— Tola! Acredita nisso? Elas nunca voltarão.

— Vão voltar, tenho certeza.

— Você perdeu uma cliente. Você mal a conhece... Podia ter empurrado a blusa.

— Pelo menos a minha consciência está tranqüila.

— Consciência tranqüila e comissão de menos. Deixou de ganhar por quê? Afinal, até que ela era bem peituda... Tenho certeza de que o tamanho grande lhe serviria melhor.

Sílvia ouviu e não gostou. Rodou nos calcanhares e voltou, imediatamente.

— Escute, que tipo de gerente é você?

— Perdão? — volveu a mulher numa voz fria e impessoal.

— Não é de bom tom falar mal do cliente.

A mulher ficou pasma, uma cor no rosto entre amarelo e verde, talvez.

— Sinto muito. Eu não quis dizer isso — tentou se desculpar. — É que essas vendedoras me tiram do sério e...

— Além de não assumir a responsabilidade pelo que fala, tem de culpar outra pessoa? Que falta de caráter!

Letícia anuiu:

— Estou farta. Estou cansada de sua falta de caráter, de sua insegurança, de eu ter de fazer o trabalho pesado e você levar os louros.

— Ei, mocinha, meça bem suas palavras quando se dirigir a mim. Não se esqueça de que minha cunhada é a dona desta loja.

— Eu me demito.

A gerente olhou-a espantada. Letícia era a melhor vendedora da loja. Não podia perdê-la. E, para piorar, ela própria seria demitida, caso não fechasse a meta de vendas do mês. Tentou reconsiderar:

— Não me venha com ameaças. Só por conta de uma situação criada por você e uma cliente qualquer.

— Eu não criei situação nenhuma. E todo cliente deve ser tratado de maneira especial. São eles que pagam a minha comissão, o meu salário — apontou para o rosto dela — e o seu salário.

— Calma!

— Quero minhas contas.

— Você não pode me deixar na mão.

— Posso, sim. Estou cheia. Você é desumana. Não nos dá valor. Não tenho mais nada a fazer aqui.

A gerente irritou-se e perdeu a compostura.

— Você recebeu semana passada e não fez nenhuma venda até agora. Não temos nada para acertar. Pode apanhar suas coisas e ir. Mas tenha certeza de que, caso se arrependa, aqui você não bota mais os pés — ameaçou.

— Nem ela nem eu — afirmou Sílvia. — Você não tem um pingo de profissionalismo. Se eu conhecesse a dona da loja, não hesitaria em discorrer sobre suas péssimas qualidades.

— Como?

— Isso mesmo — afirmou Sílvia. — Você é péssima gerente.

A mulher descontrolou-se e passou a falar num tom acima do normal. Letícia foi até os fundos e apanhou seu casaco e sua bolsa. Michele tocou-lhe no braço.

— Você está bem?

— Sim, estou.

— Tem certeza?

— Quer dizer, estou meio aturdida. Eu preciso de trabalho, mas não posso me submeter mais os caprichos dessa mulher. Estou de consciência tranqüila. Logo vou arrumar emprego bem melhor.

— Muito antes do que você pensa — disse Michele, com convicção.

— Eu também acho — ajuntou Sílvia. — Adorei sua postura. Se precisar de alguma coisa, posso falar com amigos. De repente, você consegue um bom emprego.

— Obrigada.

— Estou com tanta fome... — disse Michele. — Os meninos devem estar nos esperando.

— E você? — perguntou Sílvia para Letícia. — Está com fome?

— Sim, mas marquei com meu namorado em frente à lanchonete, lá em cima.

— A que horas você marcou? — indagou Sílvia.

— Nove. É quando eu saio, quer dizer, costumava sair do trabalho. E ainda são sete e meia.

— Faça-nos companhia. Será um prazer.

Letícia estendeu o braço e apresentou-se. Michele e Sílvia fizeram o mesmo.

— Você é muito simpática, nasceu para trabalhar com o público. É atraente, cordial, atenciosa, tem fala pausada — ajuntou Michele.

— Adoro atender as pessoas...

A conversa fluiu agradável e em instantes estavam as três na companhia de Daniel e Bruno. Compraram lanches e refrescos, escolheram uma mesinha na praça de alimentação e Letícia se enturmou rapidamente no grupo.

Mariana chegou à porta de sua casa e agradeceu aos céus assim que meteu a chave na fechadura e entrou. Acendeu a luz. Ninguém estava lá. Provavelmente a mãe fora fazer uma entrega ou visitar uma cliente, e ainda era cedo para Letícia voltar do trabalho.

Ela suspirou e jogou-se pesadamente sobre o sofá. Estava cansada e triste. Não podia imaginar que Inácio fosse defender a ordinária da Teresa. Como alguém podia ser capaz de mudar a personalidade em tão pouco tempo? Como ela pudera se deixar enganar por aquele homem que tanto amava?

A jovem balançou a cabeça para os lados. Que situação esquisita... Ela ainda nutria forte sentimento por Inácio. Sentia que ainda o amava. Mas o que fazer se ele se mostrava homem frio e insensível? E ainda por cima era cego a ponto de continuar amigo de Teresa? Essa era demais!

— Ah, Teresa! — suspirou. — Você é uma pedra no meu sapato.

Ela levantou-se com esforço e apagou a luz. Tateou os móveis e deitou-se no sofá, pensando em sua vida e em Inácio.

Teresa ajeitou os cabelos e retocou os lábios com batom. A cena no bar tinha sido inesquecível e lhe renderia bons frutos. Só não poderia deixar que as fotos chegassem até Mariana, por enquanto.

— Isso não pode acontecer agora. Ela vai explicar que o rapaz a estava socorrendo, e naturalmente Inácio perceberá que foi um mal-entendido. Vai perdoá-la, porque está apaixonado. Preciso ganhar tempo.

Ela piscou para sua imagem refletida no espelho e saiu. Encontrou Inácio terminando de preencher o cheque.

— Já vamos?

— Sim — respondeu ele, num tom ríspido. — Não temos mais clima para ficar neste bar. As pessoas estão apontando para nós e fazendo comentários, dando risada nas nossas costas.

Teresa sacudiu os ombros. Ela não se importava com os outros, não estava nem aí, mas já não via mais motivos para ficar lá com Inácio, jogando conversa fora. A sua companhia era extremamente desagradável. Teresa fingia gostar dos mesmos assuntos. Fazia tremendo esforço para sorrir e afirmar que adorava músicas românticas. Pensou:

"Odeio músicas românticas, sentimentalismo barato. Inácio é um tonto apaixonado. Tenho de fortalecer seu interesse por mim. Enquanto isso, preciso esforçar-me e agüentar sua conversa idiota e insossa."

Ela levantou os lábios, fingindo contentamento:

— Podemos ir.

— Não.

— Como não, Inácio?

— Vamos em carros separados.

— Eu vim com você. Meu carro está na garagem da Centax.

Ele abriu a carteira e deu-lhe umas notas.

— Tome um táxi. Eu não estou bem. Preciso ir para casa.

— Mas como?

— Desculpe-me. Boa noite.

Disse e saiu em disparada. Teresa ficou fula da vida. Nenhum homem a deixava assim, largada. Tudo bem que o tonto ainda estava apaixonado pela sem graça da Mariana e estivesse abalado com a briga entre elas. Mas custava deixá-la em casa? Quanto desaforo! Ela rangeu os dentes de raiva.

— Ele me paga.

Ajeitou o decote do vestido e saiu. Teresa andou alguns metros na calçada a fim de fazer sinal para o táxi, quando uma mão vigorosa apertou-lhe o braço. Ela deu um gritinho de susto. Recompôs-se e perguntou, aturdida:

— Você? O que faz aqui?

— Quero dinheiro.

— Não tenho dinheiro.

Artur estava descontrolado. Os olhos pareciam querer saltar das órbitas, e círculos arroxeados ao redor dos olhos demonstravam que estava sem dormir havia dias, talvez. Suas pupilas estavam comprimidas. Uma baba espessa e branquicenta escorria pelo canto de sua boca. Os cabelos estavam em desalinho. A aparência era de um típico drogado.

Teresa desvencilhou-se dele:

— Ei, eu o paguei pelas fotos. O que mais quer?

— Só posso recorrer a você.

— Não tenho dinheiro agora.

— Eu preciso de droga, entendeu?

— E eu com isso? Dei muita droga a você nesta vida.

— Por favor, Teresa. Estou desesperado.

— Peça à sua namoradinha, oras!

— Nicole me arrumava bastante droga, me dava de presente. Só que ela está tentando ficar limpa, está se tratando e até freqüenta reuniões nos Narcóticos Anônimos.

— Bom para ela. Por que não faz o mesmo?

— Não consigo. E também não quero — esbravejou. — Só que não tenho recursos para manter meu vício.

— Problema seu.

Artur irritou-se.

— Problema nosso! Vou entregar os negativos das fotos para o Inácio. A irmã da Mariana está namorando o rapaz da foto, você sabia disso?

— E daí?

— Não vai ser difícil desfazer o mal-entendido.

Teresa gelou.

— Eles estão namorando? Isso estraga um pouco os meus planos. Terei de arrumar outra forma de afastá-los.

— Quero dinheiro.

— Já disse que não tenho.

Artur avançou sobre ela e arrancou de suas mãos as notas que Inácio havia lhe dado para o táxi.

— Vou ficar com esse troco.

— Não pode fazer isso comigo. Vou chamar a polícia.

Teresa ia gritar e pedir ajuda. Artur aproximou-se e meteu-lhe o dedo em riste.

— O Tonhão me procurou dia desses.

Uma bomba na cabeça de Teresa não teria feito estrago maior do que ouvir aquele maldito nome. Ela ficou estática, quase escorregou nos saltos.

— O que foi que disse?

Artur gargalhava sem parar. Estava fora de si.

— Tonhão me disse que o prazo para pagá-lo está chegando ao fim. Eu posso muito bem entregá-la e...

Ela considerou.

— Não, isso não! Tonhão vai me matar. Eu não tenho dinheiro. Preciso de mais tempo. Interceda por mim.

Artur balançou a cabeça para os lados.

— Não vou fazer nada por você. Caí neste mundo do vício por sua culpa.

Teresa ia falar, mas Artur a censurou.

— Qualquer dia volto para pedir mais. Você me deve.

Artur rodou nos calcanhares e saiu em ziguezague, passos trôpegos. Dobrou a esquina e sumiu. Teresa mal podia acreditar na cena. E agora? Seu tempo estava chegando ao fim, e ela sabia que Tonhão não costumava estender seus prazos. Ela lhe devia muito dinheiro. Precisava unir-se a Inácio o mais rápido possível.

No entanto, procurou não entrar em pânico. Cada coisa de uma vez. Tinha de primeiro ir para casa. Não tinha dinheiro para um táxi, e o carro estava um tanto longe dali. Teresa respirou fundo, ajeitou o decote do vestido e voltou para o bar. Não foi difícil encontrar um pretendente. Havia vários, e ela escolheu um senhor meio bêbado. Aproximou-se e, com voz que procurou tornar sensual, ofereceu:

— Posso me sentar a seu lado?

O senhor assentiu e Teresa sorriu. Teria de fazer um pouco mais de sacrifício, mas iria para casa de carro. Ah, se iria...

Nair chegou em casa e também agradeceu por estar bem e viva. Fazia muitos anos que não via Ivana e, aparentemente, salvo uma ruga aqui e ali, ela ainda continuava a mesma. Na aparência e nas atitudes. O tempo passou, porém ela continuava nervosa e atacada, sempre histérica.

— Santo Deus! Ela continua igual. Se continuar desse jeito, desesperada, em constante tensão, vai ter um ataque, um derrame.

— Falando sozinha, mãe?

— Oh, Mariana, não sabia que estava em casa. Por que está tudo escuro?

— Estava refletindo.

— O que foi?

— Estou tão desiludida... — falou e desatou a chorar.

Nair acendeu a luz e suspirou. Ela também precisava de alento, mas Mariana estava bem fragilizada. Aproximou-se da filha, sentou-se ao seu lado no sofá. Acariciou seu rosto.

— O que tanto a aflige?

Mariana não respondeu.

— Pelo jeito, o encontro com Inácio não foi tão agradável...

— Não, mãe — disse ela chorosa. — Encontrei-o com outra.

— Oh, pobrezinha, desabafe. Sou toda ouvidos.

— Seu aspecto também não é nada agradável. O que aconteceu?

— Uma história triste de cada vez. Conte-me a sua e em seguida eu lhe conto a minha.

Mariana esticou-se no sofá. Ergueu o corpo e deitou o rosto sobre as pernas da mãe.

— Fui atrás do Inácio.

— E então?

— Ele estava com a Teresa Aguilar.

— Como? — perguntou Nair, assombrada.

— Fui até a Centax e a secretária me informou que ele tinha saído com a Teresa. Passou-me o endereço e saí feito uma maluca atrás dos dois. E não é que os flagrei juntos?

— Juntos? Como?

— Juntos, oras. Conversando, rindo.

— E então?

Mariana bufou. Sentia-se envergonhada pelo ocorrido.

— Perdi o controle. Avancei sobre a Teresa, puxei-lhe os cabelos. Foi horrível.

— Por que foi perder a compostura, minha filha?

— A cabeça estava quente.

— E qual foi a reação de Inácio?

— A pior possível.

— Dá para imaginar.

— Ele me mandou embora! Disse que depois conversaríamos.

— Inácio agiu de maneira sensata.

— Saí daquele bar tão irritada, desnorteada mesmo. Cheguei em casa e fiquei meditando no escuro. A Teresa aprontou alguma coisa. Algo me diz que ela jogou areia em nosso namoro.

— Acredita mesmo nisso?

— Afirmativo. Ela tem mania de chamar todo mundo de querido, de querida. É irritante. Mas foi justamente por causa dessa mania que acabei concatenando as coisas.

— Coisas? Que coisas?

— Lembra-se do trote? De quando disseram que Inácio estava num restaurante acompanhado de uma bela loira?

— Sim.

— Foi a mesma inflexão de voz, o mesmo tom jocoso e irritante. Lembro-me como se fosse agora. A moça no telefone dizia "Oi, querida", "Viu, querida", igualzinho ao modo de Teresa falar. E lá no bar a Teresa me olhava como se estivesse satisfeita, esperando por aquilo.

Nair lembrou-se de muitos anos atrás, quando teve encontro com Ivana e esta a encarou da mesma maneira.

Ela pensou:

"Será que Mariana vai ter o mesmo desgosto? Ela não merece passar pelo mesmo sofrimento que eu. Farei de tudo para evitar que ela tenha uma vida como a que tive. Mariana merece ser feliz."

Nair abraçou-se à filha.

— Não fique assim. Tudo se resolve.

— Francamente, estou decepcionada.

— O melhor a fazer é sentar-se com Inácio. Conversar sempre é bom e não arranca pedaço.

— Estava pensando nisso. Mas procurá-lo depois de tudo isso?

— Minha filha — ela passou-lhe a mão pelos cabelos —, de que vai adiantar deixar as coisas como estão? Se acredita verdadeiramente que Teresa esteja atrapalhando a relação de vocês, procure Inácio e converse com ele.

— Mesmo que ele não queira mais reatar o namoro?

— Mesmo assim. Você tem sua dignidade. Não pode baixar a crista desse jeito. Não conheço homem que goste de mulher sem atitude. Nos tempos atuais, a mulher precisa ter opinião, expressar seus sentimentos. A não ser que você não o ame... Aí é diferente.

— Não, mãe! Eu o amo.

— Mesmo depois de toda a confusão?

— Sim.

— Então vale a pena. Converse com ele.

— Você está certa. Ficar na dúvida só me traz perturbação.

— Ligue e converse com ele. Ele vai recebê-la, e tenho certeza de que vão se entender.

Mariana abraçou-se à mãe.

— Como eu precisava ouvir essas palavras! Você não sabe quanto essa conversa me confortou.

— As mães servem para alguma coisa — disse Nair, em tom de brincadeira.

— Nem me fale... Eu só tenho você e Letícia. Sinto saudades do papai, mas eu sempre me abri com você, sempre fomos mais íntimas.

Nair suspirou:

— Eu e seu pai cumprimos nosso ciclo. Ele se foi, e eu continuo aqui, portanto preciso me dar forças para viver. Lembro-me de que foi muito duro o início da viuvez. Seu pai ganhava bom ordenado e era bom companheiro. De repente, de uma hora para outra, fiquei sem marido e sem sustento.

— Mas fomos nos adaptando à realidade. Consegui bolsa na faculdade, formei-me e estou prestes a ser promovida na clínica do Dr. Sidnei. A Letícia tem seu emprego e praticamente sustenta esta casa. Você saiu daquele estado depressivo, venceu a tristeza e reagiu. Agora faz pequenos consertos, costura para fora, conquistou freguesia e está fazendo bom dinheiro. Logo poderá pensar em montar um negócio.

— Nunca pensei que pudesse ter uma profissão, um trabalho. Tomei bastante gosto pela costura. Outro dia apanhei alguns cadernos do curso de modista. Devia ter me dedicado mais ao corte e costura.

— Nunca é tarde.

— Será? Passei dos quarenta anos.

— Não exagere. Mal completou quarenta. Tudo preconceito. Não há idade certa para se começar alguma coisa, um trabalho, um relacionamento, um negócio. Acreditar que idade faça a diferença é crer em limites. Por que não pode ser dona de seu próprio negócio?

— Seria tão bom! Penso numa confecção.

— Excelente idéia. Letícia leva jeito para lidar com o público. Você coordena os trabalhos, dá emprego a quem precisa, gera renda, e Letícia vai vender os modelos.

— Ah, quem me dera... Adorei a idéia. Eu, uma simples dona de casa, transformando-me numa empresária, gerando empregos, tendo responsabilidade social.

— Por que não? Qual é a principal empresária turística deste país?

Nair pensou por instantes.

— A Stella Barros, cuja companhia leva seu nome.

— Isso mesmo, mãe. E sabe quantos anos ela tinha quando começou seu negócio?

— Não faço idéia.

— Dona Stella tinha quarenta e sete anos.

— Quarenta e sete? Tem certeza, Mariana?

— Sim. O genial Walt Disney fundou a Disneylândia em 1957, em Anaheim, na Califórnia. Stella Barros teve idéia original e passou a acompanhar, pessoalmente, seu primeiro grupo de turistas ao parque temático. Ela fez isso até 1965, porquanto a grandiosidade e as dimensões do negócio já não permitiam que ela atendesse seus clientes pessoalmente. Daí veio a Stella Barros Turismo, em 1965. Dona Stella, ou Vovó Stella, como é conhecida, contava então com cinqüenta e sete anos de idade. Essa história lhe serve de estímulo?

Nair riu.

— E como! Na realidade, eu tenho mais dezessete anos para começar.

— Não seja molenga!

Mariana partiu para cima da mãe e fez-lhe cócegas. Nair procurou desvencilhar-se da filha e cada uma caiu numa ponta do sofá. Ambas estavam mais leves.

Nair sorriu feliz.

— Não temos do que reclamar.

— Vamos melhorar cada vez mais.

Mariana notou que, embora descontraída, Nair chegara em casa preocupada, aflita.

— Mãe, notei que você chegou angustiada. Onde estava até agora?

Nair pensou e pensou. Para que mentir? Mais cedo ou mais tarde o assunto viria à baila e ela precisaria contar com o apoio das filhas. De nada adiantava evitar. Teria de enfrentar os fantasmas do passado e passar sua vida a limpo. E esta noite parecia ideal para começar. Ela afirmou:

— Estive com um amigo.

Mariana fez uma careta.

— Amigo?

— É.

— Como assim? — Mariana riu. — Explique melhor isso.

— Um amigo de longa data.

— Nunca soube que você tivesse um amigo de longa data, mamãe.

— Há algo que preciso contar a você e sua irmã. Tem a ver com meu passado.

— Se quiser, pode me contar agora. Sou toda ouvidos.

Nair fechou os olhos e pediu ajuda ao alto, à sua maneira. Sentindo-se mais amparada após a pequena prece, sua memória voltou alguns anos no tempo.

— Eu era uma moça cheia de vida, bonita e muito apaixonada.

— Pelo papai?

— Não. Seu pai apareceu depois.

Mariana procurou ocultar o espanto. Nada disse. Percebeu que o assunto era sério e queria deixar a mãe à vontade.

Nair, por sua vez, decidiu contar somente o necessário, omitindo fatos desagradáveis que no momento não interessariam a Mariana, tampouco a Letícia. Encheu os pulmões de ar e prosseguiu:

— Apaixonei-me perdidamente por um rapaz. Ele já era homem formado, uns doze anos mais velho que eu. Infelizmente, pertencíamos a classes sociais bem distintas. Ele era rico, bastante rico. Então nos separamos. — Nair deixou escorrer uma lágrima. — Foi muito duro ter de abandoná-lo, mas não havia saída. A família dele era contra, havia interesses financeiros por trás de tudo, e no final das contas os interesses da família dele ficaram acima de nossos sentimentos. Triste e abatida, decidi que não queria mais nada, mais ninguém. Fechei-me no mundo e fui adoecendo, perdendo as forças.

— Eu nunca poderia supor que você tivesse sofrido por amor.

— Mas sofri. Sofri muito. Chorei escondida, tinha crises depressivas, vontade de morrer. Algum tempo depois, conheci Otávio numa festa. Ele também tinha acabado de sofrer uma desilusão amorosa.

— Mesmo?

— Sim. Seu pai flagrou sua noiva nos braços de seu melhor amigo. Ficara horrorizado e bastante ferido em seus sentimentos. Na verdade, nós nos unimos pela dor. Um apoiou-se no outro, e assim resolvemos nos dar a chance de uma vida a dois.

— E conseguiram.

Nair passou novamente os dedos pelo rosto de Mariana.

— Você se parece muito com seu pai. Os mesmos olhos, o nariz fino... — Nair deu novo suspiro. — Enfim, eu e ele nos casamos, acreditando que o matrimônio pudesse cicatrizar nossas feridas emocionais. Casamo-nos sem amor. Nenhum enganou o outro. Eu sabia que seu pai amava muito a sua noiva e ele sabia que eu continuava apaixonada por Virgílio. Entretanto, ambos tentamos esquecer e tocar a vida adiante. Criamos uma aura de respeito e cumplicidade, mas totalmente desprovida de amor, visto que o coração de ambos estava ligado em outras pessoas.

— Eu notei, quando adulta, que vocês mal se abraçavam ou se tocavam. Achava que isso era decorrência da rotina, dos anos do casamento. Mas agora tudo faz sentido.

— Eu e seu pai nunca representamos. Havia respeito mútuo, mais nada.

— Os dois sofriam por amor.

— Sim.

Mariana emocionou-se. Abraçaram-se.

— Que barra deve ter sido para os dois. E vocês voltaram a encontrar esses amores do passado?

— Pensamos, eu e seu pai, em nos mudar de cidade, a fim de não os encontrar. Mas estávamos bem apertados financeiramente e surgiu a oportunidade de um bom cargo na empresa de componentes eletrônicos. Seu pai aceitou o cargo e nos mudamos para a Vila Carrão. Naquele tempo, essa região era bem afastada, não tínhamos avenidas largas. Nem trajeto de metrô havia.

— Permaneceram na mesma cidade... Que perigo!

— A noiva de seu pai voltou a procurá-lo logo que Letícia nasceu. Disse que estava doente, arrependida. Disse que tinha pouco tempo de vida e desejava seu perdão.

— E papai?

— Embora estivesse profundamente magoado, Otávio a perdoou. Lídia massacrara seu coração, mas o que ele podia fazer? Seu grande amor estava arrependido e estava à beira da morte. Ele não tinha por que não perdoá-la. Quando soubemos da morte de Lídia, seu pai tornou-se mais amoroso com você e Letícia.

Parecia que todo o amor que ele represara por Lídia fluíra para as filhas.

— Papai era bastante amoroso. Sempre foi muito carinhoso comigo e com Letícia.

— Otávio foi marido formidável, pai exemplar. Cumpriu direitinho seu papel. Foi bom pai, bom marido, respeitador, atencioso, amigo. Mas nunca nos amamos. Isso eu posso lhe jurar.

— E agora você voltou a encontrar esse... esse...

— Virgílio.

— Ele é viúvo também?

— Não. Casou-se na mesma época que eu, mas parece viver um casamento tortuoso. Ele e a esposa também não se amam, vivem às turras e estão para se separar.

— Você tem chance de ser feliz.

— Sim. Mas ele tem uma filha que é viciada em drogas.

— Isso é mau.

— Ele tem me procurado desde que Otávio morreu. Diz que precisa de ombro amigo para desabafar e acredita que eu posso ajudá-lo na cura da filha.

— Situação delicada essa... Você até pode ajudar a menina, mas ele ainda é casado, né, mãe? Isso pode lhe trazer problemas.

Nair fechou os olhos e lembrou-se de horas atrás, quando Ivana tentou destruir o carro de Virgílio e surrar os dois. Ela deu novo suspiro e concordou:

— Não tenha dúvida. Ele ainda é casado, e isso pode me trazer problemas.

No canto da sala, dois espíritos ouviam a conversa. Otávio estava emocionado.

— Ela sempre me respeitou, nunca me traiu.

— Nair é uma grande mulher.

— Creio que ela agora tem o direito de ser feliz.

— Você está coberto de razão — anuiu Lídia. — Nair merece uma nova chance. Aproveite o momento de harmonia e despeça-se delas.

Otávio aproximou-se e beijou a filha na testa. Aproveitou e fez o mesmo na fronte de Nair. Agradeceu-lhe por ter sido sua companheira em sua jornada. Depois, segurou a mão de Lídia.

— É hora de cuidarmos da nossa felicidade, Lídia.

— Prometo a você, Otávio, que agora tudo vai ser diferente.

Ela sorriu e, num segundo, ambos os espíritos desvaneceram no ar, deixando sobre Nair e Mariana uma luz intensa, composta de vários matizes, causando-lhes agradável sensação de bem-estar.

Capítulo 18

Rogério chegou no horário, nove horas da noite, em ponto. Estranhou ver Letícia rodeada de pessoas que ele não conhecia. Pareciam ser simpáticos os casais, mas ele ficou um tanto ressabiado. Aproximou-se e, mesmo hesitante, cumprimentou a todos com seu sorriso cativante. Letícia levantou-se de pronto.

— Oi, amor. Chegou bem na hora.

Ele beijou-a nos lábios.

— Boa noite.

Letícia introduziu o namorado à turma. De repente, Rogério ficou estático. A namorada percebeu e indagou:

— O que foi?

Ele se dirigiu a Bruno.

— Não posso acreditar! Há quanto tempo!

Bruno levantou-se e deu-lhe um abraço bem apertado.

— Rapaz! Que saudade! Outro dia eu e papai estávamos falando de você.

— Espero que coisas boas.

Bruno riu.

— Só coisas boas. Meu pai tem muito orgulho de você. E eu lhe tenho muita admiração.

— Obrigado.

Letícia estava boquiaberta.

— Vocês se conhecem?

— Há um bom tempo — respondeu Rogério.

Bruno apresentou-o aos demais. Os casais se levantaram e o cumprimentaram. Bruno puxou uma cadeira e abriram a roda.

— Três casais reunidos — tornou Rogério. — Difícil de se ver hoje em dia.

Sílvia procurou consertar:

— Michele e Bruno namoram. Eu e Daniel somos só...

Daniel interrompeu-a:

— Somos namorados também — irrompeu o jovem, para surpresa de todos e muito mais para espanto de Sílvia.

O jovem apertou sua mão, deu-lhe um beijo no rosto e sussurrou em seu ouvido:

— Essa foi a maneira que encontrei para me declarar. Creio que você não vá se opor.

Sílvia estava tão emocionada que mal conseguiu articular som. Ela simplesmente pendeu a cabeça para cima e para baixo, em afirmativo.

— E vocês? — indagou Bruno, dirigindo-se a Rogério e Letícia. — Namoram há bastante tempo?

Letícia respondeu, animada:

— Foi muito interessante. Saímos para lanchar e fomos ao cinema. Quando percebemos, estávamos de mãos dadas e foi inevitável: saímos do cinema já namorados.

— O filme ajudou bastante — constatou Rogério.

— O que foram ver? — perguntou Michele.

— *Ghost – Do Outro Lado da Vida* — respondeu Letícia.

— Esse filme é lindo — respondeu Sílvia. — Tenho certeza de que os roteiristas foram guiados por amigos espirituais, porquanto o filme retrata com bastante fidelidade o mundo espiritual.

— É mesmo? — perguntou Daniel, interessado. — Não assisti.

Letícia animou-se e contou-lhe sobre o filme.

— Sam Wheat, interpretado por Patrick Swayze, e Molly Jensen, vivida por Demi Moore, formam um casal apaixonado e feliz. A felicidade dura pouco, pois logo suas vidas são destruídas. Ao voltarem de uma apresentação de teatro, o casal é atacado e

Sam é morto. No entanto, seu espírito não vai para o outro plano, e ele decide ajudar Molly, porquanto ela corre risco de morte. Quem comanda a trama, e por sinal é o mesmo que tirou sua vida, aparentava ser o melhor amigo de Sam. Para poder se comunicar com Molly, Sam utiliza Oda Mae Brown, interpretada por Whoopi Goldberg, uma médium charlatona e trambiqueira, mas que consegue ouvi-lo e tenta alertar sua esposa do perigo que ela corre.

Daniel adorou.

— Precisamos pegar uma cópia quando sair em vídeo.

— Há alguns momentos cômicos e absurdos — ressaltou Michele —, como no caso em que os espíritos *entram* no corpo da vidente. Isso não existe, é pura fantasia. Quando querem se comunicar, os espíritos se aproximam do médium. A comunicação se faz de aura para aura, e jamais eles *entram* no corpo físico.

— Concordo com você — replicou Sílvia. — Mas, no geral, o filme é muito tocante. O fim da sessão só podia resultar em namoro.

Todos riram. Rogério simpatizou de imediato com os jovens. Tinha a sensação de conhecê-los de longa data, algo como um *déjà-vu**.

Bruno encarou-o nos olhos.

— Você tem interesse por assuntos espirituais?

— Sim, sou estudioso do assunto.

— É mesmo? — indagou Michele. — Nós todos aqui estudamos o mundo espiritual. Eu e Daniel somos médiuns e temos um grupo de amigos sensitivos que nos ajudam a oferecer tratamento espiritual às pessoas carentes e necessitadas da periferia.

— Isso me interessa bastante.

— Você nunca me disse nada a respeito disso — observou Letícia.

Rogério beijou-a no rosto.

— Não fique brava comigo — disse ele, fazendo voz melíflua.

**Déjà-vu* – Percepção, sensação que leva o indivíduo a crer já ter visto ou mesmo ter vivido alguma coisa ou situação de fato desconhecida ou nova para si. O *déjà-vu* é uma impressão de já ter visto ou experimentado algo antes, que aparentemente está sendo experimentado pela primeira vez. N.A.

— É que, quando minha mãe morreu, eu me senti bastante perdido. Eu tinha quinze anos de idade, era católico por convenção. Minha cabeça estava cheia de dúvidas e perguntas: o quê? por quê? como? onde? — Rogério fez uma pausa e continuou: — Foi então que os sonhos começaram.

Michele cutucou Sílvia por baixo da mesa. Perguntou admirada:

— Sonhos?

— É, sonhos. Comecei a ter sonhos recorrentes com minha mãe. Os sonhos eram bem reais, eu parecia estar vivendo-os.

— Como assim? — interessou-se Sílvia.

— Minha mãe ficou muito doente e morreu bastante debilitada. Fiquei com medo de que ela fosse continuar a sofrer, afinal eu era moleque e mal compreendia os mecanismos da vida e da morte. Foi quando os sonhos começaram. Minha mãe aparecia e me dizia que estava bem, que estava se recuperando e que logo estaria pronta para novas oportunidades. Dizia que seu ciclo aqui havia se completado, mas, sempre que possível, ela visitaria a mim e papai.

Rogério pigarreou, a fim de ocultar a emoção.

— Você esteve com o espírito de sua mãe, pode acreditar — afirmou Daniel.

— Eu não estudei nada a respeito. Uma vez atendi uma senhora na farmácia em que trabalho e ela disse que eu tinha mediunidade. Fiquei um tanto chocado. Nunca freqüentei centro espírita ou desejei entrar em contato com espíritos. Cheguei a ler alguns livros, mas depois parei.

— Ainda tem medo? — indagou Letícia.

— Um pouco, talvez. Essa senhora me assustou, disse-me que era médium e que, se eu não *desenvolvesse* minha mediunidade, minha vida iria para trás. Disse que eu seria presa fácil dos espíritos inferiores.

Michele suspirou e meneou a cabeça para os lados.

— Na verdade, mediunidade não se desenvolve, se educa. Infelizmente, muita gente mal informada acredita piamente que devemos *desenvolver* mediunidade ou então seremos vítimas de espíritos trevosos pelo resto da vida.

— Isso é verdade? — perguntou Rogério, temeroso. — Particularmente, eu não gostaria de desenvolver ou educar minha mediunidade.

— De forma alguma — devolveu Michele em franco sorriso. — Ninguém é obrigado a nada. Mas afirmar que não quer educar sua mediunidade é o mesmo que um bebê recusar-se a crescer. É algo inevitável, compreende? O surgimento, a abertura da sensibilidade é um fenômeno natural, acontece com todas as pessoas num determinado momento da evolução. Você pode muito bem fechar os olhos para o assunto, não querer estudar nem mesmo educar sua sensibilidade. Pode até mesmo *fechar o corpo* num terreiro, como muitos o fazem.

— Não gostaria de chegar a tanto — disse Rogério, apreensivo.

— Você tem livre-arbítrio e pode fazer as escolhas que quiser. No entanto, a captação das energias você não poderá evitar. Ao invés de se sentir mal com a mediunidade, você pode aprender a lidar com ela.

— Mas e se eu não trabalhar com os espíritos? Minha vida pode ir de mau a pior? Aquela senhora falou a verdade?

— Não se trata disso. Aquela senhora lhe disse o que acreditava ser verdade para ela. Muita gente acredita que, se não trabalhar num centro espírita ou mesmo num terreiro, vai sofrer ou mesmo ter uma vida miserável. Ledo engano. Gostaria que você soubesse que os espíritos superiores não nos obrigam jamais a fazer o que não queremos. Espíritos mais atrasados talvez até pensem nisso, mas os superiores não. Os amigos espirituais do bem aproximam-se de nós para doar amor, lucidez, alegria, contentamento.

Daniel interveio:

— Sua mediunidade é uma ferramenta que pode ajudá-lo a viver melhor. Você pode ter acesso às verdades do mundo espiritual, à sabedoria dos espíritos superiores. Pode alimentar seu próprio espírito, acabar com seus medos, valorizar as oportunidades que a vida lhe dá, reciclar seus valores, ampliar seus horizontes. Mas lembre-se de que tudo isso ocorre somente quando nos ligamos no positivo, na corrente universal do bem, ignorando o mal e acreditando que é possível ser feliz.

Rogério adorou a explanação. E Bruno finalizou:

— Vou resumir tudo para você: entre o bem e o mal, vai ser você quem vai escolher de que lado vai querer ficar. Entendeu?

Os jovens riram a valer. Daniel sugeriu:

— Estamos aqui conversando e nem perguntamos se Rogério se alimentou.

— Estou morrendo de fome — afirmou o rapaz.

Letícia ofereceu-se para acompanhá-lo e escolher um lanche. Rogério abraçou-a pelas costas.

— Não imaginei que conhecesse o Bruno e seus amigos.

— Eu os conheci hoje. Faz pouco mais de uma hora.

— Você está brincando comigo! — exclamou admirado.

— Pura verdade. Nem eu acredito.

— Isso é uma grande coincidência.

— Não acredito em coincidências — replicou ela. — Tudo aconteceu porque me demiti.

— Brigou com a gerente?

— Sim. E foi por isso que os conheci. Briguei com a gerente e arrumei esses novos amigos. A troca foi válida.

— Está sem emprego.

— Estou.

— Como vai fazer?

— Eu me viro. Amanhã saio para procurar alguma coisa. Vou a uma agência que a Michele me indicou.

Ele coçou o queixo e teve uma idéia:

— Tenho uma proposta a lhe fazer.

— Proposta?

— Sim.

— Se for casamento, ainda estou meio duranga.

— Não, amor — disse ele, rindo. — Eu já estava amadurecendo essa idéia havia algum tempo, mas agora parece que será o ideal.

— O que é?

— A Célia, que trabalha no caixa da farmácia, vai se afastar. Licença-maternidade. Será que aceitaria trabalhar no caixa e ser minha funcionária?

Letícia exultou de contentamento.

— Agarraria essa oportunidade com unhas e dentes. Nem que eu tenha de fazer algum curso para entender melhor os números.

Letícia abraçou-o e beijou-o com amor. Rogério parecia ser o anjo que Deus lhe mandara.

Ivana acordou com uma enxaqueca daquelas. Fazia uma semana que havia enlouquecido e praticamente destruído o carro de Virgílio. Ainda se lembrava e rangia os dentes.

— Maldito! Como pôde ser tão vil? Falta pouco para assinarmos o acordo e nos separarmos. Por que tem de se meter com essa fulana? Não pode esperar um pouco mais?

A empregada apareceu e perguntou se Ivana queria tomar café na cama. Ela respondeu negativamente com um sonoro berro que ecoou por toda a casa. A pobre da empregada desceu as escadas aos pulos. Os empregados tinham verdadeiro pavor de se dirigir a Ivana.

Ela bufou e pegou o maço de cigarros na mesinha de cabeceira. Acendeu e deu largas baforadas. Virgílio passava pelo corredor e meteu a cabeça dentro do quarto.

— Está melhor?

— Não me dirija mais a palavra, seu traidor.

— Eu não estava fazendo nada.

— Numa rua deserta, àquela hora da noite? Não sou idiota.

— Estava desabafando.

— Desabafo se faz com psiquiatra, psicólogo ou com o raio que o parta. Tinha de chorar as pitangas justo com ela?

— Não tive a intenção.

— Você nunca teve intenção. De nada. Você sempre foi um nada.

— Por que tanta bronca da Nair? Não está louca para se livrar de mim?

Ela apagou o cigarro e acendeu outro em seguida.

— Não agora. Temos um trato. Depois, se você vai se casar com ela, se mudar, sei lá, isso é problema seu. Mas que fiquem bem longe dos meus olhos. Estou me lixando se você vai se casar com ela ou com beltrana ou sicrana. Não me importo, desde que assinemos a separação e eu receba meu quinhão. Quero meu dinheiro, mais nada.

— Você vai ter em breve seu dinheiro.

— Ainda bem. Não morro pobre, isso nunca.

— Pode ficar tranqüila. Nunca vai ficar pobre.

— Assim espero.

— Estou preocupado com sua filha.

— Agora se preocupa com os filhos? Não acha um tanto tarde para começar?

— Nunca é tarde.

— Problema seu.

— Nicole não dormiu em casa de novo.

Ivana deu de ombros. Ele continuou:

— Bruno me informou que ela não quer mais freqüentar as reuniões nos Narcóticos Anônimos nem seguir tratamento espiritual.

Ivana engasgou-se com o cigarro, tamanha a gargalhada que deu.

— E você acreditou que ela fosse se recuperar? Essa é boa!

— Vale tudo para a recuperação de minha filha.

— Nicole é uma fraca, está perdida. Eu já disse que não vou mover uma palha para fazer o que quer que seja para ela.

— Você tem responsabilidade. Ela é sua filha.

Ivana não agüentou. Apagou o cigarro e, mesmo com dores nas têmporas, consegui atirar o cinzeiro em direção a Virgílio. Ele baixou a cabeça e o objeto passou rasante, espatifando-se na parede do corredor.

— Essa foi por pouco. Está melhorando sua pontaria.

Ele falou e saiu. Desceu as escadas e ouviu motor de carro no lado de fora da casa. Pensou ser Nicole. Animou-se, mas não era.

Uma moça de estatura mediana, cabelos anelados e dourados, pele alva e macia, olhos verdes e expressivos, saltou do táxi. Virgílio não conhecia a moça. Achou-a atraente. Afinal, era uma pequena e tanto. Muito bonita. Ela dirigiu-se até a porta e bateu. A empregada foi atender, mas Virgílio interrompeu-a.

— Deixe. Eu mesmo atendo.

Ele se pôs à frente e virou a maçaneta. A garota sorriu, mostrando os lábios vermelhos e carnudos, intercalados por dentes alvos e perfeitos. Sorriso encantador, por sinal. Ela se apresentou:

— Aqui é a casa do Sr. Virgílio Gama?

— Eu sou Virgílio.

Ela colocou a mala no chão e estendeu-lhe a mão.

— Como vai, tio?

— Tio?

— Eu sou a Cininha.

Virgílio lembrou-se da sobrinha de Ivana. Apertou-lhe a mão com satisfação.

— Entre, por favor.

— Obrigada.

— Fiquei ressabiado. Você ficou de aparecer há quase um mês.

— É que o rapaz dos correios anotou errado o telegrama. Como sei que tia Ivana não ficará muito contente em me ver, resolvi esperar.

— Pode ficar quanto tempo quiser em nossa casa. Seja muito bem-vinda. E, sinceramente, meus pêsames pela passagem de sua mãe.

— Faz mais de um ano, e acostumei-me com a situação. Mesmo assim, obrigada.

— Entre. Deve estar cansada. Vou mostrar seu quarto.

Cininha acompanhou-o e subiram as escadas. Ele perguntou:

— Faz tempo que não vê sua tia?

— Alguns anos.

Subiram e Virgílio levou-a até o quarto de hóspedes, entre o dele e o de Nicole.

— Este será seu quarto — disse ele, apoiando-se no braço de Cininha. — Minha filha não está bem. Fez tratamento de desintoxicação, mas está numa fase de recaídas.

— Sinto muito.

— Quantos anos você tem?

— Vinte e dois.

— Ótimo. Nicole tem a mesma idade e está precisando de novas e boas amizades. Sinto que você poderá ser uma boa influência para ela.

— Obrigada, tio. Pode deixar, que sou boa em fazer amigos.

— Quer cumprimentar sua tia?

— Sim.

Virgílio conduziu Cininha até o quarto de Ivana. Ele bateu de leve na porta e abriu. Antes de Ivana dizer qualquer impropério, Cininha irrompeu no quarto e deslizou até a cama.

Ivana olhou-a de esguelha.

— Quem é você?

— Não se lembra de mim?

— Nunca a vi mais gorda.

A moça abriu largo sorriso e estendeu os braços.

— Sou eu, a Cininha.

— Argh! Você?

— Sim. Acabei de chegar, tia Ivanilda.

Ivana sentiu o sangue subir pelas faces. Havia mais de vinte anos que nenhum ser humano a tratava pelo nome de batismo. Ninguém ousava chamá-la assim, nem mesmo o marido e os filhos. Estavam terminantemente proibidos. E agora aparecia essa capixaba e lhe chamava por Ivanilda? Era muita ousadia. Cininha devia estar mesmo testando seus brios. Virgílio foi rápido o bastante para puxar Cininha com força, correr e fechar a porta. Logo atrás deles o barulho foi aterrador.

— O que foi isso?

— Sua tia acabou de atirar um abajur contra nós. Desta vez você foi poupada.

Os dois riram e desceram para o café.

Capítulo 19

Depois de muitos dias ruminando pensamentos envoltos em dúvidas e inseguranças, Mariana finalmente decidiu procurar Inácio para uma conversa definitiva acerca dos acontecimentos que puseram em risco o namoro de ambos. Dessa vez não queria ir à Centax. Gostaria de encontrá-lo em outro lugar, de preferência num local neutro, onde o ambiente não interferisse. Mariana estava pensando nisso quando Letícia entrou no quarto, alegre e esfuziante.

— Aonde vai, toda faceira? — indagou Mariana, arrancada daquele mar de idéias.

— Eu e Rogério vamos tomar um refresco com a Sílvia. Vamos dar uma volta, fazer um programinha bem legal.

— Só vocês? E os outros amigos? Não são inseparáveis?

— Daniel, Bruno e Michele vão trabalhar até tarde. Pretendemos ir até o espaço deles logo mais.

Mariana fez uma careta.

— Programa de índio, isso sim. Estão todos envolvidos com bruxaria?

Letícia sorriu.

— Não. Michele e Daniel são espíritas e há muitos anos se debruçaram sobre as obras de Allan Kardec, professor francês que deu a base, fundou os pilares do Espiritismo. Não tem nada de bruxaria nisso. Não confunda as coisas. Por acaso crê que Chico Xavier seja bruxo?

— Não, de maneira alguma. Ele é tão doce, nos passa tanta serenidade, tranqüilidade.

— Está na hora de você rever seus pensamentos. Talvez, ampliando sua consciência, desprovida de preconceitos, você possa enxergar quais são exatamente seus pontos fracos, amadurecer, fortalecer seu espírito e melhorar sua vida neste mundo.

— Como se isso fosse fácil.

Letícia parou de escolher a roupa que ia usar para sair. Virou-se e sentou-se na beirada da cama de Mariana. Pegou delicadamente nas mãos da irmã.

— Você está dificultando as coisas.

— Como assim?

— Você está criando sua própria infelicidade.

Mariana espantou-se:

— Eu?!

— Sim.

— Impossível. Eu jamais me faria infeliz. São os fatos, Letícia. Os fatos.

— Ainda presa nesse mal-entendido com Inácio?

— Não consigo entender o que possa ter acontecido. Primeiro ele me liga desesperadamente e depois, de uma hora para outra, pára de ligar. Aí eu resolvo esclarecer sobre a loira do restaurante e ele não mais me recebe. E, quando me encho de coragem, tomo uma decisão e vou atrás da felicidade, encontro Inácio atrelado àquela sirigaita — finalizou, nervosa.

— Chi! Calma! Não precisa se alterar. Creio que esteja no momento de conversar com Inácio.

— Talvez.

— Sabe o que Sílvia me disse ontem?

Mariana balançou a cabeça para os lados.

— Não faço a menor idéia.

— Ela me disse que Inácio anda triste e amuado. Quase não sai de casa, a não ser para ir ao trabalho. Talvez ele esteja pensando o mesmo que você.

Mariana animou-se.

— Acha?

— Sim. Vocês dois dão muito valor ao que os outros dizem. Por essa razão, estão deixando de viver uma linda história de amor. Depois não venha me dizer que a vida lhes foi injusta.

— Como farei? Gostaria de conversar com ele. Mas...

— Eu e Rogério vamos apanhar Sílvia logo mais. Não quer aproveitar a carona? Eu a apresento a Sílvia e você fica para conversar com Inácio.

— Será que ele vai estar lá?

— Enquanto eu me arrumo, ligue para a casa dele.

Letícia deu uma piscadinha para a irmã. Pegou sua roupa e dirigiu-se até o banheiro. Mariana sorriu feliz. Estava determinada a dar um basta naquela situação aflitiva. Ainda se sentia insegura, não confiava plenamente em si, e suas atitudes ora pareciam firmes como uma rocha, ora flácidas como uma bexiga estourada. Ela respirou fundo, levantou-se e desceu até o corredor. Pegou o telefone e discou.

Uma das empregadas atendeu e chamou Ingrid.

— Como vai, querida?

— Bem, e a senhora?

— Estou ótima. Estamos com saudades. Você não vem à minha casa há um bom tempo. Quando virá?

— Liguei para saber se posso fazer uma visita.

— Será um prazer.

— Queria saber se o Inácio está em casa e...

Ingrid interrompeu-a com delicadeza.

— Claro que está. Ele mal tem saído ultimamente. Os amigos ligam, mas ele se recusa a sair. Está triste e amuado. Conversei com ele e — Ingrid riu — vocês precisam desatar alguns nós.

— Será que ele me receberia?

— Sem dúvida.

— Como faço?

— Venha de surpresa. A que horas chega?

— A Letícia me convidou para dar uma volta, passar por aí e conhecer a Sílvia.

— Todo esse tempo, e ainda não conheceu minha filha?

Mariana tentou dar uma desculpa esfarrapada.

— O estágio na clínica do Dr. Sidnei tem me consumido bastante o tempo. Tenho me esforçado para ser efetivada.

— Vamos aguardá-la. Será um prazer revê-la.

Mariana desligou o telefone radiante. Subiu as escadas contente e abriu o guarda-roupas. Queria estar linda para a ocasião. Desejava muito se entender com Inácio e retomar o namoro. Ela o amava, muito.

Depois de um bom período presa a um tratamento de desintoxicação de drogas e após participar das reuniões nos Narcóticos Anônimos, Nicole finalmente voltou para casa. A aparência da garota melhorara consideravelmente. As olheiras haviam desaparecido e os olhos pareciam mais expressivos, mais brilhantes. A pele tinha recuperado a coloração rosada e Nicole estava até mais cheinha. Seu corpo voltara a ter contornos. Sua aparência era saudável. E parecia que a época de trevas finalmente se dissipava.

Ela entrou em casa acompanhada de Virgílio. Desde a internação, ele passara a estar mais próximo da filha, enchendo-a de mimos, carinho, afeto, presentes. Ia até a clínica todos os dias, a não ser quando viajava a negócios. Nessas ocasiões, Bruno tomava a dianteira e cumpria o mesmo papel de Virgílio. Nicole sentia-se confortável ao lado dos dois. A reaproximação do pai lhe fizera muito bem.

Havia um pequeno problema, independente de falta ou não de carinho e ajuda profissional. Devido aos abusos cometidos em outras vidas, Nicole ainda trazia em sua jornada evolutiva alguns perseguidores espirituais, que se afastavam por um tempo, mas que, por invigilância dela mesma, voltavam com toda a força e tentavam a todo custo trazê-la de volta ao mundo das drogas, fosse por meio de sugestão, fosse por obsessão.

Dois desses espíritos estavam à espreita, a certa distância, aguardando o momento de atacar. Por enquanto ela estava bem e feliz. Ambos almejavam, suplicavam por uma recaída, um pensamento negativo, por exemplo, para se aproximarem e fazerem Nicole voltar a ser como antes.

Nicole recusou-se a fazer tratamento espiritual, oferecido por

Bruno e Michele. Achava tudo uma grande besteira. Já estava fazendo coisas demais; por que se envolveria com mais esse tratamento? Influenciada pelos espíritos obsessores, ela desistiu. Os dois espíritos ganharam aquela batalha. Eram eles que conseguiam interferir no raciocínio de Nicole e influenciá-la a ponto de não aceitar tratamento espiritual, de forma alguma.

Enquanto a jovem ainda não cedia às drogas, gastando o tempo entre reuniões com os Narcóticos Anônimos e a vontade de ficar em casa, eles ficavam na cola de Artur.

Artur não quis fazer tratamento. Nicole implorou, pediu, até chegou a conversar com Virgílio sobre a possibilidade de ajudar no tratamento do namorado, mas Artur recusou-se terminantemente a receber qualquer tipo de auxílio.

Assim que Nicole foi internada, Artur sumiu por uns tempos, hospedou-se na quitinete de um amigo, também viciado, nas proximidades da Cracolândia*. Tratava-se de um Vale dos Caídos: uma área livre para o consumo e o tráfico de *crack* e outras drogas, com todos os males associados: prostituição adulta e infantil, contrabando, moradias subumanas e a inesgotável variedade de exploração da miséria.

Foi nessa época que começou a ocorrer a chamada "limpeza urbana": caminhões-pipa da prefeitura chegavam pela manhã e, com os jatos d'água, expulsavam quem estivesse dormindo em praça pública. As crianças e adolescentes se dispersavam, ocupando áreas mais distantes do centro da cidade.

Artur, para não ser pego por um desses jatos d'água, preferia o ambiente malcheiroso e sem janelas de seu amigo. Pelo menos ali ele não seria incomodado.

Diferentemente da cocaína, da qual deriva, o *crack* é fumado em uma espécie de cachimbo, atingindo imediatamente os alvéolos pulmonares, cuja área de absorção é duzentas vezes maior que

---

*Nome dado pela imprensa ao quadrilátero formado pelas ruas General Osório, dos Protestantes, Aurora e dos Andradas, na região próxima à Estação da Luz, no centro velho de São Paulo. É apresentada na mídia como sinônimo de violência, uma espécie de "buraco negro", onde vivem crianças, jovens e adolescentes viciados em *crack*. (N.A.)

a da mucosa nasal. Dessa forma, cai rapidamente na corrente sangüínea e em quinze segundos está no cérebro. Seu efeito, porém, dura cerca de cinco minutos, levando o dependente a repetir a dose várias vezes.

E Artur estava cada vez mais seduzido pelos efeitos do *crack** em seu cérebro.

Nicole sabia do paradeiro do namorado, mas no momento queria ficar em casa. Estava com saudade de seu quarto, de seus discos, de seus bichos de pelúcia. Ela entrou na sala e deparou com simpática moça sentada no sofá, como se estivesse à sua espera. Cininha levantou-se e caminhou até a prima. Abraçou-a.

— Como vai?

Nicole mordeu os lábios e, após os cumprimentos, perguntou, ressabiada:

— Quem é você? Alguma enfermeira da clínica que vai me monitorar?

— De maneira alguma. Sou sua prima Cininha, filha da tia Leonilda.

Nicole deu de ombros.

— Nem me lembrava de ter uma tia ou uma prima.

— Mas tem. E temos quase a mesma idade. Poderemos fazer muitas atividades juntas.

Nicole fez muxoxo.

— Não estou interessada em atividade nenhuma. Na verdade, gostaria de ver minha mãe.

Cininha deu uma risadinha sem graça.

— Tia Ivanil... quer dizer, tia Ivana está no quarto, acometida de forte crise de enxaqueca.

— Vou vê-la.

Nicole falou e subiu, sem olhar para trás. Virgílio aproximou-se de Cininha.

— Não a leve tão a sério. Nicole ainda sofre pelos abusos

---

*O *crack* é uma droga ilegal derivada do refinamento da cocaína misturada a bicarbonato de sódio e água. A forma de uso do *crack* também favoreceu sua disseminação, já que não necessita de seringa; basta um cachimbo improvisado com lata de alumínio, recipiente de iogurte, copinhos plásticos, etc. (N.A) cometidos. Sua consciência, seu humor, variam bastante. Os médicos nos orientaram a ter muita paciência e enchê-la de carinho.

— Não creio que somente isso surta o efeito necessário, tio. Nicole precisa de tratamento espiritual também.

Virgílio passou a mão pela cabeça.

— Meu filho bem que tentou convencê-la, mas Nicole recusa-se terminantemente. Fica possessa. Eu não toco mais no assunto, receio que ela tenha uma recaída.

— Estou sendo sincera. Qualquer contrariedade poderá levá-la a viciar-se de novo.

— Vire essa boca para lá.

Cininha espantou-se.

— Eu quero que Nicole fique bem, muito bem. Torço de verdade por isso. Mas de que adiantam tratamentos e reuniões em instituições especializadas se ela mesma não se dá força para mudar, para fazer tremenda mudança de valores? O tratamento espiritual pode ajudá-la também. Não custa nada, é de graça e, garanto, mal pelo menos não lhe fará.

— Será?

— Fazendo tratamento físico e espiritual em conjunto, ela terá grandes chances de vencer e se libertar das drogas. Caso contrário, vai voltar ao mundo das drogas.

— Isso me tira o sono, sabia?

— Se carinho resolvesse, nem precisaria de clínicas aos montes espalhadas por aí. Não queira deixar de enxergar e ir fundo no problema de sua filha. Quando se tem um filho drogado, a tendência é deixar para lá, com pérolas do tipo "Uma hora isso passa, é fase, logo vai crescer e se tornar adulto", desculpas as mais disparatadas e esfarrapadas possíveis. Não gostaria que minha prima voltasse a esse mundo.

— Ivana me disse que vai lhe pagar terapia.

Cininha ajuntou:

— Numa sessão de terapia, é preciso que o paciente se sinta bem, tenha confiança no terapeuta. De nada adianta levar Nicole ao melhor especialista do mundo, se ela não quiser. Ela precisa querer, ter vontade de ir e se sentir à vontade com o terapeuta. Não é porque o analista tem fama e prestígio, como acredita tia Ivana, que ele irá resolver o problema de Nicole. Tem muita gente boa, na surdina, fazendo ótimo trabalho de recuperação. Nicole precisa deixar de ser mimada e arrogante, mais nada.

Virgílio encarou-a sério.

— Não admito que fale de minha filha nesse tom. Você mal a conhece.

— Além de depressiva, ela é menina fútil e mimada. Ainda bem que vou passar um bom tempo na sua casa. O senhor ainda vai me dar razão.

Virgílio coçou a cabeça, pensativo. Cininha estava sendo demasiadamente dura com ele. Nicole era excelente moça. Era carente, a pobrezinha. Precisava do amor dele e da mãe para poder se sentir segura e ter uma vida normal. O importante era que sua filha estava em casa. Isso bastava. Não tinha mais que gastar energia ou neurônios com esse problema. Dali a alguns dias ele e Ivana iriam se separar e ele estaria livre para cortejar Nair. Levaria Nicole para morar com ele, visto que Bruno tencionava casar-se com Michele.

Desde o incidente envolvendo Nair e Ivana, quando esta destruiu o carro de Virgílio, ambos decidiram parar de se encontrar. Às vezes Virgílio ligava do escritório e contava a Nair as novidades, falando com alegria da recuperação — aparente — da filha. E mais nada.

Em breve, tudo estaria resolvido e Virgílio vislumbrava uma vida cheia de encantos, na qual todos viveriam bem felizes.

Pensando nisso, ele subiu e foi até seu quarto. Queria tomar um banho e descansar um pouco antes de almoçar.

Nicole saiu de seu quarto e bateu levemente na porta do quarto da mãe. Entrou em seguida. Estava tudo escuro.

— Posso acender a luz?

— Nem pense nisso! — bramiu Ivana.

— Mamãe, sou eu.

Ivana levantou a viseira. Mesmo no escuro, ela cobria os olhos. Precisava de escuridão total quando era assaltada pelas crises de enxaqueca.

— Já se recuperou? Que bom.

— Podemos conversar?

— Agora não.

— Mas...

— Estou cansada e com dores de cabeça.

— Queria lhe dizer que estou melhor.

— Conseguiu se livrar das drogas?

— Aparentemente.

— Como se sente?

— Muito bem, até engordei um pouquinho. Você vai ver: daqui em diante eu serei uma nova pessoa, sem vícios.

Ivana deu uma gargalhada. Levantou a viseira e sentou-se na cama. Acendeu o abajur e ficou mirando a filha de baixo a cima.

— Não me faça de idiota. Você pode fazer seu pai e seu irmão de trouxas, mas não a mim. Pensa que vou cair nessa mirabolante história da carochinha?

— Como?

— Você está bem hoje, mas quero ver voltar à sua vida sem sal, às suas músicas irritantes, à vida estúpida que sempre teve. Logo você vai se afundar nas drogas e vai começar tudo de novo.

— Não, mamãe, eu mudei.

— Já vi esse filme antes.

— Agora estou me sentindo forte. Tenho freqüentado a reunião dos Narcóticos Anônimos. Existem outras pessoas como eu. E muitas superaram o vício.

— Está freqüentando o grupo errado. Deveria ir aos Idiotas Anônimos.

Nicole esmoreceu, seus lábios tremiam, e a custo ela evitou o choro. Ivana continuou:

— Muitas dessas pessoas voltam para as drogas porque são fracas, assim como você.

— Como, mamãe?

— Você é fraca, Nicole. Fraca, entendeu? Você não vale o prato que come. Logo vai estar estirada em algum canto, num buraco qualquer, coberta de formigas. Seu fim está decretado. Ou acredita mesmo que conseguirá tornar-se uma pessoa normal?

— Hã?

— Você não é normal, entende? Você é viciada, fraca, totalmente descartável para o mundo.

Os olhos de Nicole marejaram. Ivana prosseguiu com seu discurso frio e petulante:

— Você faz parte da escória da sociedade. Se dependesse de mim, eu criaria um lugar só para essa gente viciada. Não tenho dó de vocês. Não tenho. — Ivana falava num rompante, voz alterada. — Agora, por favor, saia do meu quarto. Estou com dor de cabeça e quero dormir mais um pouco.

As lágrimas de Nicole corriam insopitáveis. Ela nunca recebera críticas tão duras de sua mãe. Era a primeira tentativa de aproximação pacífica, estava se esforçando para que ambas pudessem se tornar amigas, e ela fracassara. Nicole fracassara mais uma vez.

Tudo que aprendera na clínica e na reunião do grupo de apoio veio abaixo. A jovem foi tomada de imensa prostração. Ivana tinha razão: ela não era forte mesmo. Só tinha dado desgosto aos pais desde que nascera. Envolvera-se com as drogas, tinha dificuldade para se libertar do vício. Não tinha profissão, abandonara os estudos. Jogara a vida para o lixo, pensava.

Naquele momento, Nicole sentiu-se profundamente magoada, abalada mesmo. Não tinha forças para rebater as duras críticas. As palavras da mãe lhe feriram fundo.

Vale ressaltar que sua auto-estima era equivalente a zero. O espírito de Nicole tentava se libertar das amarras do passado, porém era como se ela estivesse presa nesse ciclo pernicioso das duas últimas encarnações. Agora estava tentando se salvar, levar nova vida, mas Ivana minara o pingo de auto-estima que ela conseguira adquirir nesse tempo todo metida entre tratamento e reunião de grupo de apoio a adictos.

Everaldo desesperou-se:

— Essa conversa a abalou profundamente. Nicole não tem estrutura para críticas tão duras.

Consuelo pegou em suas mãos.

— Quando encarnados, estamos sujeitos a todo tipo de interferências. Cabe a nós juntar forças e perseverar. Ivana não precisava ser tão dura, entretanto Nicole aceitou as críticas sem um pingo de defesa. Não foi forte o suficiente para rebatê-las e tomar atitude mais positiva. Vamos vibrar para que ela não cometa desatinos.

Everaldo concordou com a cabeça. Ambos fecharam os olhos, ergueram a cabeça para o alto e proferiram comovente prece pelo bem-estar da jovem. Graças a essa prece, os dois espíritos que a perseguiam não conseguiram aproximar-se dela. Conseguiram influenciar Ivana a falar todos aqueles impropérios, mas não chegaram perto de Nicole.

— É só uma questão de tempo — disse um. — Ela vai sucumbir.

— Você tem razão, companheiro — tornou o outro. — Temos de nos vingar.

Nicole acatou tudo que ouvira de Ivana como sendo verdadeiro. Não havia dentro dela um sistema que fosse capaz de ouvir, refletir, peneirar e ficar somente com o que bem lhe aprouvesse. Não. Nicole ouvia e absorvia tudo como sendo seu, sem discernimento algum. A conversa desestabilizou-a de maneira profunda. E irreversível.

Ela voltou para seu quarto e jogou-se na cama. Chorou bastante.

— Eu não valho nada. Eu não presto mesmo. Minha mãe tem razão: eu sou a vergonha desta família. O melhor que tenho a fazer é sumir, desaparecer.

A jovem chorou, chorou muito. Foi aí que lhe surgiu a idéia. Sim, por que não pensara nisso antes? Ela era maior de idade, sua família tinha dinheiro. Nicole pensou, refletiu e decidiu.

Num instante arrumou sua mala, colocando nela algumas roupas e pertences. Foi até a escrivaninha e pegou sua identidade e seu passaporte. Pegou um de seus bichos de pelúcia, desses encapados com roupinha de zíper. Abriu e arrancou de dentro do bichinho dois pacotinhos de cocaína. Estavam guardados lá do tempo que ela se drogava no quarto, muito antes da internação.

O pessoal da clínica informou Virgílio que jovens adictos tinham por hábito esconder droga entre seus pertences. Virgílio, tão logo recebera a informação, passou pente fino no quarto, uma inspeção minuciosa. Checara todas as gavetas, armários, o colchão, dentro de aparelhos de TV e som, todos os cantos do quarto. Absolutamente tudo. Jamais iria desconfiar ou mesmo deduzir que sua filha escondia droga dentro de bichos de pelúcia.

Nicole sorriu para si.

— Ainda bem que ninguém em casa descobriu meu esconderijo. Tinha certeza de que nunca pensariam no meu ursinho.

Ela beijou o animalzinho felpudo, jogou-o sobre a cama, enfiou os pacotinhos na mala e fechou-a.

Virgílio estava no banho, Ivana voltara a dormir. Nicole abriu a porta do quarto, olhou para os lados. Notou que a porta do quarto de Cininha estava entreaberta e ela estava distraída ao telefone. Nicole pegou sua pequena valise, botou os documentos na bolsa e desceu as escadas de maneira a não fazer barulho. Chegou ao corredor e certificou-se de que nenhum empregado estivesse à vista. Correu até o escritório de Virgílio. Vasculhou as gavetas de sua secretária e encontrou a combinação do cofre. Nicole riu satisfeita.

Delicadamente foi girando os números na seqüência. Suspirou feliz quando ouviu pequeno estalo e a porta se abriu. Os olhos da jovem brilharam emocionados.

Ela apanhou dois pacotes de notas, algo em torno de trinta mil dólares, que Virgílio mantinha em casa para eventual emergência, porquanto tempos atrás o governo confiscara o dinheiro de toda a população. Por essa razão, ele criara o hábito de trocar moeda nacional por dólar e guardava gorda quantia no cofre de casa. Nicole estava tão extasiada com a quantidade de dinheiro que não vasculhou mais. Aquela dinheirama toda era suficiente para fugir.

Nicole enfiou tudo na bolsa. Apanhou a mala e saiu pela porta da frente. Se pegasse o carro, seria fácil localizá-la. Olhou para os lados. A rua estava praticamente vazia. A jovem estugou o passo e dobrou o quarteirão. Duas quadras depois chegou à Avenida Brasil e fez sinal para um táxi.

Ela sabia exatamente onde encontrar Artur. Como se estivesse sendo movida por algo mais forte que ela, Nicole ordenou ao motorista, que acolheu com espanto o endereço que ela lhe dera:

— Toca para a Rua Aurora.

— Perdão, senhorita?

— É surdo ou idiota? Eu disse Rua Aurora.

— Sim, senhorita.

Os dois espíritos estavam colados nela. Um de cada lado.

— Agora vamos pegar esse dinheiro e torrar em droga.

— Isso mesmo — replicou o outro. — Vamos torrar em droga.

Mariana entrou no carro e cumprimentou Rogério, dando-lhe dois beijinhos no rosto. Ajeitou-se no banco de trás.

— Você está muito bonita — disse ele.

— Obrigada — tornou ela, envaidecida.

Letícia ajuntou:

— Fazia muito tempo que eu não a via tão bem. Quem sabe hoje tudo se resolve e você e Inácio reatam o namoro?

— Deus lhe ouça!

Rogério e elas foram conversando amenidades. No trajeto, pouco antes de chegarem à casa de Ingrid, ele encarou Mariana pelo retrovisor.

— Eu tive um sonho duas noites atrás.

— É mesmo? — perguntou Mariana, sem muito interesse.

Ela não era fã de sonhos. Somente se impressionara com os que ela mesma tivera com Teresa, mas já os havia esquecido por completo.

— Sim. Com você.

— Comigo?

— Sim — respondeu Rogério.

— Estou curiosa — tentou ser simpática. — Conte-me.

— Sonhei que um senhor, de aproximadamente uns cinqüenta anos, cabelos bem prateados, óculos de grau, estava lá na sua casa.

— Até podia ser meu pai, mas, pela descrição, não confere. Papai não tinha cabelos brancos, tampouco usava óculos. — Ela entortou os lábios e prosseguiu: — E o que esse tal homem fazia na minha casa?

— Disse-me que tomava conta de sua mãe e, às vezes, também tomava conta de você e de Letícia.

— Oh! Um anjo da guarda na família! Que bom! Depois de tantos reveses, até que seria uma ótima idéia.

Rogério prosseguiu, indiferente à ironia impressa na voz de Mariana.

— Ele aproximou-se e pediu: "Diga a Mariana que os fatos não são nada daquilo que parecem ser. As aparências enganam. Ela não deve dar ouvido aos outros, e jamais deve acreditar no que os outros lhe dizem. Ela pode discernir o que é certo e errado e tomar suas próprias decisões. Ela não precisa dar ouvidos a ninguém".

— Grande coisa... — replicou Mariana, em tom de deboche.

Letícia interveio:

— Isso faz sentido, sim.

— Não vejo como.

— Você flagrou Inácio com uma moça num restaurante tempos atrás. E foi até o restaurante porque recebeu um trote. Você mesma não disse à mamãe que sonhara com Teresa e que desconfiava de que ela havia lhe passado o trote?

Mariana emudeceu.

— Mais ou menos.

— Não se faça de superior. Você acreditou naquele sonho que teve. Vamos, admita.

— Coincidência. Eu andava muito nervosa.

— Coincidências não existem. Não teria sido melhor ligar para Inácio no dia seguinte e contar-lhe sobre o trote? A história poderia ter sido diferente. Ambos teriam gasto menos tempo com dúvidas, inseguranças e desconfianças.

— Mas eu vi com os meus próprios olhos — tornou Mariana, com veemência.

— Poderia ter ido até eles e saber quem era a moça. Pela reação de Inácio, você saberia se era um flagrante ou não. E você não lhe deu essa chance. Preferiu acreditar num trote. Mas fiquei feliz com tudo isso.

— Feliz? Como? — indagou Mariana, estupefata.

— Por conta de seu desespero e insegurança, eu encontrei meu amor — suspirou Letícia.

Rogério beijou-a delicadamente nos lábios.

— Nosso encontro não foi por acaso. Mas que o sonho tem algo de verdadeiro, isso tem. Eu não tenho sonhos lúcidos e vivos com tanta freqüência. E eu posso jurar que saí do corpo e me encontrei com esse senhor, na sua casa.

— E ele tem nome, esse sujeito que *mora* lá conosco? — indagou Mariana, tom jocoso.

— Sim. O nome dele é Homero.

— Nunca ouvi falar.

Letícia retrucou:

— Eu também não. Vai ver, é um guia espiritual, um parente distante, coisa do tipo.

— É — arriscou Rogério —, pode ser.

Pouco depois, chegaram à casa de Ingrid. Mariana olhou para a casa e sentiu um frio na espinha. Precisava ser forte e encarar a conversa definitiva com Inácio.

Capítulo 20

Nicole saltou do táxi em franco desespero. O motorista recebeu o dinheiro da corrida e nem viu se a quantia estava certa, tamanho o medo. Acelerou, dobrou a rua e desapareceu. O ambiente não era dos mais agradáveis. Aquele pedaço da rua era cheio de dejetos e lixo. As calçadas estavam cobertas de adolescentes e jovens delinqüentes, a maioria com um cachimbo na mão e fumando *crack*. Outros ficavam agarrados a uma lata, dessas de molho de tomate, repletas de cola de sapateiro. A garotada inalava a cola e entrava em transe, entorpecendo os sentidos. Havia muitos deles jogados na rua, e os transeuntes que eram obrigados a passar por lá o faziam de maneira rápida e desconfiada.

A jovem desviou de dois rapazes estirados no chão, saltando sobre seus corpos, totalmente entorpecidos por cola. Olhou o número do prédio e entrou. A portaria estava aberta, sem porteiro, sem ninguém. Era um prédio fétido, abandonado, sem energia, água ou infra-estrutura. Estava à beira de ser interditado, tamanho o risco que oferecia. Nicole estava acostumada a freqüentar aqueles ambientes. Era patricinha, adorava festas de embalo, mas, quando a situação apertava, ela e seus amigos corriam até o centro da cidade, ou lugares afastados na periferia, à procura de drogas. Na hora de comprar, metiam-se em qualquer buraco.

Aos olhos humanos, o local era habitado por uma meia dúzia de desocupados, rapazes e moças que se drogavam e que mal tinham noção de onde estavam ou de como retornariam às suas casas, se bem que alguns nem casa tinham para voltar. Aos olhos do espírito, o local era habitado por uma quantidade imensa de espíritos dependentes e viciados. A grande maioria era composta por espíritos de jovens que desencarnaram ali mesmo, nas imediações da Cracolândia.

Esses jovens, sem noção alguma de espiritualidade, continuavam ali, fora da matéria, mas presos ao vício, aspirando, por meio dos encarnados, qualquer droga que fosse. Ainda não compreendiam bem o fato de estarem mortos e ao mesmo tempo com necessidades de quando estavam vivos. Isso não importava; eles queriam aproveitar e sempre se aproximavam de encarnados dependentes químicos para sentir os efeitos que a droga lhes proporcionava.

Nicole subiu dois lances de escada, dobrou o corredor e bateu numa porta. Um rapaz de aspecto tenebroso, olhos injetados e vermelhos, pele escurecida e arroxeada, atendeu a porta.

— Fala — tornou ele, voz pastosa.

— Vim atrás do Artur.

— Entra aí. Tá lá no fundo.

Nicole encostou a porta. O ar parecia querer sufocá-la, de tão pesado. Uma névoa de fumaça cobria todo o espaço. Ela adentrou pequeno cômodo, escuro e fétido. Os jovens ali dentro estavam tão enlouquecidos pelas drogas, que alguns cheiravam cinzas de cigarro acreditando ser cocaína. Estavam impossibilitados de distinguir a cinza do pó branco.

A jovem passou por cima deles e avistou o namorado. No chão, quase sem consciência, estava caído Artur. Nicole aproximou-se, abaixou-se e colocou a cabeça do rapaz sobre uma de suas pernas. Acariciava seu rosto enquanto dizia:

— Voltei, meu bem. Não precisamos mais ficar neste buraco.

Ele mal conseguia articular som. As palavras vinham desconexas.

— Meu amor, você está aqui — ele sorriu.

— Vamos sair daqui.

— Não temos como sair. Fui despejado do meu apartamento, e neste estado não consigo trabalhar.

— Que trabalhar, que nada! Você não precisa mais disso.

— Não?

— Não. Vamos viajar.

Artur esboçou leve sorriso.

— Adoro viajar.

Nicole batia no seu rosto.

— Não durma. Preciso saber onde estão suas coisas.

— Eu não tenho coisas. Vendi tudo por droga.

— Seus documentos, onde estão?

— Sei lá. Acho que na mochila.

Nicole olhou ao redor e vasculhou. Só encontrou latas, restos de comida em estado pútrido, tudo rodeado de moscas e baratas, e algumas garrafas e bitucas de cigarro. A mochila de Artur desaparecera.

— Não está aqui.

Outro jovem, menos entorpecido, levantou-se devagarinho.

— Ei, moça, a mochila do Artur foi roubada. Um bando invadiu aqui ontem e rapou tudo. Briga de gangues.

Nicole desesperou-se.

— Oh! Eu preciso dos documentos dele.

O rapaz deu meio sorriso.

— Se me der um papelote de cocaína, eu lhe dou o nome de um cara que é fera em falsificação. Faz qualquer documento.

Ela se interessou. Abriu a bolsa e apanhou um dos pacotinhos que tirara do bichinho de pelúcia e entregou ao moço. Ele avançou sobre ela.

Contudo, Nicole estava sóbria e portanto mais forte. Deu-lhe um empurrão.

— Alto lá. Primeiro me dê o endereço do cara. Depois eu lhe dou o pó.

O rapaz assentiu com a cabeça. Tirou um cartão sujo e amassado do bolso da calça.

— Aí está. Procure por esse cara.

— Aqui diz que ele é advogado — afirmou, hesitante.

— Tudo fachada. Diga que foi o Gero que a mandou.

Nicole apanhou o cartão e entregou-lhe o papelote.

— Artur, acorde.

— Estou fraco, sinto moleza.

— Por favor, acorde. Eu vou ajudá-lo a sair daqui. Venha comigo.

Ela fez grande esforço, e aos poucos Artur levantou-se. Abraçou-se a ela e saiu do prédio com dificuldade. Hospedaram-se num hotel de quinta categoria, ali perto. O estado de Artur era deplorável, mas, desde que tivessem dinheiro para o quarto, qualquer um podia se hospedar. O gerente do estabelecimento estava acostumado a lidar com todo tipo gente, especialmente com jovens que lá se hospedavam somente para fumar crack ou mesmo cheirar cocaína. Nicole, com tremenda dificuldade, arrastou Artur até o pequeno quarto e o estirou sobre a cama. Tirou-lhe as vestes e abriu a janela. A brisa suave da madrugada invadiu o quarto e Artur respirou com mais facilidade. Nicole deu-lhe um copo de água.

— Descanse um pouco. Vou buscar comida e tratar de arrumar-lhe documentos.

— Hã — balbuciou ele.

— Vamos fugir.

Os dois espíritos, que a acompanharam desde que saltou do táxi, sorriram satisfeitos. Um deles cutucou o outro e disse:

— Não falei que ela era fraca?

O outro espírito assentiu com a cabeça e ambos se aproximaram de Nicole, totalmente receptiva à influência dessas entidades sugadoras e perdidas.

Everaldo nada pôde fazer. A relativa distância, assistiu àquela cena triste e, em pensamento, rogou ao alto que intercedesse a favor de sua pequena.

— Meu amor — suplicou a distância —, eu não posso tomar conta de você, tampouco protegê-la de tudo e de todos que a influenciam negativamente. Você precisa mudar sua postura, mudar suas crenças e atitudes. Eu não posso salvá-la. A cura depende única e exclusivamente de você.

Disse isso entre lágrimas. Nicole nem teria condições de captar a mensagem do espírito. Estava muito perturbada. Apanhou a bolsa cheia de dólares e, antes de sair, resolveu:

— Tem mais um pacotinho de cocaína aqui. Será que...

Os dois espíritos estavam loucos para que ela caísse em tentação. Não conseguiram se aproximar de outros jovens, porquanto eles já eram escravos de uma falange de espíritos drogados.

— Não custa nada. É só abrir e pronto — insistiu um deles.

Nicole hesitou. Por fim, influenciada pelos espíritos, disse para si:

— Vou cheirar só esta carreira.

Nicole pegou o papelote de cocaína, abriu-o e esparramou sobre uma mesinha. Tirou um cartão de plástico da bolsa e fez duas fileiras. Depois mais duas e depois mais outra. Cheirou até suas narinas sangrarem.

Mariana cumprimentou Ingrid e, assim que Sílvia desceu as escadas e postou-se à sua frente, ela quase deu um pulo para trás. Ficou branca como cera. Ingrid perguntou, aflita:

— Aconteceu alguma coisa?

Mariana não respondeu. Sílvia sorriu e cumprimentou-a:

— Você é Mariana! — exclamou. — Como estava ansiosa em conhecê-la!

Mariana balbuciou:

— Prazer. Você é...

— Sou Sílvia, irmã de Inácio.

Mariana abraçou-a e fechou os olhos. Como tinha sido estúpida! Por que não chegou sequer a pensar nessa possibilidade? Por que só deixou a mente ser corrompida por pensamentos maledicentes? Por que se deixou levar por um trote idiota? Ela encarou Sílvia com profunda vergonha. E, afinal, por que demorara tanto tempo para descobrir a verdade?

Mariana estava se entupindo de perguntas e querendo arrancar-se os cabelos, tamanho o arrependimento. Mas suspirou e controlou-se a contento.

— Você não sabe quanto estou feliz em conhecê-la — tornou ela, sincera e aliviada.

— O prazer também é todo meu. Nunca vi meu irmão se apaixonar antes. Espero que vocês possam resolver suas diferenças. Inácio gosta muito de você.

Ingrid interveio com delicadeza:

— Vamos até a copa tomar nosso lanche. Enquanto isso — apontou para Mariana —, suba. Inácio está no quarto, ouvindo música.

— Obrigada, Dona Ingrid.

— Vai ser uma grata surpresa. Não contamos ao Inácio que você viria.

Mariana sorriu feliz. Subiu as escadas, dobrou o corredor e respirou fundo. Bateu com delicadeza, e nada. Bateu novamente. Ela delicadamente virou a maçaneta e abriu a porta.

O ambiente estava inundado pela voz de Maria Bethânia. A música tocava alto. Inácio, deitado na cama, os olhos fechados, voz cadenciada, cantarolava a melodia:

De repente fico rindo à toa sem saber por quê
E vem a vontade de tentar de novo te encontrar
Foi tudo tão de repente, eu não consigo esquecer
E confesso tive medo, quase disse não . . .

Mariana riu marota. Esperou que a canção terminasse. Inácio virou-se de lado e a música recomeçou. Ele havia programado o aparelho para tocar somente essa faixa do CD. Era a mesma que ouvira na casa de Mariana quando fora lá almoçar, muitos domingos atrás.

Ela delicadamente andou pé ante pé até a cama. Sentou-se na beirada e passou delicadamente a mão sobre seus cabelos fartos e alaranjados.

Cantarolou a música. Inácio reconheceu a voz e imediatamente abriu os olhos. Tomou um susto e levantou-se. Esfregou os olhos. Só podia ser miragem.

— Mariana! — exclamou surpreso.

— Um dos dois tinha de tomar a iniciativa. Estou aqui para conversar.

— Eu mal posso acreditar. Pensei que nunca mais...

Ele não terminou de falar. Apertou-a de encontro ao peito e, com voz que a paixão tornava rouca, declarou:

— Estava com vergonha de procurá-la.

— Vergonha? De quê?

Ele a puxou pela mão e Mariana deitou-se sobre ele.

— Eu me sinto um idiota completo.

— Por quê?

— Acreditei numa farsa, numa armação, e, ao invés de consultar meu coração e falar com você, resolvi dar ouvidos à maledicência alheia. Fiquei tomado de ciúmes.

— Eu nunca lhe dei motivos para sentir ciúmes.

— Sei disso, meu amor.

— O que foi que fiz?

Inácio esboçou sorriso amarelo, sem graça. Abraçou-a e beijou-a várias vezes. Levantou-se e foi até a escrivaninha. Pegou um envelope pardo e entregou-o para a namorada. Ela perguntou:

— O que é isso?

— Abra e veja por si.

Mariana abriu o envelope e não conseguiu articular som de imediato. Respirou fundo e recompôs-se.

— Essas fotos foram tiradas no dia em que...

— Não sei quando — disse ele, triste. — O que importa é que essas fotos foram tiradas com o propósito de fazer-me acreditar que você me traía.

— Mas este é...

— Sim — afirmou ele —, é o Rogério. Agora sei quem é. Imagine meu espanto no dia que o encontrei abraçado à sua irmã. Quando conheci o Rogério, descobri que as fotos foram uma grande armação. Ele me contou como conhecera Letícia, que havia encontrado você no meio da rua, chorosa e perdida.

— Foi quando recebi um trote me instruindo a flagrá-lo com uma loira no restaurante e...

— E?

Ela mal sustinha a respiração. Aquilo era obra de Teresa, agora tinha certeza absoluta. De nada adiantaria falar, discutir, tirar satisfações. Ela o amava, e tudo não havia passado de mal-entendido.

Mariana pendeu a cabeça para os lados.

— Eu também me senti envergonhada.

— Não tem motivos. Eu é que fui idiota.

— Fomos os dois.

— Não entendo.

— A moça que vi ao seu lado no restaurante e julguei ser outra... era sua irmã.

— Sílvia?

Ela levantou e baixou a cabeça várias vezes

— Sim.

— Você está brincando comigo.

Mariana beijou-o nos lábios.

— Não, meu amor.

A jovem puxou Inácio pelo braço e conduziu-o até a cama. Baixou o volume do aparelho de som e contou-lhe tudo, desde o trote, os sonhos, a conversa com Rogério no carro, o estupor ao deparar com Sílvia.

— Acabei descobrindo que a loira era sua irmã.

— Quer dizer que você veio hoje aqui, mesmo sem saber se eu tinha saído com outra?

— Sim.

— Por quê?

— Porque eu o amo, Inácio, do fundo do meu coração.

Eles se beijaram com amor, longamente, repetidas vezes. Mais calmos, ela tornou:

— Foi tudo armação da Teresa.

— Foi por essa razão que você a pegou no bar e lhe deu aquela surra?

Mariana envergonhou-se.

— Não gosto de violência. Mas fiquei fora de mim. Eu sabia que ela havia aprontado comigo.

— E comigo também.

— Ela teve o que mereceu. Espero não ter que encontrá-la nunca mais.

Inácio passou a mão pelo seu rosto fino e delicado.

— Teresa não vai mais nos importunar. Nem ela, nem ninguém. Acredite em mim.

— Eu acredito. Nunca mais duvidarei de você.

— Ouviu a música?

— Como poderia esquecer? Naquele almoço, faz um bom tempo.

— Maria Bethânia é a nossa madrinha musical. Esta vai ser a nossa música, para sempre.

Inácio aumentou o volume do som e conduziu Mariana até sua cama. Deitaram-se e ficaram abraçados, ouvindo a música, cantarolando a melodia, trocando juras de amor.

Teresa imaginou que logo os pombinhos voltariam a se juntar. Ela precisava continuar atirando pedras nesse relacionamento. Tonhão estava cada vez mais no seu pé. Ela tinha de arrumar um jeito. Finalmente apareceu um. Lembrou-se de uma amiga que se utilizava dos serviços de uma cigana que fazia trabalhos bem interessantes para amarração de homem. Ela não hesitou e ligou. A amiga foi solícita e deu-lhe o número de telefone.

— Essa cigana é boa mesmo?

— Ela não é cigana — riu a mulher do outro lado da linha. — O povo cigano tem código ético próprio e se dedica à música, vive de artesanato, da leitura da sorte e outras coisas. Dolores finge ser cigana e utiliza a denominação para lhe conferir *status*, mais nada. Mas uma coisa posso lhe dizer: ela é poderosa. Pode acreditar. Graças aos trabalhos dela, os homens me disputam a tapa.

Teresa sorriu maliciosa. Terminada a ligação, imediatamente ligou para a mulher e marcou hora para o dia seguinte.

Dolores atendia num pequeno sobrado localizado em um bairro classe média. Era uma bela casa no Brooklin, construção antiga, espaçosa, bem conservada. No jardim da frente, bem cuidado e repleto de flores e árvores, havia algumas estátuas de ciganos. Só para impressionar. De cigana e de espírita ela não tinha nada. Vestia-se com trajes ciganos e lia a sorte das pessoas à deriva. Algumas vezes acertava, muitas outras errava em cheio. Isso porque sua mediunidade havia sido educada de maneira torpe.

No início, muitos anos atrás, Dolores fora cercada de entidades do bem, espíritos amigos que se comprometeram a trabalhar com ela para promover o bem das pessoas por meio de orientação, aconselhamento, dicas e atitudes positivas. Todavia, ela foi depreciando suas virtudes, ignorando códigos de ética e respeito ao próximo. Acreditando ser dotada de poderes sobrenaturais, passou a cobrar valores altíssimos pelas consultas, e, como recebia muitas clientes inseguras e perdidas no amor, Dolores especializou-se em amarração de homem. A demanda foi crescendo, muitas mulheres inseguras e desesperadas corriam até ela e solicitavam seus serviços escusos, na tentativa de ter a seu lado o homem com quem tinham cismado.

No começo não deu muito certo. Os amigos espirituais não compactuavam com esse tipo de trabalho. Interferiam bastante e ela não tinha retorno, porquanto os espíritos do bem desfaziam o feitiço. Mas Dolores não desistiu. Tentou, tentou e persistiu no mal. Até que um dia os espíritos de luz se cansaram dela, perceberam que estavam perdendo tempo e foram atrás de outra médium, que estivesse receptiva e disposta a trabalhar pelo bem das pessoas.

Dolores então ficou à mercê de espíritos trapaceiros, enganadores de verdade. Com a mediunidade em descontrole, tornou-se serva desses espíritos aproveitadores e só fazia trabalhos espirituais para prejudicar os outros, sendo sua especialidade a prisão amorosa de homem — popularmente conhecida como amarração de homem.

Teresa foi atendida por uma empregada bem vestida. Em seguida foi conduzida a uma sala ricamente decorada, ambiente muito fino. Ela sorriu e gostou do que viu.

— Pelo menos não se parece com aqueles buracos que já freqüentei. Essa mulher deve ser muito boa mesmo. O lugar me inspira confiança.

Ela foi conduzida e convidada a sentar-se à frente de uma mesa em que havia duas estátuas: uma cigana e um cigano que, um de frente para o outro, pareciam estar dançando. Tudo cena, somente para impressionar a clientela. Dolores apareceu na sala, entrada triunfante, tudo ensaiado, só para causar impressão. Ela se sentou do outro lado da mesa e a cumprimentou.

— Olá. Você é amiga da Joana?

— Sou. Ela vem sempre aqui?

— De vez em sempre — riu Dolores, deixando aparecer um sorriso sinistro, embora seus dentes fossem alvos e perfeitos.

— Preciso de um favor.

— Qual é?

— Tem um homem, sabe...

— Essa é minha especialidade.

— Ele está apaixonado por outra. Preciso afastá-lo dessa sirigaita e casar com ele. É um caso de vida ou morte.

Dolores fechou os olhos e fingiu fazer contato com entidades do astral.

— Meus guias disseram que podem ajudá-la.

— De que forma?

— Com um perfume.

— Perfume?

— Sim, um perfume enfeitiçado.

— E funciona?

— É tiro e queda.

— Você me garante?

— E como, minha filha! É só o trouxa passar umas gotas e vai se apaixonar pela primeira mulher que vir na frente.

— Não sei se vai dar certo.

— O que a aflige?

— Esse homem não quer me ver nem pintada de ouro. Eu preciso estar junto?

— Não necessariamente. Basta deixar o embrulho com uma foto sua. Sem querer, ele vai olhar para o perfume e para a foto. É só o que preciso para que dê certo.

— Se eu levar um frasco feito por você, ele vai desconfiar. Esse homem só usa perfume dos bons. E de marca importada.

— Não tem problema. Compre um frasco do perfume e me traga. Eu o enfeitiço para você. Assim que ele espargir sobre o corpo, vai ficar de quatro por você. Pode acreditar.

— Tem certeza? Parece muito fácil.

— Se ele espargir um bocadinho, vai entrar na sua. Ele ama muito essa mulher?

Teresa fez muxoxo. Odiava ter de falar a verdade, mas estava diante de alguém que poderia afastar Mariana e lhe deixar o caminho aberto para sua redenção. Entre cair nas garras de Tonhão e ter de baixar seu orgulho, ela escolheu este último.

— Ele a ama, quer dizer, parece que ama. Os homens são todos iguais.

— Hum, então fica mais difícil. Além de fazer o perfume, terei de montar guarda.

— Montar guarda?

— É. Vou ter de mandar uns guias para atrapalhar a vida dos dois, entende? Vai ficar mais caro.

— Dinheiro não é problema, por enquanto.

Dolores suspirou alegre. Pensou consigo mesma:

"Mais uma otária. Que bom! Vou ganhar muito dinheiro às custas dessa aí."

No dia seguinte, Teresa correu até uma loja de perfumes que conhecia na Rua Augusta e comprou o perfume predileto de Inácio. Disso ela se lembrava, com certeza, visto que ele usava essa mesma fragrância havia anos.

Voltou até Dolores e entregou-lhe o frasco, para que ela fizesse o feitiço.

Uma semana depois, Teresa andava com o pacotinho debaixo dos braços. Feliz da vida. Nem telefonou para a casa de Inácio; resolveu arriscar e ir direto.

Assim que chegou e o viu abraçado a Mariana, quase teve uma síncope cardíaca. Teresa procurou ocultar a irritação e o ódio:

"Então os dois haviam reatado?", indagou para si, desolada. "Mas será por pouco tempo."

Ela pigarreou e procurou ser gentil. Cumprimentou a todos. Inácio e Mariana a cumprimentaram com um aceno.

Teresa percebeu que seria impossível entregar-lhe o presente. Ela pensou e decidiu:

"Amanhã passo na Centax e deixo o embrulho com a foto nas mãos de Isabel. Ela vai me ajudar."

Em seguida, Teresa pretextou compromisso, despediu-se e foi para casa.

Ivana arrumou-se como de costume, num exagero só. Fazia dias que estava sem sair de casa. Finalmente a enxaqueca a deixara livre por uns tempos e ela pôde voltar a pensar em saracotear pela cidade, como sempre fazia, acompanhada de Otília Amorim, sua única amiga. Exagerada, espargiu meio frasco de perfume sobre o corpo e ligou para a amiga.

— Quanto tempo seu motorista leva para me apanhar?

— Meia hora, Ivana. Faz tempo que não saímos, e hoje você vai fazer vários programas comigo.

— Preciso ficar longe desta casa o máximo de tempo possível. O clima aqui anda insuportável.

— Como está Nicole?

Ivana deu de ombros, enquanto se equilibrava no fone e passava rímel nos cílios.

— Sei lá. Acho que faz uns dois dias que não a vejo.

— Não se preocupa?

— De maneira alguma. Nicole é adulta, que aprenda a cuidar de sua vida. Eu não vou ficar correndo para cima e para baixo atrás de uma viciada. Isso nunca. Não tenho idade tampouco estrutura para isso.

— Você é impossível. Confesso que, mesmo sendo sua amiga, não apóio sua atitude.

Ivana irritou-se, mas procurou controlar-se. Evitava brigar com Otília. Afinal, era a única pessoa no mundo que a suportava.

— Eu e Nicole tivemos uma conversa dia desses. Falei o que sentia e ela irritou-se, acredito. Foi viajar.

— Viajar? Como? — Otília preocupou-se de verdade.

— Simplesmente fez as malas e viajou. Por que o espanto?

— Ela mal acabou de sair de uma clínica de desintoxicação, ingressou recentemente nos Narcóticos Anônimos.

— E daí?

Otília não conseguiu evitar o estupor:

— Isso é grave!

— Bobagem!

— Nicole pode ter uma recaída. Ainda é muito cedo para viajar sozinha, não acha?

Ivana deu uma risadinha nervosa. Otília era dramática e melosa. Preocupava-se com o bem-estar de Nicole. Entretanto, Ivana conteve-se.

— Assim que ela regressar de viagem eu lhe informo.

— Obrigada.

Otília acalmou-se e procurou dar novo rumo à conversa:

— E quanto à sua sobrinha?

Ivana fez um esgar de ojeriza. Acendeu um cigarro para controlar sua fúria e acrescentou:

— Nem me fale nessa fedelha, Otília, por favor. Não queira estragar o meu dia!

— Desculpe.

— A insuportável acha que vai ficar aqui por quanto tempo? Pensa o quê? Você vai ter de me ajudar.

— Eu?!

— É, Otília, você. Quero dar um basta. Não quero mais Cininha na minha casa. É extremamente desagradável.

— Bom, meu motorista vai sair. Daqui a meia hora estamos aí — disse Otília num rompante, cansada das lamúrias de Ivana.

— Está certo. Até mais.

Ivana desligou o telefone, ajeitou a alça do vestido e desceu. Avistou Cininha sentada no jardim de inverno, aparentemente folheando um livro antigo, as páginas bem amareladas.

— Pegou esse livro do escritório? — perguntou, num tom de reprovação.

Cininha levantou os olhos e sorriu.

— Não, titia. Era de minha mãe.

— Sua mãe não era dada a leitura.

— Nos últimos anos de vida ela tomou gosto pela leitura.

— É difícil acreditar. Sua mãe sempre foi meio ignorante.

Cininha era muito bem-humorada, estava sempre de bem com a vida e sabia tirar de letra as insinuações jocosas que a tia lhe despejava.

— Mamãe freqüentava um grupo de estudos e me deixou muitos livros.

Ivana deu uma gargalhada.

— Essa é boa! Sua mãe, participando de um grupo de estudos?

— Verdade.

— Sua mãe mal sabia escrever o próprio nome. Era praticamente uma analfabeta.

Cininha levantou-se e aproximou-se da tia. Ela nunca perdia o humor.

— Mamãe concluiu o primeiro grau. Não era analfabeta.

— Não gostava de estudar, mal sabia escrever.

— Mas mudou muito, tia. Ela fez supletivo, concluiu o segundo grau. Só não ingressou numa faculdade porque se descobriu doente. Era tarde demais. Foi quando ela se associou a esse grupo.

— Que grupo?

— Um grupo dedicado ao estudo do Espiritismo.

Ivana injetou os olhos de fúria.

— Não diga asneiras, menina.

Cininha assustou-se.

— Mas por quê?

— Isso é coisa de gente atrasada. Onde já se viu, falar de Espiritismo sob este teto? Ficou louca?

— Não sabia que era preconceituosa.

— Sou mesmo. Odeio os espíritas, os espiritualistas. Tudo gente de cabeça obtusa, pequena. Gente muito ignorante, assim como sua mãe.

— Muito se engana. Nesse grupo em particular havia pessoas bem cultas, até de posses, lá da cidade de Vitória.

— Gente de posses e ignorante, isso sim. Não vá me dizer que você acredita nessas coisas?

— Sim. Creio que a vida tem novo significado quando passamos a enxergar o mundo sob a óptica espiritualista. Tudo faz sentido. As guerras, as tragédias, os milagres, os acontecimentos fantásticos que ocorrem na vida de cada ser deste planeta...

Ivana cortou-a abruptamente:

— Idiotice. Pura idiotice. Nascemos, vivemos e morremos. E ponto final. Que mania mais disparatada de acreditar que a vida continua depois da morte.

— Há estudos sérios a respeito que falam sobre o assunto. Allan Kardec, por exemplo...

— Quem?

— Um professor francês, responsável pela codificação da doutrina espírita.

— Nunca ouvi falar.

— E ouviu falar de Chico Xavier, Waldo Vieira, Emmanuel, André Luiz, Yvone Pereira, Robson Pinheiro...

— Desses todos, só ouvi falar desse tal de Chico. Mas é tudo crendice, charlatanismo. Ninguém me convence.

Cininha deu uma risadinha.

— Engraçado, titia. Mamãe me disse, meses antes de morrer, que você chegou a fazer uma cirurgia com o Zé Arigó, lá em Congonhas do Campo.

Ivana ficou branca. Em seguida, a coloração de seu rosto passou para o vermelho e instantes depois para um arroxeado. Aquela menina era o capeta! Sabia de fatos que ela mesma fizera questão de meter nos escaninhos da memória.

— A sua mãe...

Cininha continuou:

— Minha mãe a acompanhou, isso sim. Parece que o Zé Arigó, durante uma cirurgia espiritual, extraiu um quisto do seu ovário. Não é verdade?

Ivana irritou-se sobremaneira. Aquela menina era mesmo desagradável e a tirava do sério. Apanhou uma estátua de porcelana sobre a mesinha que estava próxima e atirou-a contra a parede.

Cininha tapou os ouvidos, para abafar o barulho.

— Diabos! Você me irrita. Isso tudo é mentira!

— Minha mãe nunca foi dada a mentiras.

— Estava ficando dementada.

— Não, tia Ivanilda, nunca.

Ivana inflou o peito de ar e bradou, num tom extremamente alto:

— Odeio que me chame de Ivanilda, entendeu? Odeio! Enquanto estiver na minha casa, se quiser continuar passando sua temporada aqui, nunca mais se dirija a mim usando esse nome.

— Sim, como queira... tia Ivana.

— Assim está melhor.

Ouviram uma buzina no lado de fora. Ivana suspirou:

— Graças a Deus, Otília chegou.

Apanhou a bolsa e saiu. Ruminando e esbravejando, ela deu um esbarrão em Bruno, arriscou um palavrão entre dentes e saiu, sem antes bater a porta com força. Bruno assustou-se de início, mas, ao ver Cininha rindo na saleta, descontraiu-se:

— O que aconteceu?

— Titia não quer que eu a chame pelo nome de batismo.

Bruno riu.

— Você é impossível, Cininha. Cuidado. Ainda pode se dar mal.

— É uma brincadeira.

— Mamãe é muito estúpida. E se ela se descontrolar e lhe der uns sopapos?

— Tentarei me defender — respondeu a jovem, sorrindo.

— Nem o papai ousa chamá-la pelo nome de batismo. Ela simplesmente abomina esse nome.

— Mas é o nome dela, não é? Por que não entrou com papelada na Justiça e trocou, ou mesmo alterou o nome?

— Ela preferiu omitir da sociedade, e ninguém sabe, ou finge não saber.

Ela riu e deu dois beijinhos no primo. Ele olhou para a mesinha. Interessou-se pelo livro.

— O que está lendo?

— O *Livro dos Espíritos*. Conhece?

Bruno admirou-se. Abaixou-se e apanhou-o.

— Que capa mais bonita!

— Mamãe ganhou este livro de uma amiga. Foi uma edição especial por ocasião do centenário do lançamento. Essa amiga, percebendo que mamãe tinha se interessado pelo assunto, presenteou-lhe com o próprio livro. Eu o guardo com todo o carinho do mundo. É uma maneira de estar conectada à minha mãe. Estudávamos juntas, sabe?

— Mesmo?

— Sim. Estudei tanto, que você pode me perguntar qualquer questão, e olhe que são 1.019 perguntas.

— Você conhece mesmo! — exclamou, admirado. — Desde quando estuda o mundo espiritual?

— Desde que minha mediunidade começou a aflorar. Isso faz alguns anos. Estava na flor da adolescência. Foi tudo natural. Mamãe me levou a um centro espírita, eu fiz tratamento adequado, fiz curso de orientação mediúnica. Em seguida passei a me reunir com um grupo seleto de pessoas que estudavam o mundo espiritual.

— Estou boquiaberto — suspirou ele. — Fico muito feliz que você acredite nisso, porque eu também acredito. Minha namorada é médium.

Cininha exultou:

— Que bom! Poderemos conversar bastante. Tinha certeza de que aqui na cidade encontraria pessoas que pensam como eu.

— Você vai adorar a Michele.

— Por que não a traz até aqui?

Bruno ressabiou-se.

— Acha que posso trazer alguém aqui com a mãe que tenho? Ela é capaz de atirar um vaso na cabeça de Michele. Sabe, mamãe é preconceituosa ao extremo.

— E daí?

— Michele é negra. Mamãe jamais permitiria uma união inter-racial na família. Ela é presa a velhos valores, tem conceitos muito rígidos. Parece que vive no tempo da escravidão.

— Que pena! — Cininha suspirou. — Acho muito pobre o ser humano querer dividir os semelhantes por raça, cor, orientação sexual. Pelo contrário, deveríamos aceitar e enaltecer as diferenças. Acho que, se todo mundo fosse negro ou branco ou se todos no planeta tivessem os olhinhos puxados — ela pousou delicadamente os indicadores nos olhos, puxando-os —, seria sem graça, não acha?

— Sim — disse ele sorrindo. — Isso nunca deveria ser problema. Mas para minha mãe é.

— E para seu pai?

— Meu pai achou Michele linda. Ele abençoou nossa relação. Papai não tem preconceitos.

— É, tio Virgílio me parece um homem sensato, de bem.

Conversaram um pouco mais, até que Cininha tocou em assunto delicado.

— Bruno, não quero me meter na vida de vocês. Eu não sou da família e...

Ele a cortou:

— Claro que é. Você é minha prima, filha de minha tia. Embora não tenhamos travado contato durante anos, somos parentes, e o mais importante é que sinto muita afinidade com você. Parece que a conheço há muito tempo.

— Eu também sinto o mesmo em relação a você, seu pai, Nicole, tia Ivanil... Opa, quer dizer, Ivana...

Eles riram. Bruno anuiu:

— Pode falar o que quiser. Há algo aqui que a incomoda?

— Graças ao estudo de minha sensibilidade, tenho facilidade em perceber as energias dos lugares.

— Isso é fantástico. Eu estou aprendendo. É tão bom poder saber lidar com o mundo das energias, identificá-las, saber o que é nosso e o que é dos outros. Isso nos faz crescer, amadurece o espírito, nos dá força incrível para viver melhor e com menos interferências, sejam de encarnados, sejam de desencarnados.

— Sim. Eu tenho facilidade em captar as energias dos ambientes. E é nisso que queria chegar.

— O que foi?

— É sobre Nicole.

— Você sente alguma coisa ruim? — perguntou Bruno, assustado.

— Faz dois dias que ela saiu de casa e não dá notícias.

— Engano seu.

Cininha franziu o cenho.

— Como?

— É. Nicole ligou para o papai hoje cedo. Está na casa de uma amiga no litoral. Disse que volta amanhã.

— Não acredito!

— Por quê? Ela saiu com pequena mala.

— O carro dela está na garagem.

Bruno sorriu.

— Ela viajou de carona. Foi sensata. Ainda está no processo de cura, preferiu não arriscar e não pegar no volante.

— Não é verdade.

— Por que diz isso? Sabe de alguma coisa?

— Receio que sim. Nicole não está bem. Quando cheguei à sua casa, ela havia sido liberada da clínica de desintoxicação. Entretanto, consegui captar algumas formas-pensamento dela e notei que Nicole continua muito depressiva, tem baixa auto-estima e se deixa levar pelas influências e conversas dos outros, como se não tivesse opinião própria. Sua irmã não tem posse de si mesma. É por essa razão que espíritos perdidos, sem noção de responsabilidade e perturbados ao extremo, acercam-se dela, convidando-a de volta ao vício. Tenho orado bastante e conversado com alguns amigos espirituais.

— Michele disse algo parecido em nossa última reunião. Se minha irmã debandar de novo, afundar-se nas drogas novamente, creio que não terá mais salvação.

Uma lágrima sentida escapou pelo canto dos olhos de Bruno. Cininha pousou delicadamente sua mão na dele.

— Sei que é triste não poder ajudar, pois sentimo-nos impotentes. Principalmente quando amamos alguém. Não se esqueça de que a responsabilidade é toda de Nicole. Ela procurou esse caminho, foi ela que o escolheu. Não me venha dizer que foi por ter uma educação relapsa, por não ter tido o carinho e afeto dos pais.

— Por muitos anos pensei assim, entretanto Michele me mostrou que tanto Nicole quanto eu fomos criados do mesmo jeito. Nenhum dos dois recebeu carinho, afeto e atenção...

— E olhe a diferença: você percorreu outro caminho. Formou-se, trabalha, está ajudando as pessoas e vai ser feliz ao lado de Michele, porque a ama de verdade. Nicole poderia escolher o mesmo caminho. Portanto, sua irmã não foi influenciada pelo meio em que cresceu e viveu. Seu espírito já tinha forte tendência ao desequilíbrio e já faz algumas vidas que ela crê que as drogas vão sensibilizá-la de alguma maneira, diminuir seus medos e inseguranças.

— Como sabe disso? — perguntou ele, surpreso.

— Eu tive um sonho dia desses. Vi sua irmã numa vida passada.

— Pode ter sido só uma impressão, sugestão, sei lá.

— Não, eu vi Nicole em outra encarnação, numa situação muito parecida com a de hoje. No entanto, mesmo que ela seja responsável por tudo que lhe acontece, podemos fazer alguma coisa para ajudá-la. Receio que ela não esteja bem.

— Acha mesmo?

— Sim.

Bruno levantou-se nervoso.

— Oh! Mas papai me garantiu que Nicole ligou e...

No mesmo instante, Virgílio adentrou a casa. Aparentava tranqüilidade.

— Como estão?

— Papai — disse Bruno —, a Cininha está preocupada com a Nicole.

Virgílio acercou-se dela e abraçou-a.

— Obrigado por mostrar preocupação, porém Nicole está ótima.

— Não é isso o que Cininha afirma, papai.

Ele a encarou nos olhos.

— Por que acredita que minha filha não esteja bem?

Cininha mordeu os lábios.

— Tive um sonho ruim, e, quando tenho esses sonhos...

— Diga — implorou Virgílio.

— ...é porque é verdade. Creio que Nicole está correndo sério risco.

Virgílio sorriu.

— Você se impressionou com tudo que ocorreu nesta casa. É natural. Viu Nicole chegar, soube e acompanhou parte de sua triste história. Posso lhe assegurar de que está tudo bem. Ela me ligou hoje cedo e está na praia de Maresias, no litoral norte. Está na casa de uma amiga.

Cininha não se convenceu. Mas o que podia fazer? Era sua intuição contra os fatos que se lhe apresentavam. Não respondeu nada.

Os olhos de Virgílio brilharam emocionados. Bruno indagou:

— O que aconteceu?

— Meu advogado vai dar início ao processo de separação.

Bruno não sabia do acordo entre Virgílio e Ivana. Acreditava que estavam juntos mais por convenção e comodidade, e incentivava o pai a procurar ser feliz ao lado de uma mulher que o amasse de verdade. Isso ele só percebeu depois que conheceu Michele. Assim que o amor aflorou em sua vida, Bruno desejou que todos ao seu redor também experimentassem viver no estado sublime a que o amor nos transporta. Abraçou o pai com satisfação.

— Pensei que nunca fossem se separar. E nunca entendi o porquê.

— Um dia você vai saber de tudo. O importante é que meu advogado ligou e pediu alguns documentos. Estão lá no cofre. Volto num instante.

Virgílio saiu e foi ao escritório. Cininha e Bruno ficaram na saleta de inverno, conversando amenidades.

Alguns minutos depois, Virgílio irrompeu na saleta, suando frio, tremendo muito e branco como cera. Bruno levantou-se assustado.

— Papai, o que foi? Não está passando bem?

Virgílio procurou recompor-se do susto.

— O dinheiro do nosso cofre sumiu, desapareceu.

Bruno e Cininha olharam-se atônitos. Os três imediatamente pensaram a mesma coisa:

— Nicole!

Capítulo 21

Uma carta na mão. Ingrid já lera e relera a carta várias vezes. Fazia alguns dias que ela andava meio cabisbaixa. Ela era mulher de alto astral, estava sempre bem-humorada. Sua filha resolvera ficar definitivamente na cidade, o que a alegrava. Inácio havia reatado o namoro com Mariana e pareciam felizes. No entanto, algo em seu peito a perturbava, a incomodava sobremaneira. Ingrid não queria olhar para o passado, havia feito esforço descomunal para esquecer o trauma que a separação lhe causara.

Mas, então... espere um pouco. Ingrid não havia se separado de Aluísio numa boa? Não havia assinado os papéis e vindo para São Paulo a fim de deixar o marido viver sua vida de solteiro sem constrangimentos? Sim. Mas havia algo que Ingrid, mesmo passados quatro anos, não conseguia superar. Por mais que ela tentasse lutar contra esse sentimento, no fundo do peito uma certeza permanecia: ela ainda amava Aluísio. Essa era a mais pura verdade.

Ingrid era mulher recatada, fina, elegante, e julgava estar bem casada. Pouco antes da separação, ela e Aluísio haviam celebrado bodas de prata. Tudo parecia bem. Foi quando ele apareceu numa noite e disse, sem mais nem menos:

— Vou fazer as malas.

— Vai viajar?

— Não, vou embora.

— Como assim?

— Acabou, Ingrid. Nosso casamento acabou. Estou apaixonado por outra mulher.

O mundo dela ruiu por completo. Ingrid precisou de toda a sua ascendência nórdica, de toda a firmeza do mundo para não se despedaçar na frente do marido. Viviam um casamento admirado por todos, haviam comemorado as bodas numa festa que sacudira a cidade e entrou na lista das festas inesquecíveis do Rio de Janeiro. Eram conhecidos como casal perfeito, um modelo a ser seguido.

Ingrid era esposa amiga, companheira, cuidava do corpo, fazia exercícios, estava sempre bem vestida. Era culta e inteligente. Os amigos de Aluísio faziam-lhe galanteios. Era paquerada na rua.

Ingrid, na época da separação, estava com pouco mais de quarenta anos de idade. Casara-se cedo. Ela nunca beijara outro homem na vida, e Aluísio tinha sido seu único namorado, seu primeiro homem. Aprendera os prazeres do sexo com ele, aprendera a amá-lo e satisfazê-lo em tudo. Cuidava da casa e dos filhos com esmero.

Os anos foram passando, ela entrou na menopausa. Nessa fase da vida da mulher, a falta de estrogênio causa a secura vaginal e afeta o desejo sexual, pois transforma as relações em algo desagradável e doloroso. Ingrid acreditou que a intimidade não era mais tão importante e deixou de relacionar-se com o marido. Ela foi criando desculpas, e Aluísio, ignorando o que acontecia com a esposa, cansou das desculpas esfarrapadas e deixou de procurá-la. Júlia deu a ele o que lhe faltava em casa. E, numa noite qualquer, ele resolveu ir embora, num piscar de olhos.

Ingrid mordeu os lábios e leu novamente a carta. Nela, Aluísio dizia-se profundamente arrependido. A vida íntima dele com Júlia esfriara e ele agora sabia por quê. Júlia fazia parte do passado, e ele e Ingrid necessitavam conversar. Aluísio confessava não ter coragem de telefonar e gostaria de colocar tudo em pratos limpos. Estava sinceramente arrependido. Pedia por uma nova chance.

E agora? Ela ligava ou não? Santo Deus, ela passara os últimos quatro anos tentando estancar a ferida que ardia em seu peito. A mudança para São Paulo, na verdade, ocorreu porque Ingrid jamais suportaria ver Aluísio nos braços de outra. Ele era o grande amor de sua vida, disso ela tinha certeza. Mas o que fazer se ele não a queria mais? Iria rastejar, viver de migalhas de amor? Não, isso não. Ingrid tinha lá seu valor. E que valor.

Houve algumas paqueras, um flerte aqui, outro ali, mas nada sério. Ingrid sabia que jamais iria se relacionar com outro homem na vida. Seu coração pertencia a Aluísio, era somente dele e de mais ninguém.

Sílvia aproximou-se por trás da poltrona e beijou a mãe na testa.

— Por que anda tão amuada ultimamente?

Ingrid fechou os olhos e suspirou. Embora tivesse suas liberdades com a filha e ambas compartilhassem seus segredos mais íntimos, Ingrid não queria se abrir sobre o assunto. Sílvia notou a carta presa à mão da mãe e, de longe, reconheceu a letra.

— Sei que você não gostaria mais de tocar no assunto — tornou ela amorosa. — Esta carta é de papai, não é?

Ingrid assentiu com a cabeça. Sílvia perguntou:

— E o que a preocupa?

— Esta carta mexeu comigo, obriga-me a olhar para trás. Não queria mais confrontar o passado. Está morto e enterrado.

— Você não vai ter como fugir.

— Enquanto lia a carta, lembrei-me de que, tempos atrás, você me disse que havia sonhado comigo e com seu pai.

Sílvia sorriu.

— Sim. E sonhei mais duas outras vezes. Neles, vocês estavam juntos de novo.

Ingrid sentiu um arrepio percorrer-lhe a espinha.

— Isso mostra que papai vai procurá-la.

— Não vou responder a carta. Quem sabe, sem resposta, seu pai sossega e não me procura mais.

— Acho difícil.

— Por que diz isso?

— Papai não é de desistir. Vai vir atrás de você.

Ingrid amassou o papel e jogou-o a certa distância. Levantou-se da poltrona totalmente indignada.

— Seu pai não pode fazer isso comigo.

— Por que não?

Ingrid andava de um lado para o outro da sala. Estava visivelmente perturbada.

— Vivíamos felizes, estávamos apaixonados. Eu sempre amei seu pai e não duvido nem um pouco que ele sempre me amou esses anos todos. Todavia, seu pai fez sua escolha e...

Sílvia cortou-a com delicadeza:

— Ele fez uma escolha e errou. E daí?

— Como e daí? E eu? Tive de penar bastante, tive de estancar meu amor. Aceitei a decisão de seu pai, e nestes últimos anos tenho melhorado muito. Não acho justo que ele volte de uma hora para outra, peça perdão e tudo volte ao normal. Isso não.

— Mas as coisas não precisam ser desse jeito. Tudo pode ser diferente. Papai pode ter mudado muito com essa experiência.

— Duvido.

— Papai percebeu que sempre a amou e o que sentiu por Júlia foi somente uma paixão. Paixão é passageira.

— Não confunda minha cabeça, filha.

— Você não quer enxergar a realidade. Fica presa às ilusões. Se não ama mais o papai, tudo bem, diga-lhe que está tudo acabado e que você não sente mais nada, absolutamente nada por ele.

— Eu... eu não poderia fazer isso — balbuciou.

— Então consulte seu coração. Se ainda o ama, por que se deixar levar pelas convenções sociais? Por que se deixar levar pelo orgulho, arrastada num mar de preconceitos, com medo do que os outros irão dizer, se no fundo ainda o ama? Mamãe, pense direito! Talvez a vida lhe esteja dando a chance de viverem felizes, sem mais tropeços, sem mais paixonites. Um amor maduro e tranqüilo.

— Não.

— Dê-se mais uma chance. Você tem a possibilidade de ser feliz.

Ingrid nada disse. As palavras da filha calaram fundo em seu coração. Ela não queria admitir, tentava a todo custo ocultar seus sentimentos. Era difícil. Ela ainda amava Aluísio. Aliás, nunca deixara de amá-lo. E isso a irritava sobremaneira. Aluísio pedira o divórcio, arrumara outra, e agora queria voltar. Por mais que tentasse, Ingrid não conseguia deixar de amá-lo.

Ela abraçou-se à filha e deixou que as lágrimas dessem livre curso. Ingrid estava cansada de lutar contra seu coração.

Ivana havia comprado muitas roupas. A fim de controlar sua indocilidade e nervosismo, e na falta de atirar objetos contra a parede, ela gastava em compras. Comprava de tudo, desde utensílios para a cozinha — que ela jamais utilizaria, porquanto nunca pisara na cozinha de sua casa — até as roupas mais espalhafatosas e de preços astronômicos. Seu ideal de bom gosto assemelhava-se ao da primeira-dama do País na época. Portanto, dá para se ter uma noção do gosto duvidoso. Ivana se vestia de maneira bastante extravagante. Não era à toa que ganhara a alcunha de *perua*.

Ivana vivera uma vida pobre em todos os sentidos. A mãe morrera quando ela tinha acabado de completar seis anos de idade. O pai disse que a mãe fora viajar para Campos do Jordão e nunca mais voltou.

Everaldo, um pai jovem e viúvo, teve de cuidar dela e de Leonilda. Ele não era muito chegado ao trabalho, todavia, quando Ivana completou dezesseis anos, um tio distante deixou de herança para Everaldo uma farmácia localizada num ponto nobre do centro da capital paulista. Tudo começou a mudar. Percebendo que o pai não tinha tino para os negócios, a esperta Ivana procurou pelo Dr. Homero, naquela época comerciante próspero e respeitado na cidade. Ele sempre dava uma passadinha na farmácia e enchia Everaldo de propostas. Homero tinha muito interesse em ficar com aquela farmácia. Comprando aquele ponto, ele poderia levar adiante seu plano de expansão de sua rede de farmácias. Ele já possuía três. Se conseguisse a da família de Ivana, seu plano tinha tudo para deslanchar.

Everaldo, mesmo não sabendo lidar com o negócio, não queria se desfazer da farmácia. Apesar de se mostrar desastrado nas finanças, obtinha lucro com o estabelecimento, e assim ele conseguia ter uma vida razoável. Isso bastava para ele.

Ivana queria mais: queria ser rica, muito rica, e sabia que, se as coisas caminhassem daquele jeito, o pai em poucos anos destruiria a única fonte de renda que tinham.

Ivana procurou Homero e bolaram um plano. Ela tentaria engravidar de Virgílio e dariam grande soma em dinheiro para Nair, suficiente para ela desaparecer de suas vidas. Dono de farmácia, Homero conhecia alguns medicamentos que eram capazes de causar sonolência, tirar a pessoa do ar por algumas horas.

Diante disso, Ivana procurou Virgílio e, sem que ele percebesse, ela colocou algumas gotas de um líquido na bebida do rapaz. Virgílio ficou meio grogue, passou a alucinar e, ainda apaixonado, viu em Ivana a imagem de Nair. Fizeram amor e Ivana engravidou. Everaldo foi obrigado a vender a farmácia, em troca de ter salva e imaculada a honra de sua filha. Ivana casou-se com Virgílio e Everaldo mudou-se com Leonilda para uma cidade do Espírito Santo, porque lá a vida era mais barata e dava para ele viver bem. O resto é história. Ivana casou-se e tornou-se rica e admirada. Os anos passaram e Ivana continuou cada vez mais rica e cada vez mais bela, mesmo vestindo-se de maneira extravagante, com roupas floridas, listradas, abusando das cores berrantes. E, por que não dizer, tornou-se uma mulher cada vez mais insuportável.

Ao lado de sua amiga Otília Amorim, Ivana estava particularmente de bom humor.

— Faz tempo que não a vejo assim, Ivana.

— Assim como?

— Feliz, sorridente. Confesso que me assusto quando você está feliz.

— Por quê?

— Parece estar tramando algo.

Ivana deu uma gargalhada.

— Imagine! Estou ótima. Afinal de contas, no fim do mês eu e Virgílio vamos nos separar.

— Já?

Ivana encarou a amiga com os olhos injetados de fúria.

— Quer acabar com minha felicidade?

— Não, eu...

— Vinte e cinco anos e você me diz “já”? Está louca?

— Tem razão.

— Aturei mais do que devia. Agora estamos quites.

— Virgílio vai se unir àquela antiga namorada. Acha que ele vai ser feliz ao lado dela?

Ivana deu de ombros.

— Não penso nisso.

— E por que teve aquele ataque violento de ciúmes?

— Não foi ataque de ciúmes.

— Mas você destruiu o carro de Virgílio e quase bateu nos dois!

— Eu sou esquentada, você me conhece bem. Eu posso ter todos os defeitos do mundo, mas nunca traí o Virgílio. Fazia parte do nosso pacto. Quando o vi conversando com aquela fulana, me deu muita raiva. Por que ele estava pulando a cerca? Isso poderia colocar em risco nosso acordo. Fiquei mais nervosa por temer ficar sem dinheiro do que por vê-lo com outra.

— Como assim?

— O pai de Virgílio fez com que assinássemos um belo acordo nupcial. Se nesses vinte e cinco anos nós nos separássemos, ou mesmo se um de nós mantivesse vida dupla, toda a nossa fortuna iria para nossos filhos.

— Bruno e Nicole ficariam com tudo?

— É. O boboca do Bruno e a viciada da Nicole. Eu não merecia passar por isso. Provavelmente meu filho iria torrar sua parte em caridade e Nicole iria comprar uma montanha de cocaína para cheirar até morrer.

Otília mordeu os lábios.

— Não fale assim. São seus filhos.

Ivana fez ar de mofa.

— Filhos uma ova! São duas sanguessugas, dois parasitas que me rodeiam. Na separação, tenho certeza de que Virgílio vai transferir boa parte de seus bens para Bruno e Nicole. Ele se preocupa demais com os filhos.

— É natural.

— Não é natural. É estranho. Nós fizemos esse dinheirão todo. A fortuna pertence a nós. Não me sinto obrigada a dar aos meus filhos, e ainda de mão beijada, tudo que amealhei nos últimos anos.

Otília mudou de assunto. Ivana estava falando num tom mais alto e logo iria gritar.

— Não sente ciúmes dele? — indagou, dando novo rumo à conversa.

— De Virgílio?

— É.

Ivana riu.

— Não. Casei-me por interesse, mais nada. Nunca o amei.

— Você tem um jeito bem interessante de viver a vida.

— O jeito Ivana de ser.

Otília deu uma risadinha.

— Está de olho em alguém?

— Sim. Estou.

Otília deu um tapinha no braço de Ivana.

— Eu bem que suspeitava. Quem é o seu alvo?

Ivana sorriu satisfeita e feliz.

— Sidnei.

— Seu ex-namoradinho de juventude?

— Sim, ele mesmo.

— Gosta dele tanto assim?

— Sinto carinho por ele. Como eu lhe disse tempos atrás, foi meu namorado, era apaixonado por mim. Mas Sidnei era um pé-rapado, não tinha onde cair morto. Eu o troquei por Virgílio. Nunca pensei que fosse ser dono de uma clínica e ficar rico.

— Tem tido contato com ele ultimamente?

— Não. Mas soube que Noeli saiu com ele algumas vezes. Parece que ele não é de se prender. Mas eu vou usar de todo o meu charme, fazer lembrar-se do tempo em que namorávamos.

Otília foi espontânea. Não quis de maneira alguma ferir os brios de Ivana.

— Noeli tem idade para ser nossa filha.

— E daí?

— Não percebe? Sidnei só gosta de mocinhas.

Foi o suficiente para acabar com a felicidade de Ivana. Seu cenho franziu tanto que a testa se enrugou por completo. Ela irritou-se sobremaneira. Mordeu os lábios com tanta força que logo sentiu o gosto amargo de sangue. Algo nada palatável.

— Nunca mais diga uma coisa dessas.
— Desculpe, Ivana, eu...
— Você é minha amiga ou não é?
— Sou sua amiga, sim. É que...
— Nem mas nem meio mas. Se for para falar besteira, melhor manter a boca fechada, entendido?

Otília assentiu com a cabeça. Tinha pavor de contrariar Ivana em público. Ela mudou logo de assunto.

— Veja — apontou.
— O quê?
— Aquela ali é Dolores.
— Que raio de Dolores?
— A cigana que faz leitura das mãos.

Ivana riu.

— O que vai fazer? Pedir uma consulta aqui no meio do *shopping?*
— Não, vamos conversar.
— Você disse que ela é embusteira.

Otília concordou, mas insistiu:

— Não custa nada. Você está interessada no Sidnei. Quem sabe?
— Pode ser.

Otília chamou e Dolores virou-se. Cumprimentaram-se e ela apresentou-lhe Ivana.

— Tem medo do futuro? — perguntou a falsa cigana.
— Por que teria medo do futuro? — indagou Ivana, num tom irônico. — Sou rica e bonita.

Dolores aproximou-se e, sem cerimônia, pegou na mão dela.

— Deixe-me ver sua linha do destino.

Ivana levantou-se e girou os olhos sob as órbitas. Aquilo era ridículo.

— Você vai viver muito.
— Sei.

Dolores espremeu os olhos e concentrou-se em outras linhas da mão de Ivana. De repente, seus olhos se arregalaram e ela soltou a mão, num rompante. Otília assustou-se.

— O que foi?

— Nada — respondeu Dolores, amedrontada.

— Como nada? O que você viu?

Dolores estugou o passo e afastou-se.

— Até mais. Estou com pressa, tchau.

Otília preocupou-se:

— Dolores deve ter visto algo terrível.

Ivana deu uma gargalhada.

— Terrível nada. Essa aí é uma tremenda farsante, isso sim.

Em seguida adentraram uma loja e esqueceram-se de Dolores.

Mas Dolores não se esqueceu da mão de Ivana. Ela era embusteira, fazia muito serviço sujo, comprometera-se com espíritos do astral inferior e um dia teria de arcar com as conseqüências de seus atos. No entanto, era dotada de mediunidade e, quando estava bem consigo mesma, sem pensar em dinheiro ou manipular as pessoas, de vez em quando previa o futuro. O que vira nas linhas da mão de Ivana era de assombrar qualquer ser humano.

Dolores fez o sinal da cruz.

— Ainda bem que não estou em sua pele — disse para si.

Capítulo 22

Inácio olhou-se no espelho e ajeitou a gravata. Aquela reunião era-lhe muito importante. Precisava ganhar o cliente. Embora fosse o engenheiro responsável do setor e não tivesse ligação com a área de *marketing*, ele tinha de passar boa impressão ao grupo estrangeiro. Se sua explanação dos produtos fosse bem-feita, talvez a Centax fosse incorporada ao grupo estrangeiro, o que faria com que Inácio ganhasse um punhado de ações, tornando-se sócio da empresa. Seria sua ascensão profissional, sonho que tanto almejara.

Ele penteou os cabelos e aspergiu um pouco de perfume sobre a mão. Delicadamente perfumou o pescoço e parte das orelhas. Em seguida, sentou-se à mesa para passar última vista no relatório que iria apresentar.

Enquanto isso, Teresa adentrou o escritório. Isabel abriu largo sorriso ao vê-la.

— Senhorita Teresa, como vai?

— Muito bem. E você, querida?

— Ótima. Procura pelo Dr. Inácio?

— Sim.

Isabel meneou a cabeça para os lados.

— Bom, ele tem uma reunião para daqui a pouco. Verei se

pode atendê-la. Sente-se — Isabel apontou para um sofazinho — e fique à vontade.

— Obrigada, querida.

Teresa ajeitou-se no sofazinho próximo à recepção. Numa mão segurava sua bolsa e na outra um embrulho, um pacote bem bonito. Nele estava o frasco de perfume anexado a uma foto sua, bem caprichada.

— A partir de hoje, esse homem vai gostar de mim. Só de mim — disse para si.

Isabel ligou para a sala de Inácio.

— Sim?

— A senhorita Teresa Aguilar está aqui.

Inácio sentiu ligeiro mal-estar. Teresa era sinônimo de confusão. Ela quase destruíra seu namoro. Ele fizera juramento para si mesmo e para Mariana: nunca mais lhe dirigiria a palavra. Ele foi ríspido:

— Não vou atendê-la.

— Mas, Dr. Inácio...

— Não quero falar com ela. Se insistir, chame a segurança. Eu não quero mais olhar na cara da Teresa.

— É... que...

Inácio irritou-se.

— Isabel, não insista.

— Sim, senhor.

A secretária desligou o telefone atônita. Não podia ser indelicada com Teresa. Ela era mulher tão bacana! Havia lhe dado uma blusinha de presente. Claro, ela teve de correr à loja e trocar por dois números maiores. Mas valera a intenção. Teresa merecia sua consideração. Inácio estava nervoso por conta da reunião com o grupo estrangeiro. Era isso. Isabel ia dar um jeito de dispensá-la com classe, sem lhe passar a contrariedade do patrão.

— Senhorita Teresa, por favor.

Teresa levantou-se e foi até sua mesa.

— Sim?

— O Dr. Inácio está se preparando para uma reunião importante e...

Teresa sabia que corria esse risco. Inácio e Mariana se acertaram e descobriram que ela havia aprontado com os dois. Não precisava falar com ele, mas precisava fazer o perfume chegar até ele, mais nada. Contaria com os préstimos de Isabel, que só faltava lamber-lhe os pés, tamanha a admiração que lhe nutria. O que uma simples blusinha era capaz de fazer...

Por isso Teresa interrompeu o discurso:

— Inácio deve estar bastante ocupado. Você pode fazer um favor para mim?

— Um favor?

— É.

— Claro. A senhorita é tão legal!

— Poderia lhe entregar esse embrulho?

— Pode deixar aqui, que eu entrego.

— Agora.

O tom na voz de Teresa soou implacável. Isabel nem hesitou. Levantou-se de pronto.

— Pode deixar. Vou levar agora mesmo.

Ela pegou o embrulho. Bateu na porta de Inácio e entrou. Teresa ficou olhando para a mesa de Isabel e seus olhos pousaram sobre um talão de cheques. Isabel fazia alguns pagamentos para a empresa. Teresa vibrou de emoção. Olhou para os lados e não viu ninguém por perto. Abaixou-se e pegou o talão. Ele estava praticamente cheio de folhas, quase sem uso ainda.

— Duas folhas de cheque não vão fazer falta.

Teresa pegou o talão e arrancou as duas últimas folhas. Aproveitou e pegou uma carta que Inácio acabara de assinar. Era útil ter a assinatura dele em mãos.

— Até a tonta descobrir que duas folhas foram arrancadas, eu já terei comprado minha passagem. Preciso viajar por uns tempos. Voltarei quando Inácio me ligar para vê-lo, cheio de amores.

Logo descansou o talão sobre a mesa, deixando-o do mesmo jeito que o encontrara.

Isabel entrou na sala de Inácio.

— Desculpe, mas a senhorita Teresa pediu-me para lhe entregar isto.

— O que é?

— Não sei. Só pediu para lhe entregar.

— Pode deixar aí na mesa.

Isabel colocou o embrulho no canto da mesa.

— E o que digo a ela?

— Que suma, que desapareça.

— Dr. Inácio, a senhorita Teresa é tão bacana... Não sei por que...

Inácio deu um murro na mesa.

— Basta!

Isabel assustou-se. Ele nunca a tratara daquele jeito.

— Ponha essa mulher para correr do escritório, ou coloco *você* no olho da rua.

— Sim, senhor.

Inácio pegou o embrulho e nem o abriu. Jogou direto na lata de lixo.

— Você não vai mais nos atrapalhar — disse ele, com firmeza e convicção.

Isabel saiu da sala e não sabia o que dizer para Teresa. Nem precisava. Ela havia ido embora.

— Ué? Será que ela ouviu alguma coisa?

Isabel procurou e olhou nos corredores. Nada. Ligou para a portaria e afirmaram que Teresa havia deixado o crachá no térreo.

— Caso ela volte a ligar, eu vou pedir desculpas. A senhorita Teresa é muito especial. Não merece ser tratada assim — disse para si, enquanto se sentava e voltava a preencher os cheques para fazer os pagamentos.

Virgílio andava de um lado para o outro da sala, impaciente.

— Se Nicole pegou esse dinheiro, está tudo acabado.

— Sossegue, tio — volveu Cininha, tentando acalmá-lo.

O telefone tocou e Bruno correu para atender. Era Nicole.

— Onde você está? Que susto você nos pregou!

— Quanta preocupação! Estou bem. Voltei da praia e estou na casa de uma amiga.

— Que amiga? — indagou Bruno, desconfiado.

— Estou na casa da Lurdes.

— Não conheço.

— É uma amiga dos Narcóticos Anônimos.
— Deixe-me falar com ela.
Nicole passou o telefone. Uma mulher falou:
— Oi.
— Quem fala?
— Lurdes. Sou amiga de sua irmã.
— Onde você mora?
— Na Bela Cintra.
Bruno estava bastante desconfiado.
— Me passe o endereço. Preciso ver minha irmã.
— Olhe — tornou a mulher —, nós vamos sair para lanchar. Depois eu deixo a Nicole em casa, tudo bem?
— Deixe-me falar com minha irmã.
— Está bem.
A mulher passou o telefone para Nicole.
— O que foi, Bruno?
— Estou preocupado com você.
— Estou ótima. Vou jantar com a Lurdes e antes da meia-noite estarei em casa.
— Precisamos conversar.
— Aconteceu alguma coisa?
Ele não sabia se perguntava ou não. Por fim arriscou:
— Antes de viajar, você mexeu no cofre de casa?
— Eu?! Impossível! Eu nem sei a combinação. Por quê? Alguém mexeu no cofre?
Ele não quis perturbá-la.
— Não. Papai está à procura de alguns documentos e não os encontra.
— Quando chegar em casa eu os ajudo a procurar.
— Está bem. Cuida-se, irmã.
— Um beijo. Dê um beijo no papai.
— Tchau.
Despediram-se. Virgílio estava ansioso:
— Aconteceu alguma coisa?
— Nicole está com uma amiga e disse que antes da meia-noite volta para casa. — Bruno tentou tranqüilizar o pai: — Ela não sabe nada do cofre.

— Ela está mentindo — afirmou Cininha.

Bruno olhou-a com estupor.

— Nicole pode ter passado por sérios problemas, mas é correta. Creio que você está sendo preconceituosa. Só porque ela teve contato com as drogas, vai carregar essa mancha pelo resto da vida? Ela merece uma segunda chance.

— Nicole está mentindo.

— E por que mentiria? — perguntou Virgílio, nervoso.

— A minha mediunidade não me engana — disse a jovem com convicção. — Nicole está querendo ganhar tempo.

— Isso não faz o menor sentido.

— Faz, sim, tio.

Virgílio coçou a cabeça.

— Preciso dar um voto de confiança à minha filha. Ela vai chegar até meia-noite. Você vai ver.

Cininha duvidou. Em seu íntimo, tinha certeza de que Nicole nunca mais colocaria os pés naquela casa. Nunca mais.

Nicole desligou o telefone do orelhão e sorriu, aliviada. Artur beijou-a nos lábios.

— Não falei que era uma barbada?

— Nunca pensei ser tão fácil. Eles acreditaram em mim — tornou Nicole, sorridente.

A mulher ao lado deles interveio:

— Fiz a minha parte. Falei as besteiras que vocês mandaram dizer. Agora me dê o dinheiro.

Artur tirou uma nota de cem dólares do bolso e entregou-a à mulher.

— Quando quiserem passar novo trote, me chamem. Por essa quantia eu até choro, se for preciso.

Eles se despediram dela, e, antes de atravessar a rua, Artur disse à mulher:

— Obrigado, Lurdes.

Ela irritou-se:

— Vão se catar! Meu nome é Célia, oras.

Os jovens riram animados.

— Nunca pensei que fosse tão fácil conseguir documentos falsificados em tão pouco tempo.

Artur abraçou-a forte:

— Por cinco mil dólares, não é nada difícil achar quem se corrompa.

— Precisamos ir. Nosso vôo parte às dez da noite.

Fizeram sinal para um táxi. Nicole beijou Artur nos lábios.

— Eu o adoro.

— Eu também a adoro. Mas, a partir de agora, meu nome é Celso. Não se esqueça.

Ela concordou com a cabeça.

— Está certo, Celso.

Entraram no táxi e Artur — agora Celso — ordenou:

— Vamos para o aeroporto.

— Congonhas? — perguntou o motorista.

Nicole deu uma risadinha safada.

— Não, vamos para o de Guarulhos. Viagem internacional.

— Lua-de-mel — ajuntou Artur.

Letícia, depois de meses de treinamento, deu-se muito bem em seu novo emprego. Aprendeu com rapidez a trabalhar com a máquina registradora. Fazia serviço de caixa e atendia os clientes. Sua simpatia era contagiante e, com isso, atraía mais clientes à loja. Ao constatar que o público da farmácia era composto na maioria de pessoas idosas que moravam nas redondezas, ela teve a idéia de fazer o serviço de entrega de medicamentos em domicílio.

Rogério acatou a idéia com entusiasmo Contrataram um motoqueiro, e a clientela não só aprovou a novidade como também passou a recomendar o serviço a parentes e amigos. O volume de negócios cresceu, e a farmácia despontou como a mais lucrativa da rede de Virgílio.

Por conta disso, Rogério ganhou participação e tornou-se sócio dessa farmácia em particular. O salário aumentou e ele pôde realizar dois sonhos. Um deles era o de comprar um apartamento para o pai. Ismael poderia continuar seu trabalho de motorista, mas precisava ter sua casa, seu cantinho.

— Não creio ser necessário, filho.

— Chega de morar na casa dos outros.

— Dona Ingrid é excelente patroa. O meu quarto tem banheiro e é bastante confortável. Ela trocou a mobília faz pouco tempo.

— Não. Você precisa morar na sua própria casa — enfatizou Rogério.

— Por quê?

— E quando vierem os netos? Eles vão querer ir à casa do avô. Vou levá-los aonde? No quintal da Dona Ingrid?

Ismael emocionou-se. Rogério fora filho fora do comum desde que nascera. Honesto, trabalhador, estudioso. Homem íntegro, filho prestimoso, coisa rara de se ver nos dias atuais. Ele abraçou o filho com amor.

— Eu tenho muito orgulho de você.

— Eu também tenho orgulho de você, pai. Devo o que sou ao senhor. Você foi meu estímulo, meu guia. Sempre me espelhei em você, na sua determinação, na sua integridade. Eu agradeço todos os dias por tê-lo ao meu lado.

Ismael estava prestes a cair no pranto. Controlou-se. Era homem das antigas, não gostava de expressar seus sentimentos mais íntimos.

— Você disse netos?

— É.

— Ainda é muito jovem.

— Jovem, apaixonado e feliz.

— Gosto muito da Letícia.

— Ela é a mulher da minha vida.

— Vai pedir a mão dela?

— Sim.

— Quando?

— Em breve. Dei entrada num apartamento.

— Mesmo?

— Comprei no meu nome e no de Letícia, mas ela nem sabe disso. Dona Nair é que me deu cópias de seus documentos. Vou fazer-lhe uma surpresa.

— Você a ama de verdade, não?

— Muito.

— E o apartamento, é bom?

— É espaçoso, confortável, três quartos, uma suíte. Perto da farmácia. E o apartamento que vou comprar para você é lá perto também. Ficaremos todos próximos.

— Obrigado.

Abraçaram-se novamente. Ismael sonhava ter netos. Torcia para que Rogério e Letícia tivessem muitas crianças.

O outro sonho de Rogério era o casamento. Estabilizado e com excelente rendimento, não via por que esperar para se casar. Tinha certeza de seu amor por Letícia. Estavam sempre juntos e não enjoavam da companhia um do outro. Muito pelo contrário. Ela sempre o ajudava a fechar as contas da farmácia. Depois iam até o prédio de Rogério. Ele tirava o carro da garagem e a levava para casa. Toda noite. Sem exceção.

Naquela noite, porém, ele mudou o trajeto. Depois que Letícia entrou no carro, eles deixaram a garagem do prédio e seguiram por alguns quarteirões. Rogério parou o veículo em frente a um terreno. Letícia não entendeu.

— O que foi? Acabou a gasolina?

— Não.

— Por que parou aqui?

— Vamos sair — ordenou ele.

Letícia atendeu e saiu do carro. Na calçada, sem jeito, ela esperou.

— Pronto, saí do carro. E agora?

— Olhe — ele apontou.

— Para onde?

— Para a frente.

Letícia riu.

— É um terreno. Grande, por sinal.

— Bem-vinda ao lar.

— Rogério, o que está dizendo? — Ela aproximou-se do namorado e cheirou seu hálito. — Pensei que tivesse bebido.

— Você vai morar aqui.

— Eu?

— É.

O jovem tirou uma pasta que estava sob o braço.

— Veja.

Letícia pegou o envelope. Abriu. Conforme lia, seus olhos começaram a marejar.

— Você está brincando comigo?

— Não — tornou ele, emocionado. — Acabei de comprar a nossa casa. Vai ser aqui. Daqui a dois anos.

— Isso quer dizer...

— Quer dizer...

— Vai, fala!

— É uma maneira diferente de pedir sua mão em casamento.

— Oh! — Letícia deu um gritinho abafado.

— Agora você não tem escapatória. O contrato está no nome de nós dois. Você vai ter de se casar comigo.

Letícia abraçou-se a ele.

— Eu o amo tanto!

— Eu também a amo muito, Letícia — tornou ele, voz rouca de emoção.

Beijaram-se e em seguida foram a um restaurante para comemorar. Tinham planos, muitos planos. Rogério e Letícia estavam apaixonados e muito, muito felizes.

Capítulo 23

Faltavam dez minutos para a meia-noite quando Ivana chegou em casa, atolada de sacolas de compras. Jogou as sacolas no chão e chamou por um dos empregados.

— Sim, senhora?

— Leve estas sacolas para o meu quarto, agora.

O empregado assentiu. Pegou as sacolas, fez incrível malabarismo e subiu. Ivana foi até a sala de estar. Estranhou ver Cininha, Bruno e Virgílio sentados. E a expressão que carregavam no semblante não era animadora.

— Algum problema?

— Nicole — respondeu Virgílio.

Ivana bateu a mão na cintura.

— Essa é a preocupação?

— Mamãe — tornou Bruno —, Nicole ficou de chegar em casa até meia-noite. Está quase no horário. Temo que ela não venha.

— Por quê?

— Sumiu dinheiro do cofre — declarou Virgílio.

Ivana não entendeu.

— O que foi que disse?

— O dinheiro que guardamos para emergências. Nossos dólares sumiram.

— Como sumiram?

Cininha levantou-se e aproximou-se de Ivana.

— Acreditamos que Nicole tenha pegado o dinheiro.

Ivana deu um grito histérico.

— Meu dinheiro! Aquela viciada pegou meu dinheiro!

Gritou e correu até o escritório. Em seguida ouviram barulho de quebra-quebra. Cininha assustou-se. Virgílio acalmou-a:

— Não se assuste. Sua tia está tendo um ataque de nervos.

— Está colocando o escritório abaixo — replicou Bruno.

— Ela é meio doida, não?

— Meio, não. É doida por inteiro — disse Virgílio. — Logo passa, e Ivana vai reclamar de enxaqueca e vai dormir por uns dois dias. Ela é assim.

— E não se preocupa com Nicole?

Bruno tocou em seu braço.

— Mamãe nunca se preocupou conosco.

— Mas Nicole pode estar correndo risco e...

Virgílio interrompeu-a:

— Eu sei, nós sabemos, e creio que Ivana também saiba. Mas ela não liga. Não quer saber de nada a não ser cuidar de si própria.

O badalo do relógio indicava ser meia-noite em ponto. Virgílio desesperou-se.

— Vamos para a delegacia.

Bruno assentiu com a cabeça. Ele telefonou para Michele e colocou-a a par da situação. Cininha apanhou sua bolsa e em seguida os três partiram rumo à delegacia mais próxima.

Michele desligou o telefone, apreensiva. Sentiu o peito oprimido. Daniel preparava-se para deitar. Ele tinha o hábito de passar no quarto da irmã para lhe desejar boa noite. Entrou e notou sua aflição.

— O que é que está acontecendo?

— Bruno me ligou. Nicole não aparece em casa faz mais de dois dias.

— Isso é mau.

— Também acho. Ele e seu Virgílio foram à delegacia.

— Será que Nicole teve nova recaída?

— Sim, Daniel. Receio que sim. Precisamos fazer uma corrente de orações. Você se incomodaria de ligar para Sílvia e pedir para que viesse ao nosso encontro?

— Mas passa da meia-noite!

— Precisamos orar. Sinto que Nicole vai cometer uma grande besteira.

Daniel pendeu a cabeça para cima e para baixo, concordando com a irmã. Ligou para Sílvia, e Ismael se prontificou a levá-la. Era tarde da noite, e Michele e Daniel moravam na periferia da cidade, próximos da farmácia popular.

Meia hora depois, Sílvia chegou à casa dos irmãos. Ismael os conduziu até o salão que utilizavam para atendimento e reuniões espirituais.

Michele convidou-o:

— Gostaria de participar?

Ismael sentiu-se constrangido:

— Sou católico, e...

— Não tem problema — asseverou Sílvia. — Precisamos orar, pedir aos amigos espirituais que dêem proteção a Nicole. Você reza à sua maneira. O que vale é a intenção.

— Está certo.

Os quatro adentraram o salão. Sentaram-se em volta de uma mesa oval e oraram por Nicole. Michele sentiu os pêlos do corpo eriçarem.

— Aqui se encontra um amigo espiritual de Nicole.

Todos a olharam com interesse. Ismael assustou-se. Michele procurou acalmá-lo, usando voz pausada e amorosa.

— Nada de mau vai nos acontecer, Ismael. Não vou "receber" nenhum espírito.

Ele sorriu sem graça.

— Você consegue captar alguma coisa? — indagou Daniel.

— Sim. Ele nos pede que fiquemos em oração. Nicole está viva e ainda está bem. Ele pede que oremos, porquanto os próximos meses serão bastante difíceis para Nicole e sua família.

Sílvia também sentiu o peito oprimir-se.

— Não vamos nos deixar levar pela emoção — tornou Michele, voz firme. — Nicole é dona de seu nariz e sabe o que faz. Não somos responsáveis por ela, tampouco podemos mudar o curso de seu destino. Só podemos orar e pedir que lhe aconteça o melhor.

Michele solicitou que todos se dessem as mãos. Ela rezou um pai-nosso e em seguida proferiu sentida prece em favor de Nicole.

Os dias que se seguiram foram de tremenda angústia para Virgílio e Bruno. Eles prestaram queixa na delegacia. Um investigador amigo de Virgílio descobriu na polícia federal que Nicole havia embarcado para Paris, acompanhada de um jovem cujo nome era Celso Oliveira.

— Não conheço nenhum Celso — replicou Virgílio.

— Não poderia ser um namorado?

— Não — assegurou Bruno —, ela namorava o Artur. Não sei quem possa ser esse Celso.

— Passamos os nomes à polícia internacional. Assim que tivermos novidades, eu os aviso.

Isso ocorrera dez dias atrás. A polícia internacional não conseguira localizar Nicole. E nem conseguiria. Tão logo desembarcaram na capital francesa, Nicole e Artur foram para a casa de um conhecido dele. Chegando lá, começou a transformação de ambos. Nicole cortou os cabelos, pintou-os de loiro, pagou por nova documentação falsa. Artur também mudou o visual e, munido de documentos igualmente falsos, na semana seguinte pegaram vôo com destino a Amsterdã.

A cidade era famosa pelos simpáticos canais que a cruzavam e desembocavam no rio Amstel e também porque o sexo e a droga, na Holanda, eram legalizados.

Nicole e Artur podiam comprar droga, qualquer tipo de droga, sem problemas, sem recriminações. Havia até uma praça na cidade onde os usuários de drogas podiam cheirar, fumar, injetar-se nas veias, sem ser incomodados. Com bastante dinheiro ainda na carteira, os jovens alugaram quarto num hotel modesto e consumiram todo tipo de droga. Para Nicole e Artur, aquilo, sim, era o paraíso.

Ivana acordou e ainda sentia as pontadas na cabeça. Não acreditava que a filha podia ter chegado ao ponto de roubá-la.

— Além de drogada, é ladra — disse para si.

Ela levantou-se, acendeu seu cigarro e desceu para o desjejum. Encontrou Cininha na copa.

— O que faz aqui?

— O almoço vai ser servido logo mais.

— Almoço?

— Já passa da uma.

Ivana fez muxoxo. Gritou para uma das empregadas.

— Quero café. Preto e forte.

— Sim, senhora.

— Agora! — bramiu Ivana.

A empregada correu até a cozinha, apavorada.

— Tomara que ela tenha um treco — disse a empregada a si mesma entre ranger de dentes. — Só porque sou empregada, ela tem de me tratar assim? Grossa, estúpida!

Ivana sentou-se à mesa. Apagou o cigarro e acendeu outro.

— Tia, como consegue fumar tanto assim, logo que acorda?

— Problema meu.

— Deve ser horrível fumar de estômago vazio.

— O estômago é meu.

Ivana não acordara de bom humor, para variar. Cininha mudou o tom.

— Faz quase um mês, e nem sinal da Nicole.

— Falar dela é que me embrulha o estômago.

— Tio Virgílio está bastante preocupado.

— Dane-se ele e sua preocupação. Nicole não bota mais os pés nesta casa.

— Por quê? Não pode lhe dar uma segunda chance?

Ivana alterou-se.

— Segunda chance?

— Ela pode voltar e...

— Ela não vai voltar. Eu torço para que nunca mais volte.

— Ela é sua filha.

— Ela é drogada, ladra e inútil. Nicole pode ser tudo, menos boa filha. Isso não se faz a uma mãe.

— Ela se desesperou, deve ter tido uma recaída.

— Cale a boca, Cininha. Você nunca morou aqui, não sabe o que foi agüentar anos e anos de drogas, vergonha, internações. Você não sabe da missa a metade. Nicole sempre foi um estorvo em nossas vidas.

— Mesmo assim, é sua responsabilidade de mãe e...

Ivana cortou-a abruptamente:

— Ela é adulta, dona de si.

— Entretanto, ao invés de pensar em si, não poderia pensar um tiquinho só na sua filha? Não sente remorso?

Ivana irritou-se sobremaneira. Não gostava de Leonilda e, por tabela, não gostava da sobrinha. Não tinha obrigação de ficar ouvindo desaforos dentro de sua própria casa. A menina era petulante e desagradável. Estava na hora de dar um basta.

Cininha percebeu a irritação estampada no rosto da tia e lembrou-se de que Bruno a alertara sobre a irritação da mãe. Mas ela não teve tempo de se proteger. Ivana saltou da mesa e jogou-se sobre seu corpo. Numa fúria incontrolável, Ivana bateu na menina com toda a força que tinha. Puxou-lhe os cabelos, arranhou-lhe as faces, deu-lhe tapas e murros. Cininha mal conseguiu se defender, fora pega de surpresa.

Os empregados ouviram os gritos e, apavorados, ligaram para Virgílio. Enquanto isso, duas empregadas fortes e robustas conseguiram afastar Ivana, que naquela altura estava sentada sobre o peito de Cininha, enchendo-lhe a cara de sopapos.

— Não agüento mais você! — vociferava. — Não agüento!

Cininha não conseguia articular som, estava cheia de dor e tomada de pavor. Ivana ajeitou os cabelos e acendeu novo cigarro.

— Eu não a quero mais aqui! Não quero!

Ela falou e subiu para seu quarto, como se nada tivesse acontecido. As empregadas levaram Cininha até a sala e deitaram-na no sofá.

— Ela está muito machucada — disse uma.

— O Dr. Virgílio ligou e disse que pediu ao Dr. Sidnei que viesse imediatamente para cá.

— Santo Deus! — exclamou outra. — Que ele chegue a tempo de salvá-la.

O almoço de domingo na casa de Ingrid era imperdível. Além dos filhos, vinham os namorados e amigos. Ingrid gostava dos jovens, sentia-se bem entre eles. Conversavam sobre todos os assuntos. Ingrid não sentia que diferença de idade fosse empecilho, muito ao contrário. Os jovens adoravam escutar suas histórias, ouvir falar de sua juventude. O único assunto do qual ela não conversava era seu casamento. Isso era assunto proibido na roda.

Daniel e Sílvia, e também Inácio e Mariana, sempre almoçavam juntos no domingo. Letícia almoçava com Nair e depois saía com Rogério e Ismael. Às vezes, no fim da tarde, os casais se reuniam e ficavam no salão de jogos, conversando, cantando, jogando cartas, tocando violão.

O almoço estava repleto de assuntos os mais variados.

— Descobriram o paradeiro de Nicole? — indagou Ingrid, interessada.

Daniel respondeu:

— Bruno me disse ontem que não há nenhuma pista. Nada.

— Será que ela... — Ingrid não quis concluir.

— Está morta? — perguntou Daniel.

Ingrid bateu três vezes sobre a mesa.

— Nem me fale uma coisa dessas.

— Michele garante que Nicole está viva. Temos nos reunido toda semana e fazemos oração. Emitimos vibrações positivas para ela.

— E o namorado? — indagou Sílvia.

— Isso é estranho — respondeu Daniel. — De acordo com o Bruno, a Nicole namorava um tal de Artur. E o cara desapareceu, sumiu do mundo.

— Engraçado — interveio Mariana —, esse nome me parece familiar.

— Conhece algum Artur?

— Pode ser coincidência. Mas eu tinha um vizinho, mais ou menos da nossa idade, que se chamava Artur.

— Chamava? — perguntou Sílvia.

— Sim, porque esse Artur mudou-se faz anos. Ele era um perigo. Um terror. Cometia pequenos furtos, andava com uma turma de maconheiros lá do bairro e depois sumiu. Faz anos que não o vejo.

— Artur é um nome comum — tornou Ingrid. — Não deve ser a mesma pessoa.

— É, talvez não seja.

— O que deu em seu namorado hoje, Mariana? — perguntou Ingrid, preocupada. — Inácio anda amuado, cabisbaixo...

Mariana havia notado o estado de prostração de Inácio. Ele estava sentado ao lado dela, mas não participara da conversa. Parecia alheio, distante. Mariana beliscou-o levemente.

— Ei, tem alguém aí?

— Hã?

— Está distante. Aconteceu alguma coisa?

Inácio ajeitou-se no sofá. Balançou a cabeça para os lados.

— São problemas lá na Centax.

— Algo desagradável? — perguntou Ingrid.

— Bastante, mãe.

— Pode nos dizer?

Ele exalou suspiro de contrariedade, mas precisava falar.

— Semana passada fui informado pelo nosso gerente financeiro de que uma quantia considerável de dinheiro foi sacada de uma das contas da Centax.

— Roubo? — perguntou Daniel.

— Aparentemente, sim. Percebemos tarde demais. E toda a culpa recaiu sobre minha secretária.

— Isabel? — perguntou Mariana, aturdida.

— Sim. Tive de demiti-la por justa causa. Ela era responsável pelos pagamentos do meu setor. E os saques em dinheiro no banco foram feitos com folhas do talão que Isabel usava.

— Isabel? Não posso acreditar!

— Eu também não acreditei. Sempre confiei nela.

— Ela assumiu o desfalque?

— Não. Jurou que não sacou.

— E há como provar?

— O gerente do banco, antes de ser demitido, apontou Isabel como a responsável pelo saque. Diante das evidências...

— Que situação delicada!

— A quantia não é tão grande assim. O caixa pagou o cheque porque o gerente vistou. Sabe como é, cheque ao portador, qualquer um pode sacar. Se não tivéssemos um bom controle financeiro, jamais descobriríamos.

— Isabel me parecia ser tão correta...

— A mim, também — disse Inácio, levantando-se. — Não quero mais falar de assuntos desagradáveis e de trabalho. Ainda é domingo. Vamos mudar de assunto?

Mariana disse animada:

— Estou tão feliz com o noivado de Letícia e Rogério!

— Eles formam lindo casal — declarou Ingrid.

— Serão muito felizes — anuiu Sílvia.

— E nós bem que poderíamos ficar noivos também. Ainda estamos no namoro — protestou Daniel.

— Tenho pensado em casamento — comentou Inácio. — Mariana e eu queremos muito nos casar.

Daniel interveio:

— Sua irmã está me levando na conversa. Não quer assumir compromisso sério comigo.

Sílvia deu-lhe um tapinha nos braços:

— Mentiroso! Você não quer casar porque acha que não pode me oferecer o mesmo padrão de vida que tenho.

— E não posso mesmo, ainda — considerou Daniel.

— Isso não importa, meu filho — ajuntou Ingrid. — Vocês são jovens e se amam. Você tem seu emprego e...

— Mas ganho pouco.

— Por enquanto. Logo vai ganhar mais. Podem começar uma vida mais comedida, mais simples. Sílvia não é dada a luxos. Você pode oferecer-lhe uma boa vida.

— Preciso comprar nosso apartamento. Depois, poderemos falar em casamento.

Sílvia fez beicinho.

— Vai demorar. Eu não quero namorar por tantos anos.

Ingrid levantou-se, saiu do salão e entrou em casa... Alguns minutos, depois voltou com um envelope nas mãos. Entregou-o a Daniel.

— O que é isso, Dona Ingrid?

— Seu passaporte para o casamento.

— Como?

Ela abaixou-se e pegou na mão dele.

— Daniel, você é homem muito bom. Ama sinceramente minha filha. E sei disso porque eu sei o que é amar. — Ingrid pigarreou, estava emocionada. — Sílvia veio a São Paulo completamente desiludida, triste e infeliz. Acreditava que nunca mais encontraria o amor. E quando você apareceu em sua vida tudo mudou. Sílvia voltou a ser como era antes: alegre, extrovertida, sempre sorridente. Arrumou trabalho, sua vida só melhorou desde que o conheceu. Eu lhe sou muito grata e, se eu puder contribuir para que continuem juntos e felizes, gostaria de dar-lhes este presente.

Daniel estava com os olhos marejados. Amava Sílvia com toda a intensidade do mundo. Pensava em casar-se, todavia queria comprar um imóvel. Não gostava de pagar aluguel; achava que estaria jogando dinheiro fora. Se queria constituir família, precisava ter um lar, uma casa que fosse sua e de Sílvia.

O rapaz abriu o envelope e mal conseguiu articular som. Abraçou-se a Ingrid e chorou, chorou muito.

Ingrid comprara um apartamento perto da clínica onde realizavam serviço social, de dois quartos, nada sofisticado, porém gracioso e suficiente para que sua filha e seu futuro genro pudessem começar seu ninho de amor.

Entre lágrimas, ele balbuciou:

— Meus pais morreram muito cedo, e eu e Michele batalhamos muito, lutamos sozinhos, tomamos conta um do outro. A vida que levamos nunca foi fácil. Vocês sabem — Daniel pigarreou — que, embora nosso país seja permeado pelo cruzamento de raças, sempre houve preconceito contra pessoas de pele negra. A escravidão acabou há anos, mas muitas pessoas na sociedade têm preconceito. Eu e minha irmã sofremos muito. Imaginem: ser preto e pobre no Brasil é passaporte para uma vida limitada e infeliz, sem perspectivas. Eu e minha irmã nunca acreditamos nisso. Foi muito difícil, mas estamos aqui, bem encaminhados na vida. Seguimos à risca os desejos de meus pais: que pudéssemos ter uma profissão, acreditar no nosso potencial, vencer o preconceito, constituir família.

— Por isso me orgulho de você — disse Ingrid. — Minha filha não poderia ter escolhido melhor partido.

— Obrigado, Dona Ingrid. Muito obrigado.

Enquanto Daniel e Sílvia eram parabenizados por Ingrid, Inácio e Mariana, dois espíritos envoltos numa luz cristalina sorriram felizes.

— Não falei, meu velho? Nossos filhos sempre nos deram muito orgulho.

— E nos darão mais orgulho, quando vierem nossos netos.

Eles beijaram a fronte de Daniel e desapareceram no ar. Daniel, naquele momento, lembrou-se de seus pais, e mentalmente mandou-lhes um beijo de saudade, misturado a agradecimento.

Capítulo 24

Virgílio andava de um lado para o outro da sala. O tempo passava, e nenhuma notícia de Nicole. Nada. Os papéis da separação haviam sido assinados e ele e Ivana estavam livres e desimpedidos.

Ele sonhara com esse momento por vinte e cinco anos, mas não sentia vontade de comemorar. Estava triste. O sumiço da filha preocupava-o sobremaneira. E se ela tivesse sido raptada? E se ela tivesse sido morta? Onde ela estava? Eram tantas perguntas martelando sua cabeça, que nas últimas semanas Virgílio dormia à base de tranqüilizantes.

O telefone tocou e ele correu a atender, na esperança de ser sua filha ou de receber notícias dela.

— Alô!

— Oi, Virgílio.

— Nair, é você?

— Sim.

Ele ameaçou chorar:

— Estou desesperado.

— Eu sei. Letícia convidou Bruno e Michele, e eles vieram lanchar outro dia aqui em casa. Conversei bastante com Bruno, e ele estava desolado. Falou-me que você está muito mal.

— Estou. E você ligou para mim? Aqui em casa? Isso me conforta.

— Bruno me informou que Ivana, depois da separação, saiu de casa.

— É verdade. Ela assinou os papéis num dia e, assim que os advogados depositaram gorda quantia de dinheiro em sua conta-corrente, ela se mudou. Foi morar num *flat*.

— Por isso arrisquei ligar. Você deve estar muito só.

— Estou. Não tenho notícias de Nicole, e isso me consome a cada dia que passa. É horrível. Não sei o que fazer.

— Que tal sair um pouco?

— Não. O telefone pode tocar.

— Você não pode ficar preso em casa.

— Enquanto eu não receber notícias de minha filha, não arredo pé.

Nair foi firme:

— Deixe de ser infantil, homem!

— É que...

Ela o interrompeu, de supetão:

— E sua sobrinha? Tem notícias dela?

— Cininha ainda está internada na clínica do Sidnei. Deve receber alta por esses dias. Fraturou uma costela, levou alguns pontos no supercílio. Mas se recupera e passa bem.

— Deveria visitá-la.

— Eu ligo para lá todos os dias.

— Vamos sair. Você precisa respirar ar puro. E sua sobrinha só tem a você.

— Mas...

— Sem mas. Vou tomar um táxi e irei até sua casa. Daí seguiremos até a clínica. Quero conhecer Cininha. Sua filha está nas mãos de Deus, mas sua sobrinha está sozinha no mundo e precisa de você.

Virgílio concordou meio a contragosto.

— Está certo. Eu a espero.

A surra que Ivana dera em Cininha machucou-a bastante. A jovem fraturou uma costela, teve escoriações pelo corpo todo, levou pontos nos lábios e no supercílio. No dia do incidente, Sidnei foi rápido e chegou a tempo de socorrê-la A menina perdeu a consciência e ele a levou para sua clínica.

Fazia pouco mais de um mês que Cininha estava internada. Recebia visitas de Bruno e Michele, assim como de Letícia, Rogério, Inácio, Daniel e Sílvia. Toda a trupe ia ao hospital, em dias alternados, fazer-lhe um pouco de companhia. Primeiro Bruno e Michele. Depois, sabendo do ocorrido, os amigos apiedaram-se dela. Afinal, Cininha mal chegara a São Paulo, e nem tivera tempo de travar amizades. E ainda apanhara feio da própria tia. Um absurdo.

Letícia e Sílvia iam com freqüência visitá-la. Michele ia todos os dias. E Mariana cuidava dela com zelo. Afinal, a moça, após concluir o curso de enfermagem, fora efetivada e fazia parte do corpo de funcionários da clínica. Mariana tornou-se uma das mais competentes e requisitadas enfermeiras da clínica de Sidnei. Os pacientes a adoravam.

Mariana afeiçoou-se a Cininha. Foi simpatia gratuita e imediata entre ambas. Travaram amizade, e logo Letícia, Sílvia e Michele formaram grupo unido, ao qual os namorados deram a alcunha de *Clube da Luluzinha*.

Entretanto, havia alguém que se afeiçoara a Cininha de maneira diferente, digamos assim. Sidnei a princípio condoeu-se com a brutalidade com que ela fora ferida. Pediu que Cininha desse queixa na delegacia, mas ela não queria saber de confusões com Ivana.

— Melhor deixar para lá — rebateu ela.

Sidnei impressionou-se com a candura da moça, com sua alegria, seu humor contagiante. Conforme Cininha se recuperava, mais voltava ao seu estado de espírito espevitado. Isso mexeu com Sidnei e, pouco antes de ela receber alta, ele estava completamente apaixonado por ela. Era algo novo, inusitado. Sidnei era homem de mais de cinqüenta anos. Começava a acreditar que não iria se envolver a sério com mulher alguma. Saía e se divertia. As mais velhas não lhe atraíam, e, as mais novas, ou eram fúteis, ou queriam se aproximar por conta de seu dinheiro. Cininha era diferente. Articulada, conversava sobre qualquer assunto, era animada, inteligente. E, para finalizar, era muito bonita. Tinha um corpinho que mexia com os homens.

Foi assim que Sidnei se descobriu apaixonado. Quando um funcionário da clínica fez comentário acerca dos atributos físicos de Cininha, Sidnei teve ciúmes, quase demitiu o rapaz e ficou bastante irritado. Consultou seu coração e descobriu estar apaixonado. Vislumbrou a chance de ser feliz.

Nair chegou à casa de Virgílio e de lá o motorista seguiu para a clínica de Sidnei. Chegando ao local, o amigo os recepcionou.

— Como ela está?

— Muito bem. Recuperação fantástica. Ela é jovem, forte, saudável. E é tratada como uma princesa. Todos na clínica estão de amores por ela.

Virgílio notou os olhos brilhantes do amigo. Sorriu pela primeira vez em muitos dias.

— Você está diferente.

— Eu? — indagou Sidnei, surpreso. — Diferente como?

— Você sabe do que estou falando.

Sidnei deu uma risadinha. Virgílio apresentou:

— Esta é Nair.

Sidnei arqueou o sobrolho.

— Você é a Nair! Fazia tempos que eu estava querendo conhecê-la. Virgílio me fala muito de você. Mas, espere um pouco... — Ele a olhou de cima a baixo. — Você não tem idade para ser mãe de Mariana. É muito jovem.

— Obrigada.

Virgílio interveio:

— Sem galanteios. Ela não pertence à sua faixa de caça.

Sidnei riu alto.

— Pode ficar sossegado, só estava tecendo um elogio.

Nair mudara muito sua aparência e jeito de ser nos últimos tempos. Mais forte e mais dona de si, reconquistara a dignidade com o trabalho. As costuras aumentaram sobremodo, e ela não dava mais conta do serviço sozinha. Teve de contratar uma garota da vizinhança para ajudá-la. Nair estava fazendo bom dinheiro. Com isso, passou a se cuidar mais. Depois de cair em depressão, por conta da morte de Otávio, não voltara a ganhar peso. O corpo estava em ótima forma. Passara a cortar os cabelos à moda e tingi-los numa tonalidade castanho-clara, que tornava seus olhos mais vivos e expressivos. A maquiagem e roupas da moda e de bom caimento enalteciam sua beleza e elegância. Ela merecia o elogio de Sidnei. Nair estava muito bonita, e muito bem consigo mesma.

Sidnei conduziu-os até o quarto. Ele as apresentou e Cininha e Nair se deram muito bem. Conversaram bastante, trocaram figurinhas, e Nair descobriu que Cininha havia feito curso de corte e costura em Vitória.

— Você tem trabalho?

Cininha riu.

— Quando pensava em procurar trabalho, levei esta surra.

— Aceita proposta?

— Qual seria?

— Trabalhar comigo. Eu tenho pequena oficina nos fundos da minha casa. Tudo muito simples. Mas dá um bom dinheiro.

— Oh, adoraria! — exclamou a jovem, animada.

— Você também poderia morar lá em casa.

— Isso não! — protestou Virgílio.

As duas olharam-no de esguelha. Virgílio não sabia o que responder. Talvez fosse melhor para Cininha. Ele não tinha cabeça para nada, e talvez Nair tivesse razão. E se Ivana voltasse à casa e encontrasse Cininha? Definitivamente, essa idéia não era nada agradável. E ele ainda não tinha condições de propor compromisso a Nair. Pensou que iria assinar os papéis da separação num dia e viver com ela no dia seguinte. Mas a ausência de notícias da filha deixava-o aturdido.

Cininha gostou da idéia.

— Se não for atrapalhar, adoraria. Não tenho para onde ir.

— Você não tem parentes, ou mesmo residência em Vitória? — indagou Nair.

— Não. Os parentes por lado de papai sempre foram distantes.

— E você não tem casa?

— Não. Quer dizer, eu tinha, mas precisei vendê-la para custear o tratamento de minha mãe. Nosso sobrado era pequeno, não valia muita coisa. Mamãe sofreu muito no final de sua vida, e eu não quis que ela se tratasse em hospital público.

— Você se desfez da casa para tentar salvar sua mãe? — perguntou Nair, emocionada.

— Não. Eu e mamãe sabíamos que seu fim estava próximo. Mas mamãe, quando adoeceu, exigiu dignidade. E morreu com dignidade, num quarto de hospital particular. Como desejava.

— Virgílio, essa menina vale ouro. Eu a quero como filha.

Cininha riu.

— Obrigada, Dona Nair.

Sidnei entrou no quarto.

— Você receberá alta depois de amanhã.

Cininha encarou-o nos olhos.

— Que pena!

Ele respondeu do mesmo jeito, encarando-a com amor.

— Que pena!

Teresa estava feliz da vida. Conseguira sacar uma boa quantia no banco. Fez excelente falsificação no cheque e, depois de uma noitada boa e uma pequena quantia em dinheiro dada ao gerente do banco responsável pela conta da Centax, ela viu que não teria problemas em descontar os dois cheques.

Sacado o dinheiro no banco, ela comprou uma passagem só de ida para Miami. O restante, equivalente a pouco mais de cinco mil dólares, seria o suficiente para recomeçar sua vida longe de todos seus desafetos e, principalmente, longe de Tonhão.

Teresa comprou um lindo vestido e nem fez as malas. Pegou sua bolsa Louis Vuitton, os dólares, a passagem — de primeira classe, naturalmente —, o passaporte e os óculos escuros. Rumou para o aeroporto. Precisava sair logo do País. Quando estivesse em Miami, eles descobririam o desfalque no banco. Provavelmente o gerente seria demitido por ter avalizado e autorizado o saque, e Isabel levaria a culpa. E pagou mesmo. Isabel e o gerente não se bicavam muito. Na hora da acareação na delegacia, um trocou desaforo com o outro, não se chegou a um único culpado e ambos foram demitidos de seus respectivos empregos.

Teresa não se importava. Queria era salvar sua pele, e os outros que se danassem. Pensando na desgraça alheia, ela apresentou o passaporte e a passagem no guichê da companhia aérea. Tudo acertado e, em poucas horas, Teresa estava confortavelmente instalada na primeira classe de vôo, sem escala, para Miami.

Seriam oito horas de sonhos e regalias. Era a primeira vez que viajava de primeira classe. Teresa passou a mão pelo assento — bem maior que o da classe econômica —, sentiu o cheiro de riqueza no ar. A aeromoça serviu-lhe champanhe em seguida. Ela pegou a taça e, ao aproximá-la do rosto, a espuma fez-lhe cócegas no nariz. Teresa sorriu. Um cavalheiro ao seu lado ofereceu-lhe um lenço.

— Obrigada.

— Não há de quê.

— Adoro viajar a Miami de primeira classe. Não é um luxo para poucos?

O cavalheiro sorriu.

— Para bem poucos. — Ele fez uma pausa e perguntou: — Escute, você viaja sozinha?

— Sim.

— Alguém a espera em Miami?

— Não. Estou só.

— Não acredito!

— Por que o espanto?

— Você tem alguém? Namorado, marido?

— Não. Sou solteira. — Ela piscou para o homem. — Livre e desimpedida.

— Não pode ser verdade!

— Pode acreditar.

— Uma mulher linda, como você, não pode estar sozinha. Fizeram-lhe feitiço, só pode ser.

Teresa bebericou seu champanhe. Passou maliciosamente a língua pelos lábios.

— Os homens são tolos e fúteis. — Ela fez voz infantil: — Tive uma decepção amorosa e por isso estou viajando. Quero esquecer e espairecer.

— Oh, pobrezinha... Se eu puder confortá-la.

Ela estendeu a mão:

— Prazer. Teresa Aguilar.

— O prazer é todo meu. Guilherme Moura.

— O que você faz?

— Trabalho com gado.

— Gado?

— É. Tenho fazendas espalhadas por Mato Grosso e crio gado. Vou a Miami para assinar contratos de fornecimento de carne.

Teresa arregalou os olhos. Guilherme era homem bonito. Maduro, quarenta e cinco anos, os cabelos curtos e levemente prateados lhe conferiam aspecto interessante. Tinha o rosto quadrado, másculo, bem viril. Algumas perfurações nas faces indicavam que ele tivera acne ou muitas espinhas na adolescência. Essas marcas aumentavam mais seu charme, conferiam-lhe ar meio cafajeste. Era alto, forte, e tinha uma mão bem grande.

— Você é casado?

— Divorciado.

— Tem filhos?

— Sou estéril. Meus filhos são os meus bois.

Teresa fez beicinho:

— Que bonitinho, Gui.

O homem arregalou os olhos:

— Como disse?

— Ah, desculpe. É que lhe chamei por um apelido, um gesto carinhoso. Desculpe, sou extremamente romântica — mentiu.

Ele envaideceu-se.

— Pode me chamar do que quiser. Nunca ninguém me chamou com tanto carinho e tanta doçura. Pode me chamar de Gui.

Ela encostou-se nele, e foi essa melação a viagem toda. *Gui* para cá, *Gui* para lá, beijinhos, abraços e amassos. Só não chegaram a ter mais intimidade por respeito aos passageiros ao redor.

Quando chegaram a Miami, Guilherme convidou Teresa para hospedar-se em sua casa. Era uma mansão em Fort Lauderdale, bairro nobre da cidade. Teresa não acreditou. Parecia estar vivendo um sonho. E estava mesmo.

Capítulo 25

Após longos e infindáveis seis meses, Nicole deu notícias. Mandou uma carta ao pai e uma foto. Dizia estar bem e que estava aproveitando bastante a vida na Europa. Logo estaria de volta, porquanto os dólares estavam acabando.

A carta fora postada de Paris. Virgílio telefonou para um amigo investigador ligado à Interpol — Organização Internacional de Polícia Criminal.

Com sede em Lyon, na França, a Interpol é uma organização internacional que coopera com polícias de diferentes países. Entretanto, ela não se envolve na investigação de crimes que não envolvam países-membros ou crimes políticos, religiosos e raciais. Trata-se de uma central de informações para que as polícias de todo o mundo possam trabalhar integradas no combate ao crime internacional, ao tráfico de drogas e aos contrabandos em geral.

O amigo ficou de investigar e dar-lhe notícias. Tudo em vão. Eles vasculharam e nenhuma pista do paradeiro de Nicole.

Era muito estranho. E era mesmo, porquanto ela escrevera a carta em Amsterdã e mandara ser postada na França por uma conhecida sua.

Na verdade, Nicole estava quase sem dinheiro, e ela já devia a alguns *dealers* — nome dado aos fornecedores de drogas — e pretendia voltar para casa. Faria novo tratamento de desintoxicação e fugiria de novo para a Europa, com mais dinheiro. Era assim que ela traçava seu futuro. Todavia, Nicole e Artur estavam tendo caso tórrido de amor com a heroína*.

A heroína é uma das drogas mais agressivas e nocivas de que se tem notícia. Essa droga causa dependência química e psíquica imediata. Quando líquida e injetada na veia, o indivíduo perde completamente a noção da realidade. E as sensações iniciais são de euforia, prazer e conforto, seguidas de forte depressão. Daí o fato de o usuário querer injetar-se doses cada vez mais altas para repetir o efeito de euforia.

Artur estava completamente dependente da droga. O corpo estava perfurado, todo arroxeado. Os calafrios eram constantes. Nem ele nem Nicole conseguiam ter controle sobre seus estômagos e intestinos. As dores abdominais tornaram-se cada vez mais insuportáveis.

O quarto em que viviam se transformara num lugar fétido e pútrido, extremamente malcheiroso, por conta das diarréias e vômitos constantes.

Os efeitos colaterais neles eram cada vez mais gritantes. Artur apresentava delírios constantes e suas válvulas cardíacas estavam inflamando cada vez mais. Nicole começava a apresentar quadro de cegueira agudo. Ambos estavam prestes a entrar em coma.

Everaldo entrou em desespero:

— Eles vão desencarnar, Consuelo!

— Fizemos todo o possível, você bem sabe. Mas eles não captaram nossas idéias, não quiseram nos ouvir. Eles têm livre-arbítrio. Nicole e Artur são responsáveis por tudo que lhes acontece. Devemos orar bastante para que, após o desencarne, tenhamos permissão de resgatar seus espíritos, antes de serem arremessados no *Vale dos Drogados*.

---

*A heroína é uma variação da morfina, que por sua vez é uma variação do ópio, obtido de uma planta chamada papoula. A droga é encontrada no estado sólido. Para ser consumida, ela é aquecida normalmente com o auxílio de uma colher, na qual a droga se transforma em líquido e fica pronta para ser injetada diretamente na veia, a forma mais comum de sua aplicação no Ocidente. (N.A.)

— Preciso fazer com que ela melhore.

— Impossível. O corpo físico de ambos está completamente debilitado, não há como salvá-los. Nicole começa a ficar cega e Artur vai entrar em coma, não vai demorar muito.

— O que podemos fazer?

— Orar, meu amigo.

— Eu falhei, Consuelo. Como guia, eu fui um fracasso.

Ela o abraçou carinhosamente.

— Você fez o melhor que pôde. Acompanhou seus passos, sussurrou-lhes palavras de estímulo e força. Nicole captou bem suas idéias quando estava em tratamento. Foi às reuniões dos Narcóticos Anônimos porque você lhe sugeriu. Ela escolheu outro caminho.

— Por que tanta dor?

— O sofrimento às vezes se faz necessário. Ele nos faz crescer e nos tornar mais fortes. Esta encarnação tem sido muito proveitosa para Nicole. Nada está perdido. Tudo é experiência e aprendizado. Afinal, temos muitas vidas pela frente.

— Você tem razão — tornou ele, triste.

— Poderia dar um beijo nela?

— Mande-o daqui. Nicole e Artur estão rodeados de espíritos que sugam suas energias para sentir o prazer da droga, como quando estavam encarnados.

— Mas são um bando de abutres. Assim vão matá-los.

— Não — finalizou Consuelo, entristecida. — Eles já estão se matando.

Virgílio tentou esconder de si mesmo a verdade. No fundo sentia que sua filha não estava bem. Algo lhe dizia claramente isso. Entretanto, apegou-se à foto e à cartinha. Embarcou na ilusão a fim de continuar a viver, levar sua vida e ter esperança de que logo Nicole estivesse de volta. Ele consultou o relógio.

"Nair me espera para o almoço", pensou.

Entrou no carro e foi para a casa dela. Lá chegando, encontrou Salete quase à porta.

— O senhor vem muito aqui.

— Sou amigo da Nair.

— Sei bem que tipo de amigo... — desdenhou ela.

— A senhora não tem mais o que fazer?

— Perdão?

— Não tem casa para cuidar, marido para preparar almoço, filho para educar?

Salete ia responder, mas ficou sem ação. Virgílio falou e entrou na casa de Nair sem lhe dar mais atenção. Fora curto e grosso. Ela ficou parada lá fora, encostada na mureta.

Ela não tinha ninguém. Salete era uma mulher triste e solitária. Ainda era-lhe duro aceitar a morte do marido. Quer dizer, a morte ela aceitara, mas a maneira como ele morrera — Aids — era demais para seu orgulho. Salete morria de vergonha só de pensar.

Sorte sua que alguns vizinhos que souberam da doença do falecido haviam mudado faz tempo e os outros que ficaram não mais tocavam no assunto. A cabeça de Salete era preconceituosa; a dos vizinhos, não. E havia seu filho. Seu único filho. Já fazia muito tempo que não lhe dava notícias.

Ela suspirou e foi se arrastando até sua casa.

— Ah, Artur! A mamãe tem tanta saudade de você... Espero que esteja bem e que volte logo para mim.

Virgílio entrou e sentiu o cheiro gostoso de comida fresquinha, feita na hora.

— Hum, que delícia! — murmurou ele.

Nair enxugou a mão no avental e deu-lhe um beijo.

— Está com a cara boa. O que foi?

— Novidades.

Antes, porém, ele considerou:

— Muito intrometida essa sua vizinha da frente, não?

Nair riu.

— Qual delas?

— Não sei. Uma fortona, que está sempre na rua, observando o mundo todo.

— É a Salete — confirmou Nair. — Antes eu implicava com ela. Achava um absurdo ela querer tomar conta da vida de todos nós aqui da redondeza. Salete não passa de mulher carente, solitária, sem brilho, sem vida.

— Ela não tem família?

— Ela perdeu o marido há alguns anos e o filho foi trabalhar no Pantanal, se não me engano. Não voltou mais.

— Ela tem outros filhos?

— Não. Só tem o Artur.

— Artur?

— Sim. Você nem imagina — disparou Nair. — O menino deu trabalho para a pobre da Salete. Cresceu rodeado de cuidados. Salete não desgrudava do pé dele, ficava em cima, controlando seus passos, seus amigos, sua vida. Quando o marido morreu, foi uma tortura. O menino tornou-se adolescente rebelde, passou a praticar pequenos furtos na vizinhança e se envolveu com tóxico.

Virgílio fez sinal com as mãos.

— Nem me fale em tóxico. Já basta minha cota de sofrimento com Nicole. E, estranha coincidência, Nicole tinha um namorado chamado Artur, e ele era viciado também. Você nunca mais o viu?

— Quem?

— Esse menino, Artur.

— Não — respondeu Nair. — Quando completou dezoito anos ele prestou concurso e foi trabalhar para um jornal, tirar umas fotos. Foi o que Salete me disse.

— Então não é o mesmo que Nicole namorou. O namorado de minha filha sempre morou aqui.

— Definitivamente não é o mesmo.

— Recebi carta de Nicole.

Nair exultou.

— Mesmo?

— Sim.

— E como ela está?

— Aparentemente está bem. Mandou até uma foto. Veja como ela está ótima.

Virgílio pôs a mão por dentro do paletó e tirou o envelope. Entregou-o a Nair. Ela viu a foto e considerou:

— Como ela está bonita! Está bem, alegre.

Cininha, no quarto ao lado, terminou um bordado e fez pausa para o almoço. Entrou na sala e cumprimentou o tio:

— Que bom vê-lo! Estava com saudade!

Ele a abraçou e a beijou no rosto.

— Eu também estava com saudade. Como está?

— Cada vez melhor.

Cininha estava morando com Nair, e a experiência estava sendo bem agradável. Cininha era falante, bem-humorada. Em pouco tempo havia se curado da surra e abraçou o serviço de corte e costura. Ia até a Rua 25 de Março, comprava aviamentos, fazia moldes. Estava se realizando no trabalho. O entusiasmo de Cininha contagiou a freguesia, e o negócio foi prosperando cada vez mais.

Nair interveio na conversa:

— Ela está cada vez melhor. Recebe visitas constantes do médico.

Virgílio brincou.

— Sidnei não larga do seu pé, hein, menina?

— Não larga mesmo. Estou feliz.

— Ele tem idade para ser seu pai.

Cininha pôs a mão na cintura.

— Que horror! Sidnei tem idade para ser meu companheiro, isso sim.

— Não adianta — ponderou Nair. — Cininha está apaixonada pelo Sidnei. Creio que nada possamos fazer para impedir que isso termine em casamento.

— Vocês estão se vendo com freqüência?

— Sim.

Virgílio bateu a mão na cabeça:

— Fiquei tanto tempo preocupado com Nicole! E nem vi que você estava sendo assediada por um marmanjão.

— Tio! — protestou Cininha.

Nair ajuntou:

— Virgílio está feliz porque recebeu notícias de Nicole.

— Recebeu?

— Sim — respondeu ele, satisfeito. — Uma carta e uma foto.

Antes de Cininha pedir, Virgílio pegou o envelope sobre a mesa e entregou-o à sobrinha. Cininha leu a carta e em seguida viu a foto.

— Viu como ela está bem? — indagou Virgílio. — Você dizendo que ela não anda bem, que precisa de oração, etc. E Nicole anda sorridente e feliz, passeando pela Europa.

Nair declarou:

— Com trinta mil dólares, até eu passaria uma temporada na Europa.

— Isso é passado. Dinheiro eu recupero. Se esse valor fez minha filha feliz e a afastou das drogas, ainda foi pouco.

— Mesmo assim, pegar uma quantia de dinheiro dessas e sumir?

— Quando Nicole voltar, conversaremos. Ela precisa de meu carinho e meu amor, e não de punição.

Cininha empalideceu. Ao olhar aquela foto, teve certeza de que os sonhos que tinha eram encontros com Nicole. Seu espírito se desprendia do corpo físico e ela ia ao encontro da prima, guiada por Everaldo e Consuelo. Juntos, eles ministravam um passe, tentavam revigorar o sistema físico de Nicole, em irreversível estado de deterioração. O dela e o de Artur. Sabia que eles estavam muito mal.

Cininha ficou inspecionando a foto, atenta a todos os detalhes. Examinando a marca d'água impressa no verso da foto, ela notou algo esquisito. Olhou, olhou.

— Tio.

— Sim?

— Reparou bem na foto?

— Sim. Veja como Nicole está bem.

— *Nesta* foto — enfatizou — ela está muito bem.

— Então não temos com que nos preocupar e você — encostou o dedos na cabeça de Cininha — pode deixar de dizer que anda preocupada com sua prima. Está tudo bem.

Cininha meneou a cabeça para os lados, desolada.

— Desculpe, tio, mas esta foto foi tirada há mais de um ano.

— Não. Você é que está enganada. Esta foto estava anexada à carta que Nicole enviou para mim. Foi colocada no correio semana passada.

Cininha apontou para trás da foto. Era quase imperceptível, mas estava lá. A data indicava que a foto fora tirada há mais de um ano.

Teresa viveu vida de rainha em Miami. Por três meses morou no luxo, comprou vestidos de grifes famosas, perfumes, jóias. Guilherme não media esforços para agradá-la. Ela parecia viver no sétimo céu. Se fosse sonho, não queria acordar, de jeito nenhum.

Guilherme tencionava oficializar a união e queria fazer discreta cerimônia em outro país. Ela implicava:

— Não, Gui, vamos nos casar aqui em Miami. Adoro a Flórida. Você pode convidar seus amigos, e faremos uma grande festa.

— Não. Quero algo só para você e para mim. Só nós dois. Quero que você seja a minha rainha. Eu sou seu súdito e quero agradá-la para todo o sempre.

Teresa adorava ouvir os galanteios do noivo.

— Ai, Gui, você não existe! É o homem que eu pedi a Deus. Confesso que nunca sonhei encontrar a felicidade neste mundo. E você me mostra que é possível ser feliz. Eu o amo.

Beijou-o longamente nos lábios.

— Eu tenho uma surpresa para você — disse ele.

— O que é?

— Adivinhe...

Teresa fez beicinho:

— Não faço idéia, Gui.

Guilherme tirou uma chave do bolso da calça e entregou-a a Teresa.

— Quando voltarmos de viagem, você terá seu próprio carro.

— Você comprou?

— *Mustang* conversível e vermelho, como você queria. Está na garagem.

Ela mal podia acreditar. Saiu dando pulinhos e gritinhos de felicidade pela casa até chegar à garagem. Não pôde acreditar no que viu.

O carro estava envolto por um enorme plástico transparente enlaçado por gigantesca fita vermelha.

— Que este carro lhe traga muita sorte.

— Gui, você não existe.

Ela entregou-se a ele ali mesmo na garagem. Amaram-se até seus corpos se cansarem. Depois do ato, Guilherme acendeu um cigarro e, entre uma baforada e outra, tornou:

Capítulo 28

Assediada diariamente por repórteres, Salete comeu o pão que o diabo amassou. Quando a imprensa descobriu o verdadeiro nome do namorado de Nicole, bandos de jornalistas correram até sua rua, como moscas no mel, à cata de informações, para saber como era a vida do rapaz, quando ele entrou no mundo do vício. Outro repórter, totalmente insensível, esmiuçou a vida de Salete e descobriu que o marido morrera em conseqüência da Aids. Isso intensificava ainda mais o drama de Artur.

A imprensa especulava, e escreviam-se as maiores atrocidades possíveis sobre Salete e o filho. Diziam que o menino havia fugido de casa porque descobrira que o pai era aidético; que o pai contraíra o vírus da Aids porque era viciado em drogas e usara agulha contaminada; que Salete nunca fora boa esposa e boa mãe, etc., etc.

Salete queria sumir do mapa. A morte do marido a entristecera, mas perder Artur foi um golpe muito duro. Ela nunca imaginara a possibilidade de perder o filho. Isso ia contra as regras da natureza em que ela acreditava.

Ela não era benquista na vizinhança, porquanto se intrometia na vida de todo mundo. Era fofoqueira e agora sentia na pele o que era invadir e comentar a vida dos outros. Sua vida estava sendo exposta nos jornais, nos programas de televisão. Estavam explorando cada momento trágico de sua vida, sem dó nem piedade. Se Creusa estivesse viva, estaria ao seu lado. Mas, depois que sua amiga morreu num acidente de ônibus, Salete ficou só. Completamente só.

Os vizinhos que não a suportavam passaram abertamente a hostilizá-la. Houve até quem atravessasse a calçada para não passar pela sua porta. Diziam ser um lar amaldiçoado.

Nair trabalhava bastante e não dava atenção aos fuxicos e comentários maledicentes que os vizinhos faziam. Mas, como o caso de Artur se confundia com o de Nicole, ela se sensibilizou e foi procurar a vizinha.

Salete não quis receber visita. Fechou-se em sua casa, em sua dor, em seu mundo triste e despedaçado.

Alguns meses depois, Nair chamou o padre Alberto e foram à casa dela. Salete não quis abrir a porta de imediato. Ao reconhecer pelo olho mágico que Nair estava acompanhada do padre, ela se sentiu envergonhada, abriu a porta e os convidou a entrar.

Eles se sentaram e aguardaram que Salete fizesse o mesmo. Salete era mulher de estatura baixa, cabelos curtos e prateados. Andava sempre de vestido comprido, de mangas curtas e botões nas costas e uma blusa por cima. Era fortona, rechonchuda. Mas a realidade lhes mostrava outra pessoa: uma mulher pálida, olhos inexpressivos, muitos quilos mais magra e a pele do rosto toda enrugada. Salete era uma sombra da mulher que fora. Estava profundamente abalada e debilitada.

— Meu mundo acabou, padre.

— Não pense assim, minha amiga. Isso não é o fim. Você está viva.

— Fui escorraçada, invadiram minha privacidade — ela encarou Nair nos olhos e se envergonhou.

— O que passou passou — interveio Nair. — Não estou aqui para tirar satisfações, não quero nada. Estou aqui porque me preocupo com você.

— Sério?

— Claro. Você está sozinha, não tem parentes, não tem ninguém.

— Pensei que meus vizinhos fossem meus amigos, mas todos viraram a cara para mim. Tem até gente que morre de medo de passar na minha porta. Dizem que sou agourenta. Se ao menos pudesse contar com a Creusa, mas ela não está aqui para me dar força.

— Mas eu estou — declarou Nair. — Sei que você não foi muito simpática nestes anos todos.

Salete baixou os olhos e mirou o chão. Estava sinceramente arrependida.

Nair prosseguiu:

— Não estou aqui para julgar suas atitudes. O sofrimento que vivencia é para que se liberte dos seus enganos.

— Deus me castigou. Tive uma língua ferina. Destruí a vida de muita gente. O marido da Norma a deixou porque eu fui fofocar. Enchi a cabeça dele de minhocas.

Padre Alberto interveio, amoroso:

— Deus não castiga ninguém, Salete. Compreenda que isso não é verdade.

— Como não?

— Deus dispõe os fatos para que cada um de nós colha daquilo que plantou. Ele não se vinga, tampouco se compraz do sofrimento humano.

— Deus não tem compaixão por mim.

— Tem por você e por todos. Sua compaixão se estende sempre, dosando a colheita de cada um de acordo com o que precisa aprender. Não existe punição, somente aprendizagem, nada mais. Cada um de nós precisa aprender a evoluir sem dor. Minha amiga — ele a tocou delicadamente no braço —, a fé só vem pela experiência. Quando isso acontece, muda nosso comportamento e nossa visão do mundo, das coisas, e, por conseguinte, afeta todas as nossas decisões. Percebemos então os valores espirituais, e nesse ponto temos condições de ensinar.

— Eu não tenho o que ensinar. Fui péssima esposa e péssima mãe.

— De nada vai adiantar se punir. A culpa só maltrata e nos põe para baixo, limitando nossa capacidade de reagir. E também nada vai trazer seu marido ou seu filho de volta. Salete, uma criança que aprende os valores espirituais jamais vai se transformar num marginal, porquanto na infância o espírito está mais sensível e influenciável.

— Quem me dera soubesse disso antes. Talvez as coisas fossem diferentes.

— Se você não pôde passar esses valores para Artur, poderá começar por si própria ou mesmo pelas crianças.

— Crianças? Que crianças?

— Da paróquia. Dar a elas um pouco de sua atenção, de seu carinho, de seu amor. Você pode fazer isso por elas. O resto, confie e entregue nas mãos de Deus.

Salete deixou que as lágrimas lhe escorressem livremente pelas faces. Padre Alberto levantou-se e abraçou-a. Nair, emocionada, limpou as lágrimas, levantou-se e disse:

— Vou até a cozinha fazer um chá de cidreira. Creio que fará bem a todos nós.

Michele e Bruno casaram-se e mudaram-se para a periferia. Ambos estavam com bastante trabalho e não desejavam enfrentar o trânsito pesado e caótico da cidade todos os dias para ir e vir do serviço. Decidiram por uma casa térrea, grande, confortável, com uma bela varanda na frente e espaçoso quintal atrás, onde fizeram uma churrasqueira e geralmente nos fins de semana convidavam os amigos para um almoço, regado a carnes, saladas, pratos de maionese, cerveja, refrigerante, descontração e muita conversa fiada.

Daniel e Sílvia compareciam sempre que possível. Eles moravam não muito distante de lá, num pequeno porém gracioso apartamento com que Ingrid os havia presenteado. As farmácias de Bruno prosperaram e os atendimentos no salão dos fundos foram divididos em núcleos. Michele viu-se livre das interferências da prefeitura e dispensaram ajuda da Centax. Agora eram eles que ajudavam a empresa, enviando jovens estudantes que desejavam trabalhar.

Ela e o irmão somaram forças e logo compraram bom terreno e construíram excelente clínica de serviço social à população. Outros amigos e profissionais se afiliaram, e a clínica cresceu e colaborou bastante para o progresso daquela região e de seus moradores. A clínica possuía três andares. No terceiro, Michele fez uma espécie de salão voltado para oração e estudos espirituais. Três vezes por semana abriam as portas para quem precisasse, ministrando passes, proferindo palestras edificantes, desvendando de maneira simples os mistérios da vida espiritual.

Cininha e Sidnei se casaram e ela continuou trabalhando com Nair. O negócio prosperou, a clientela aumentou e, confiantes e decididas, compraram um galpão e iniciaram a confecção.

Virgílio compreendeu e aceitou não ser responsável pela morte da filha e, livre do remorso, foi morar com Nair. Ele sugeriu que se mudassem do pequeno sobrado e fossem para outro bairro. Virgílio comprou belo apartamento perto do Parque da Aclimação. Todas as manhãs eles faziam caminhadas pelo parque, tomavam uma água de coco. Depois voltavam para casa e ele ia para seu escritório e Nair para a confecção. Dois anos após a assinatura de seu divórcio com Ivana, Virgílio pôde oficializar a união com Nair. Ele e ela fizeram uma pequena reunião no apartamento em que estavam morando. Os presentes eram os filhos deles, somente. Mais ninguém. Queriam uma reunião íntima e discreta.

Bruno e Michele estavam radiantes. Ela estava grávida de cinco meses. Letícia também estava grávida. E insistiu para que Ismael fosse morar com ela e Rogério. De que adiantaria viver sozinho num apartamento, se ele não queria saber de casar? Preferiam ter Ismael por perto. Ela e Rogério trabalhavam bastante, e seria formidável contarem com a ajuda do avô na criação do filho.

Virgílio suspirou feliz. Logo seu apartamento estaria repleto de crianças, correndo para lá e para cá, fazendo estripulias.

Mariana não queria saber de filhos, por ora. Fazia especialização. Queria estudar mais um pouco e talvez mais para a frente pensasse em filhos. Sidnei a promoveu, e agora ela era a enfermeira-chefe responsável pela clínica. Mariana mostrou-se profissional bastante competente.

Após a oficialização da união e terminado o almoço, Nair reuniu todos na sala e tornou:

— Precisamos conversar. Está na hora de contar sobre o real motivo de meu afastamento de Virgílio, décadas atrás.

Os jovens acomodaram-se em cadeiras. Letícia e Michele deitaram-se num sofá. A gravidez não permitia que ficassem sentadas. A barriga estava atrapalhando.

Nair começou:

— Como todos sabem, eu e Virgílio fomos apaixonados e não nos casamos por conta da interferência de sua família. O Dr. Homero e Ivana me procuraram e pediram que eu me afastasse da vida de Virgílio.

O silêncio se fez enorme. Estavam todos interessados e ansiosos. Nair prosseguiu:

— Eu era pobre e estava grávida.

Virgílio encarou-a com estupor.

— Grávida?

— Sim, eu fiquei grávida de você, depois daquele final de semana que passamos na Ilha Porchat, em São Vicente.

Virgílio fechou os olhos e sua memória foi até aquele longínquo fim de semana. Fora memorável, inesquecível. Tinha sido o melhor e último fim de semana que passaram juntos. Ele abriu os olhos, e uma lágrima escorreu-lhe pelo canto do olho. Estava aturdido.

— Se ficou grávida, então Mariana é minha filha?

Mariana olhou para a mãe, incrédula, suplicando uma resposta negativa. Nair meneou a cabeça para os lados:

— De forma alguma. Mariana e Letícia são filhas de Otávio.

— Então...

Nair pousou a mão na boca do marido.

— Quando seu pai me procurou, eu não sabia que estava grávida. Ele me ofereceu um bom dinheiro e Ivana me ameaçou. Fiquei com medo, não tinha a quem recorrer. Peguei o dinheiro e comprei o sobrado no Carrão. Um mês depois, eu conheci Otávio. Contei-lhe que tinha herdado o sobrado e disse-lhe que, se ele estivesse disposto a um compromisso sério, poderíamos nos casar. Otávio sofrera forte desilusão amorosa e eu estava emocionalmente fragilizada também.

Virgílio interveio:

— Se soubesse que estava grávida, eu teria mudado tudo. Talvez ficássemos juntos.

— Como eu disse, no começo eu também não sabia estar grávida. No dia em que Otávio pediu a minha mão, saímos para comemorar e eu senti leve enjôo. Na manhã seguinte, fui a um médico no centro da cidade e ele confirmou a gravidez. Fiquei aturdida. Não havia tido relações com Otávio e com homem nenhum. Eu havia sido somente sua — ela pousou os olhos marejados sobre os do marido — e tinha certeza de que o filho era nosso. Saí do consultório trêmula, as pernas bambas, muito tensa. Não sabia que rumo tomar. Estava aflita. Afinal, como contar a Otávio?

— Devia ter falado comigo — insistiu Virgílio.

— Eu não quis procurá-lo. Ivana me perseguia, e eu, acuada, resolvi não o procurar mais. Afinal, havia recebido dinheiro e aceitara me afastar de você.

Nair respirou fundo e prosseguiu:

— Seja como for, logo em seguida houve o acidente.

— Acidente?

— Sim. Fui atropelada e socorrida. Dei entrada no hospital e não tive fraturas, somente escoriações pelo corpo. Mas perdi nosso filho — ela apertou a mão de Virgílio.

Suas filhas não contiveram o pranto. Virgílio a abraçou.

— E você escondeu isso por todos estes anos? Por quê?

— Não havia necessidade de contar nada a ninguém. Por que deveria contar esse triste episódio às minhas filhas? Elas não fizeram parte dessa etapa de minha vida. Quando me casei com Otávio, esqueci de tudo e recomecei. Pensei que nunca mais fosse encontrar você.

— É uma grande mulher, Nair. Por isso eu a amo tanto.

— E tem outra coisa.

— O que é?

— Seu pai.

— Nunca vai perdoá-lo, certo?

Nair reconsiderou:

— Por muitos anos tive raiva de Homero.

Letícia e Mariana se entreolharam, estupefatas. Lembraram-se de que alguns anos atrás Rogério lhes falara que tinha sonhado com aquele homem. Encararam Rogério, e ele sorriu.

Nair prosseguiu:

— Pensei muito e concluí: por que jogar a culpa sobre as costas dele? E se eu não tivesse aceitado o trato e tivesse enfrentado Ivana? Podia ter escolhido encarar tudo e todos e correr até você, explicar-lhe a situação. Tomada de medo e insegura, recuei. Por muitos anos eu não quis pensar no assunto. Entretanto, Otávio morreu, minha vida mudou, eu o reencontrei. Você passou por transformações dolorosas. Nicole morreu, Ivana está presa a uma cama de hospital pelo resto da vida. A experiência e maturidade me ensinaram a perdoar. Portanto eu perdoei seu pai e, o que é melhor, perdoei a mim mesma. Talvez esse tenha sido meu grande mérito.

— Perdoar-se é um ato divino e só fortalece o espírito — ajuntou Michele, voz entrecortada pela emoção.

Os jovens parabenizaram Nair pela coragem de se abrir e contar sobre suas fraquezas, seus medos, sua vida. Ela era exemplo de mulher a ser seguido. Perdera o marido, ficara sozinha no mundo, mas dera a volta por cima. Suas filhas estavam bem encaminhadas, casadas e felizes. Ela era uma empresária de sucesso, ganhava seu próprio dinheiro e não dependia de ninguém. Reencontrar seu único e verdadeiro amor, nesta altura de sua vida, mostrava-a claramente que podia ter nova chance de ser feliz. Por que não perdoaria Homero? Não queria mais ficar presa ao passado, não queria mais responsabilizar ninguém pelas suas desgraças. Aprendera a tomar posse de si e queria seguir adiante. Nair perdoou Homero do fundo de seu coração.

Homero ouvia tudo e não conseguiu evitar o pranto. Esperou muito, mas valeu a pena, pois finalmente recebeu o perdão de Nair. Sentiu que ela estava sendo sincera. Sua consciência não mais o acusava, e ele estava livre da culpa que se infligira anos a fio. Marta acariciou seu rosto.

— Está na hora. Dê um beijo em Nair e Virgílio. Estão juntos porque você deu uma forcinha.

— É verdade.

— Agora vamos seguir nosso caminho. Não suportava mais esperá-lo. Estava com muita saudade.

Marta pegou-o pela mão, e, após se despedirem dos presentes, os dois espíritos desapareceram do ambiente. Homero sentia-se agora livre para continuar sua jornada evolutiva ao lado da mulher que sempre amara.

Virgílio estava profundamente emocionado.

— Por Deus, você perdeu um filho meu?

— Sim.

— Perdi dois filhos, então — as lágrimas corriam insopitáveis. — Como pude?

— Não se sinta culpado. Eu também errei, aceitando o dinheiro de seu pai. Por outro lado, foi por conta dele que pude dar um teto para minhas filhas. Creio que estamos quites.

— Você poderia ter um filho meu! Um filho nosso!

— Ainda há tempo — tornou Rogério.

— Imagine! Não tenho idade.

— Mamãe! — protestou Mariana. — Hoje em dia muitas mulheres engravidam na casa dos quarenta. Você ainda pode ser mãe.

— Eu vou ser é avó. Como posso pensar em ser mãe? — indagou, rindo.

Virgílio afirmou:

— Adoraria ser pai novamente.

— Por quê? — indagou Nair, surpresa.

— Gostaria de fazer tudo que não fiz pelos meus dois, quer dizer, três filhos: amar, criar, educar, ouvir as primeiras palavras, contar histórias de ninar, participar das festinhas na escola, ensinar os valores espirituais. Seria um pai participativo.

— Podemos pensar no caso.

— Agora.

Nair bateu na mão de Virgílio:

— Virgílio! Olhe as crianças aí na frente. Perdeu a compostura?

Caíram todos numa grande gargalhada.

Capítulo 29

Ivana ficara presa à cama de um hospital. Não voltara do coma, suas funções cerebrais haviam sofrido graves lesões. Ela não falava, e mal reconhecia as pessoas à sua volta. Virgílio e Bruno iam visitá-la, mas ela não os percebia no ambiente.

Depois de meses, Sidnei transferiu-a para sua clínica. Deu-lhe um quarto particular, bem aparelhado e monitorado. Mariana e outras enfermeiras cuidavam de Ivana.

O trabalho não era fácil. Deitada e imóvel, as enfermeiras precisavam virá-la de um lado para o outro a fim de evitar a formação de escara, um tipo de crosta resultante da morte de tecido, devido ao fato de o paciente permanecer muitas horas na mesma posição. A cada par de horas dobravam o corpo de Ivana, ora de um lado, ora de outro, ora de costas. Davam-lhe banho duas vezes ao dia. Com o tempo, Ivana foi emagrecendo e seu corpo tornou-se uma sombra do que fora um dia.

Seu espírito ficava adormecido, a alguns palmos de seu corpo físico. O perispírito sofrera lesões e também estava com órgãos comprometidos. Levaria bastante tempo para se regenerarem do trauma. Às vezes seu corpo era assaltado por estremecimentos, e Ivana suava frio. Tinha pesadelos de toda sorte. Sonhava com Nicole, Bruno, Virgílio e até Nair. Às vezes os via nitidamente em seus sonhos; de outras tantas, eles apareciam com outros rostos, outras vestes, como se estivessem em outras épocas.

Otília ia toda semana visitar a amiga enferma. Ficava lá ao seu lado, contava-lhe histórias, fazia de conta que Ivana estava bem e podia ouvi-la. Se Ivana registrava ou não, isso não tinha importância. Pelo menos, as tardes com Otília a deixavam longe dos pesadelos e das memórias de sua mente conturbada.

Eram suas memórias de vidas passadas que se confundiam com o presente, numa confusão mental, e levaria muitos anos para que Ivana pudesse atingir um nível de lucidez satisfatório e pudesse receber melhor ajuda no mundo espiritual.

Consuelo estava sempre presente. Dava-lhe passes, procurava ministrar-lhe energias revigorantes e, quando os pesadelos se tornavam insuportáveis, ela ajudava Ivana a se libertar deles e entrar em estado profundo de letargia, às vezes por dias.

Nicole progredira bastante no posto e logo foi encaminhada a uma colônia espiritual. Foi morar com Everaldo. Entre os cuidados dispensados à sua amada e cursos e serviços prestados, de vez em quando ele vinha à Terra e visitava a pobre Ivana.

Numa dessas visitas ele encontrou Consuelo no quarto, terminando de ministrar-lhe um passe.

— Atrapalho?

— De forma alguma — respondeu Consuelo.

— Como ela está?

— Sobrevivendo. Seu corpo físico foi bastante afetado e seu perispírito também. Ivana está presa às recordações do passado misturadas às do presente. Com as lesões cerebrais, não consegue distinguir o passado do presente.

— Ela vai ficar assim por muito tempo?

— Sim. Enquanto seu corpo físico resistir, ela vai ficar presa nessa cama. É melhor para ela. O coma vai lhe servir como uma trégua, um repouso. Quando desencarnar, estará mais serena, menos irritada e agressiva.

— Você tem muita afeição por ela, não?

Consuelo sorriu.

— Gosto muito de Ivana. Estamos ligadas há muitas vidas.

— Não me diga! — admirou-se Everaldo.

— Sim. E minha ligação com Ivana, por incrível que pareça, sempre foi permeada pelos laços do amor. Infelizmente, nesta vida atual, tive de deixá-la mais cedo. Fazia parte do nosso plano de encarnação.

— Quer dizer que...

— Sim, Everaldo. Eu fui mãe de Ivana. Desencarnei quando ela tinha apenas seis anos de idade.

— Eu sei disso. A mãe de Ivana morreu tísica, tuberculosa.

— Quando adoeci, no final da década de 1940, fui levada a Campos do Jordão. Fui tratada no Hospital Sanatorinhos. Eu tinha duas filhas pequenas e não queria aceitar a doença. Mesmo tendo recebido atendimento de qualidade e carinho dos médicos e enfermeiros, sucumbi à doença e desencarnei.

— Fechou mais um ciclo de existência terrena.

— Sim, mas fiquei tão grata ao hospital, que no astral estudei bastante e me especializei em enfermagem. Trabalhei em vários postos de socorro, fui voluntária de muitos hospitais na crosta terrestre. Agora divido meu trabalho entre cuidar de recém-desencarnados e Ivana. Agora tenho condições de poder ficar próxima de minha filha.

— Não é fácil ver nossos entes queridos doentes e não poder fazer-lhes nada.

— Ivana poderia evitar o derrame, a doença, se acreditasse ser forte e fosse dotada de atitudes sadias. O corpo de carne é uma máquina perfeita, contudo quem comanda o corpo é o espírito. Assim, quando temos atitudes que nos desequilibram, ele reage e provoca sintomas a fim de nos mostrar que não estamos fazendo o melhor que podemos. Minha filha maltratou seu corpo físico, encheu-o de substâncias tóxicas, não se alimentou direito, não fez exercícios, não tratou da mente nem do espírito. O resultado não poderia ser outro. Foi por isso que ela e Nicole encarnaram juntas. O padrão destrutivo de suas mentes é semelhante.

— Nicole fez o mesmo com seu corpo e agora carrega marcas no perispírito. Somente uma nova encarnação irá ajudá-la a reconstituir alguns órgãos lesados.

— Ela está bem?

— Sim. Conseguiu livrar-se da compulsão pelas drogas. O fato de ter lesado os órgãos da visão mudaram-na completamente. Ela procura se reequilibrar e se adequar a essa nova realidade.

— Espero que ela tenha uma nova chance.

— Ela não vai nascer cega, mas terá sérios problemas visuais. Eles ocuparão bastante tempo de sua nova jornada e vão ajudá-la a ficar distante das drogas.

— Conversou com os espíritos superiores?

Everaldo sorriu.

— Sim. Eles estão elaborando nova etapa de vida na Terra para Nicole. E o melhor de tudo é que recebi sinal verde para vir junto.

Consuelo abraçou-o.

— Fico muito feliz que vai voltar.

— Aprendi que preciso estar ao lado de Nicole. Estamos numa época na Terra em que os valores estão sofrendo profundas mudanças. Quando ela me conhecer, não vai se sentir constrangida em namorar um rapaz três ou quatro anos mais moço que ela.

— Ela vai primeiro?

— Sim. — Everaldo pigarreou. — Gostaria muito que você estivesse comigo quando ela renascesse em novo corpo físico.

— Mas será um grande prazer. Estarei ao seu lado, pode acreditar.

— Obrigado. Você é, de fato, um espírito iluminado.

Epílogo

Mariana acabara de finalizar uma pesquisa para anexar à sua tese de doutorado. Andava cansada havia dias, com inchaço nas pernas, um cansaço sem igual.

Inácio, deitado na cama, ordenou:

— Dá para desligar esse computador e vir se deitar?

— Já vou, querido.

— Você não pode ficar muito tempo sentada com esse barrigão. O médico ordenou que repousasse bastante.

— Precisava terminar esta pesquisa. Depois que o bebê nascer, eu vou defender minha tese. Devo deixar tudo em ordem.

— Falou e disse: *depois* que nosso bebê nascer. Agora venha, desligue esse computador e deite-se. É uma ordem.

Mariana riu alto. Deixou as folhas sobre a escrivaninha, desligou o computador no escritório contíguo e voltou para o quarto. Deitou-se na cama. Ajeitou-se como pôde, afinal era-lhe difícil ficar numa posição confortável.

— Ligue a televisão, amor.

Inácio resmungou, sorridente:

— Mania de assistir televisão no quarto...

— Ah, é tão bom! Fico aqui agarradinha ao seu lado, embaixo deste edredom, bem quentinha, e aproveito para saber as notícias do mundo.

— Mas já não fica ligada no computador o tempo todo?

Ela pousou a mão em sua boca:

— Fico montando minha tese, mais nada. Não tenho tempo para navegar pela Internet. Por essa razão, quero assistir ao noticiário noturno.

— Só você mesmo!

Inácio apertou o controle remoto e ligou o aparelho. Foi mudando os canais e, quando passou pela estação que transmitia o noticiário noturno, Mariana pediu:

— Deixe aí. Adoro esse jornal. E o apresentador é bem bonito.

Inácio fingiu ciúmes:

— Alto lá. E eu?

Mariana apertou sua bochecha.

— Você é o meu gatinho, meu marido, meu tudo! O apresentador é só um amor platônico, um caso sem conseqüências.

Os dois riram juntos. As notícias foram variadas. Assuntos de toda natureza. Desde a chance de reeleição do presidente Fernando Henrique Cardoso até o triste desfecho da Copa do Mundo na França, quando a seleção brasileira, infelizmente, perdera o título.

Mariana se divertia e acompanhava todas as notícias com avidez. Adorava estar atualizada. De repente, seus olhos ficaram estáticos. Por um instante ela ficou sem ação. Depois, cutucou Inácio.

Ele estava quase adormecendo e acordou assustado.

— O que foi? O bebê?

— Não. Assista à reportagem.

— Não gosto de jornal na televisão.

— Assista isso! — insistiu ela, sacudindo-o com força.

Inácio abriu os olhos e, meio a contragosto, prestou atenção ao repórter. Em seguida ele sentiu um frio no estômago quando viu aquela foto estampada na tela da TV. Era ela. Mais velha e acabada, mas era ela. A reportagem era a seguinte:

— A carioca Teresa Aguilar, 29 anos, foi condenada à morte por fuzilamento pela Justiça da Indonésia.

Mariana levou a mão à boca para evitar o estupor. O repórter, enviado especial da emissora para fazer a cobertura do caso, prosseguiu:

— Teresa Aguilar é acusada de tráfico internacional de drogas, em julgamento realizado na tarde de ontem pela Corte Provincial de Tangerang, em Jacarta. Teresa foi presa há cinco anos, no aeroporto de Jacarta, acusada de transportar três quilos de cocaína escondidos em suas malas. Na ocasião, ela disse ter sido usada por um grupo de traficantes cariocas. Sem testemunhas a seu favor, foi condenada.

O repórter prosseguiu, enquanto imagens de Teresa, após o julgamento, apareciam no vídeo.

— Maior país muçulmano do mundo, a Indonésia combate com severidade o tráfico de drogas. A pena máxima é o fuzilamento. Teresa Aguilar teve duas chances para tentar rever o julgamento, recorrendo em duas instâncias, processo que durou três anos. Sem sucesso, ela apelou à Corte Superior. Em último caso, ela formalizou pedido de clemência ao governo indonésio, que lhe foi negado nesta semana. A extradição da brasileira não é possível porque a Indonésia não figura na lista de países com os quais o Brasil mantém acordo de transferência de presos. A embaixada do Brasil na Indonésia confirmou que não pode interferir na jurisdição do país, informando que há, inclusive, um aviso no aeroporto alertando estrangeiros sobre o rigor da justiça local com o narcotráfico.

Mariana estava estupefata:

— Meu Deus, o que Teresa foi aprontar?

— Não sei, meu bem, mas ela se meteu numa grande enrascada.

— Que Deus tenha misericórdia dela.

Mariana levantou-se e foi tomar um pouco de água. Condoeu-se pelo triste fim de Teresa. Ela meneou a cabeça para os lados, incrédula.

O telefone tocou e ela foi arrancada de seus pensamentos.

— Alô?

— Mariana?

— Sim.

— Virgílio.

— O que foi?

— Mariana, não sei o que fazer. Estou tão nervoso!

— Calma, o que aconteceu?

— Sua mãe...

Ele não conseguia articular palavra. Estava muito exaltado.

— A bolsa de Nair estourou e...

— Coloque-a no carro e vá para a maternidade. Eu e Inácio vamos em seguida. Consegue fazer isso?

— Consigo.

— Já nos encontramos.

Mariana pousou o fone no gancho e chamou o marido.

— Inácio!

— Sim.

— A bolsa de minha mãe estourou. Precisamos ir já para a maternidade.

Ele foi correndo até a cozinha e gritou, feliz:

— Ganhei!

— Como foi?

— Ganhei a aposta. Virgílio vai ter de nos levar ao Fasano. Eu disse que o filho dele e de Nair nasceria primeiro.

— Bobo! — disse ela, rindo. — Apanhe minha bolsa. Vamos descer.

Consuelo, como prometido, acompanhou Everaldo até a maternidade. Chegaram no exato instante em que o médico dava uma palmadinha no bebê e seu choro ecoava forte pela sala de parto. Virgílio chorava emocionado e pegou sua filhinha, frágil, mas linda e rechonchuda. Encostou sua cabecinha próximo ao rosto de Nair.

— Não disse que íamos ter uma menina?

Ela respondeu, entre lágrimas:

— Você acertou. E, como ganhou a aposta, o nome dela será Nicole.

Virgílio beijou a filhinha com amor.

— Eu vou ser o melhor pai do mundo. Eu juro. Você vai ver.

Consuelo apertou a mão de Everaldo.

— Que linda menina!

— Linda, minha Nicole vai ser sempre linda — tornou emocionado. — Claro que daqui a um ano seus olhinhos vão lhe dar um pouco de trabalho. Mas a ciência e os médicos, aliados à sua força de vencer, vão ajudá-la a superar sua deficiência. E não se esqueça de que vou aparecer na sua vida quando ela achar que perdeu todas as esperanças de melhora.

— Vai ser médico?

— Seguirei a profissão de meu pai.

Consuelo sorriu.

— Sidnei e Cininha concordaram em ser seus pais?

— Sim.

— Vai especializar-se em Oftalmologia?

— É o que pretendo.

— Desejo-lhe toda a sorte do mundo. Se porventura eu ainda estiver do lado de cá, irei visitá-los amiúde. Eu os estimo muito.

— Obrigado, Consuelo, por tudo que fez por mim e por Nicole. Que Deus a abençoe.

— Que Deus nos abençoe a todos.

Os dois espíritos beijaram o bebezinho e desejaram-lhe sorte na nova jornada. Depois, cada qual voltou às suas atividades. Consuelo retornou ao quarto de Ivana e Everaldo dirigiu-se para sua colônia, feliz e radiante. No caminho, enquanto se entretinha e admirava o brilho das estrelas, ele teve plena certeza de que a vida sempre torna possível, a cada um de nós, uma nova chance de ser feliz.

Fim

Sucessos de ZIBIA GASPARETTO

Crônicas e romances mediúnicos.
Mais de seis milhões de exemplares vendidos.
Há mais de dez anos Zibia Gasparetto vem se mantendo na lista dos mais vendidos, sendo reconhecida como uma das autoras nacionais que mais vende livros.

Crônicas: Silveira Sampaio

- PARE DE SOFRER
- O MUNDO EM QUE EU VIVO
- BATE-PAPO COM O ALÉM

Crônicas: Zibia Gasparetto

- CONVERSANDO CONTIGO!

Autores diversos

- PEDAÇOS DO COTIDIANO
- VOLTAS QUE A VIDA DÁ

Romances: Lucius

- O AMOR VENCEU
- O AMOR VENCEU *(em edição ilustrada)*
- O MORRO DAS ILUSÕES
- ENTRE O AMOR E A GUERRA
- O MATUTO
- O FIO DO DESTINO
- LAÇOS ETERNOS
- ESPINHOS DO TEMPO
- ESMERALDA
- QUANDO A VIDA ESCOLHE
- SOMOS TODOS INOCENTES
- PELAS PORTAS DO CORAÇÃO
- A VERDADE DE CADA UM
- SEM MEDO DE VIVER
- O ADVOGADO DE DEUS
- QUANDO CHEGA A HORA
- NINGUÉM É DE NINGUÉM
- QUANDO É PRECISO VOLTAR
- TUDO TEM SEU PREÇO
- TUDO VALEU A PENA
- UM AMOR DE VERDADE
- NADA É POR ACASO

Sucessos de LUIZ ANTONIO GASPARETTO

Estes livros irão mudar sua vida!
Dentro de uma visão espiritualista moderna, estes livros irão ensiná-lo a produzir um padrão de vida superior ao que você tem, atraindo prosperidade, paz interior e aprendendo acima de tudo como é fácil ser feliz.

- ATITUDE
- FAÇA DAR CERTO
- SE LIGUE EM VOCÊ *(adulto)*
- SE LIGUE EM VOCÊ - nº1 *(infantil)*
- SE LIGUE EM VOCÊ - nº 2 *(infantil)*
- SE LIGUE EM VOCÊ - nº 3 *(infantil)*
- A VAIDADE DA LOLITA *(infantil)*
- ESSENCIAL *(livro de bolso com frases para auto-ajuda)*
- GASPARETTO *(biografia mediúnica)*

- PROSPERIDADE PROFISSIONAL
- CONSERTO PARA UMA ALMA SÓ *(poesias metafísicas)*
- PARA VIVER SEM SOFRER

- CALUNGA - "Um dedinho de prosa"
- CALUNGA - Tudo pelo melhor
- CALUNGA - Fique com a luz...

- série AMPLITUDE:

1- Você está onde se põe

2- Você é seu carro

3- A vida lhe trata como você se trata

4- A coragem de se ver

OUTROS AUTORES

Conheça nossos lançamentos que oferecem a você as chaves para abrir as portas do sucesso, em todas as fases de sua vida.

LOUSANNE DE LUCCA:
- ALFABETIZAÇÃO AFETIVA

MARIA APARECIDA MARTINS:
- PRIMEIRA LIÇÃO - "Uma cartilha metafísica"
- CONEXÃO - "Uma nova visão da mediunidade"
- MEDIUNIDADE e AUTO-ESTIMA

VALCAPELLI:
- AMOR SEM CRISE

VALCAPELLI e GASPARETTO:
- METAFÍSICA DA SAÚDE:

vol.1: sistemas respiratório e digestivo
vol.2: sistemas circulatório, urinário e reprodutor
vol.3: sistemas endócrino *(incluindo obesidade)* e muscular

MECO SIMÕES G. FILHO:
- EURICO um urso de sorte (infantil)
- A AVENTURA MALUCA DO PAPAI NOEL
E DO COELHO DA PÁSCOA (infantil)

MAURÍCIO DE CASTRO (pelo espírito Hermes):
- O AMOR NÃO PODE ESPERAR

RICKY MEDEIROS:

- A PASSAGEM
- QUANDO ELE VOLTAR
- PELO AMOR OU PELA DOR...
- VAI AMANHECER OUTRA VEZ
- DIANTE DO ESPELHO

MARCELO CEZAR (ditado por Marco Aurélio):

- A VIDA SEMPRE VENCE
- SÓ DEUS SABE
- NADA É COMO PARECE
- NUNCA ESTAMOS SÓS
- MEDO DE AMAR
- VOCÊ FAZ O AMANHÃ
- O PREÇO DA PAZ

MÔNICA DE CASTRO (ditado por Leonel):

- UMA HISTÓRIA DE ONTEM
- SENTINDO NA PRÓPRIA PELE
- COM O AMOR NÃO SE BRINCA
- ATÉ QUE A VIDA OS SEPARE
- O PREÇO DE SER DIFERENTE
- GRETA
- SEGREDOS DA ALMA

LEONARDO RÁSICA:

- FANTASMAS DO TEMPO - Eles voltaram para contar

MÁRCIO FIORILLO (ditado por Madalena):

- EM NOME DA LEI

LUIZ ANTONIO GASPARETTO EM CD:

Aprenda a lidar melhor com as suas emoções, para conquistar um maior domínio interior.

- Prosperidade
- Confrontando a desilusão
- Confrontando a solidão
- Confrontando as críticas
- Confrontando a depressão
- Prece da Solução *(pelo espírito Calunga)*

• série VIAGEM INTERIOR *(n° 1, n° 2 e n° 3)*:

Através de exercícios de meditação mergulhe dentro de você e descubra a força da sua essência espiritual e da sabedoria. Experimente e verá como você pode desfrutar de saúde, paz e felicidade desde já.

• série REALIZAÇÃO:

Com uma abordagem voltada aos espiritualistas independentes, eis aqui um projeto de *16 cds* para você melhorar.

Encontros com o Poder Espiritual para práticas espirituais da prosperidade.

Temos que trabalhar para alcançar nossos objetivos. Para isto necessitamos de conhecimento e práticas adequadas.

Nesta coleção você aprenderá práticas de consagração, dedicação, técnicas de orações científicas, conceitos novos de força espiritual, conhecimento das leis do destino, práticas de ativar o poder pessoal e práticas de otimização mental.

• série LUZES:
Coletânea de 8 cds, nos volumes 1 e 2.

Através de curso ministrado no Espaço Vida e Consciência, pela mediunidade de Gasparetto, os espíritos desencarnados que formam no mundo astral o grupo dos Mensageiros da Luz, nos revelaram os poderes e mistérios da Luz Astral, propondo exercícios para todos aqueles que querem trabalhar pela própria evolução e a melhoria do planeta.

Nesta coletânea trazemos aulas captadas ao vivo, para que você também possa juntar-se às fileiras dos que sabem que o mundo precisa de mais luz.

• série ESPÍRITO *(composto de 12 cds)*:

1- espírito do trabalho
2- espírito do dinheiro
3- espírito do amor
4- espírito da arte
5- espírito da vida
6- espírito da paz
7- espírito da natureza
8- espírito da juventude
9- espírito da família
10- espírito do sexo
11- espírito da saúde
12- espírito da beleza

A realidade tem muitas camadas, porém mais profunda é aquela que gera a existência das outras. Nós a chamamos de **Espírito**.

Sendo o centro de cada um de nós, é pois o guia de nossos destinos rumo à realização.

Eleve-se, aprofunde-se e acorde para o seu espírito.

ESPAÇO VIDA & CONSCIÊNCIA

É um centro de cultura e desenvolvimento da espiritualidade independente.

Acreditamos que temos muito a estudar para compreender de forma mais clara os mistérios da eternidade.

A Vida parece infinitamente sábia em nos dotar de inteligência para sobreviver com felicidade, e me parece a única saída para o sofrimento humano.

Nosso espaço se dedica inteiramente ao conhecimento filosófico e experimental das Leis da Vida, principalmente aquelas que conduzem os nossos destinos.

Acreditamos que somos realmente esta imensa força vital e eterna que anima a tudo, e não queremos ficar parados nos velhos padrões religiosos que pouco ou nada acrescentaram ao progresso da humanidade.

Assim mudamos nossa atitude para uma posição mais cientificamente metodológica e resolvemos reinvestigar os velhos temas com uma nova cabeça.

O resultado é de fato surpreendente, ousado, instigador e prático.

É necessário querer estar à frente do seu tempo para possuí-lo.

Maiores informações:

Rua Salvador Simões, 444 • Ipiranga • São Paulo • SP

CEP 04276-000 • Fone Fax: (11) 5063-2150

E-mail: espaco@vidaeconsciencia.com.br

Site: www.vidaeconsciencia.com.br

Luiz Antonio Gasparetto

INFORMAÇÕES E VENDAS:

Rua Agostinho Gomes, 2312
Ipiranga • CEP 04206-001
São Paulo • SP • Brasil
Fone / Fax: (11) 6161-2739 / 6161-2670
E-mail: editora@vidaeconsciencia.com.br
Site: www.vidaeconsciencia.com.br

— Vamos para a Indonésia. Quero fazer uma cerimônia completamente diferente.

— Ai, que lindo! Sempre quis conhecer a Indonésia e suas ilhas.

Guilherme fechou os olhos e prosseguiu, extasiado:

— Já fiz o roteiro. Primeiro desceremos na capital, Jacarta. Depois seguiremos viagem pelas Ilhas Indonésias. Iremos à Ilha de Sulawesi, Malang, Java e, para finalizar, Bali.

Teresa gemeu de prazer.

— Bali. Veremos um dos mais espetaculares pores-do-sol do mundo, restaurantes, boates...

Guilherme apertou-a contra o peito.

— Você vai adorar essa viagem, minha rainha, tenho certeza. E — prosseguiu, cheio de planos — quando voltarmos, vou comprar outra casa.

— Jura?

— E você poderá decorá-la como quiser, a seu gosto.

Ela o abraçou emocionada. Teresa se sentia a mulher mais feliz e mais esperta do mundo. Tentara ludibriar Inácio e quase conseguira. Mas Guilherme valia mil vezes mais que Inácio. E tudo que ela fizera valeu a pena. Cometera pequeno desfalque na conta da Centax, causara a demissão de Isabel e do gerente do banco, mas sua consciência de nada a acusava. A frieza de Teresa era algo para ser estudado pelos mais renomados psiquiatras. Era linda por fora, mas, por dentro, era dura e bruta como uma rocha. Teresa nunca se importara com nada ou ninguém.

"Gente tonta existe no mundo para se aproveitar delas. Isabel sempre fora idiota e insegura, e aquele gerente de banco era um sedutor de quinta categoria."

Teresa não sentia remorso pelo mal que causara. Isabel custou a arrumar um emprego, porquanto a situação do País estava em polvorosa. O presidente da República havia acabado de sofrer *impeachment.* Isabel penou, penou e por fim conseguiu uma vaga de vendedora numa loja de roupas femininas num *shopping.* Por incrível que pareça, sempre existia vaga naquela loja. Não havia vendedora que agüentasse a estupidez e azedume da gerente. Por coincidência, era a mesma loja em que Letícia arrumara seu primeiro emprego. Isabel engolia seco as broncas da gerente, que continuava grossa e estúpida, cada vez mais insuportável.

O gerente do banco amargou muito. Perdeu o cargo, o carro que o banco lhe bancava, os salários extras. A esposa, não agüentando mais, separou-se, foi embora com os filhos, e ele, sem rumo e desesperado, atirou-se à bebida.

Teresa não sabia disso, nem queria saber. O único incômodo, a única perturbação que assolava seu íntimo era cair nas garras de Tonhão. Isso nunca poderia acontecer. Jamais.

Guilherme perguntou:

— Está pensativa. O que foi?

— Nada, Gui, nada.

— Não quer viajar para a Indonésia? Se não quiser, não tem problema, vamos a outro lugar.

— Não! De forma alguma. Você se desdobra por mim, faz todos os meus caprichos. Eu tenho de ceder um pouco. Se você quer se casar comigo em Jacarta ou Bali, não vou me opor.

Ele a beijou nos lábios.

— Pois bem, rainha, prepare-se. Viajaremos no fim do mês.

— Fim do mês?

— É. Pode comprar novos vestidos. Eu quero que você cause furor naquelas ilhas todas.

— Você não existe, Gui.

Ivana adorou a idéia de morar em um *flat*. Era cômodo, ela tinha tudo à mão, serviços os mais diversos. O quarto estava sempre arrumado, a comida era servida na hora que bem entendesse, tinha bebida, cigarro, tudo. Não trocaria essa vida por nada deste mundo.

Ela terminou seu banho e decidiu: agora que estava vivendo sua vida de solteira, iria flertar abertamente com Sidnei, para valer.

— Sou mulher, estou viva. E creio que Sidnei ainda gosta de mim.

Ivana produziu-se de maneira espalhafatosa, como de costume. Muito ouro, muitas jóias e penduricalhos pelo corpo, vestido de cor berrante e, para completar, um perfume extremamente adocicado.

Ela desceu e pediu para apanhar seu carro. O rapaz da recepção cutucou o outro por baixo da mesa:

— Olha lá a *perua* do oitavo andar.

— Essa dona é exagerada, não?

Os dois riram. Ivana mal os notou. Apanhou seu carro, entrou, acelerou e ganhou a rua. Precisava falar com Sidnei. Rumou para sua clínica.

Ao chegar, pediu para ser atendida.

— Lamento, mas o Dr. Sidnei está em consulta.

— Diga que Ivana Gama está na recepção.

Sidnei veio em seguida. Cumprimentou-a e deu uma tossidinha. O perfume o estava sufocando.

— Como vai, Ivana?

— Muito bem.

— Algo grave?

— Não. Por quê?

— Fui tirado do meio de uma consulta. A minha secretária insistiu e achei que fosse alguma notícia de Nicole.

Ivana fez cara de desdém. Entretanto, precisava ocultar a contrariedade. Precisava mostrar-se cordata.

— Não trago notícias de minha filha. — Ela baixou o tom de voz: — Preciso falar com você, em particular.

— Está certo. Aguarde um momento, eu já vou terminar.

Ivana sentou-se numa cadeira e pegou uma revista. Acendeu um cigarro e foi alertada pela recepcionista:

— Aqui dentro não é permitido fumar, senhora.

Ivana teve vontade de apagar o cigarro no braço da menina. Deu uma longa tragada e apagou o cigarro, rangendo os dentes de ódio. Logo Sidnei chamou-a até sua sala.

Ele encostou a porta e foi até sua mesa. Sentou-se. Ivana sentou-se à sua frente.

— Em que posso ajudá-la?

— Bom, eu...

— Não vá me dizer que precisa dos meus serviços! Eu sou geriatra, e creio que ainda não é tempo de você se tratar. A não ser que tenha me procurado para começarmos um tratamento de prevenção.

Ivana segurou-se na cadeira para não avançar sobre ele. Ela estava toda arrumada, perfumada, produzida, e ele vinha falar em tratamento geriátrico? Era o cúmulo. Ela não era velha! Como ele ousava?

— Não vim para tratamento nenhum. Vim por causa de nós.

— Nós?

— Sim, nós.

Sidnei não entendeu de pronto.

— Você quer falar algo sobre o acidente com sua sobrinha, meses atrás?

— Não, não vim aqui para falar disso. Vim falar de mim e de você. De nós.

Sidnei sentiu o sangue gelar. Ivana olhava-o de maneira lânguida, passava a língua pelos lábios, mantinha a boca entreaberta, como se estivesse louca de desejo.

— Ivana, nós nos conhecemos há muitos anos. Sou amigo de Virgílio e...

Ela o interrompeu:

— E estamos separados. Sou uma mulher livre. E sei que você me deseja.

Ele a encarou de maneira apoplética.

— De onde tirou essa conclusão?

— Você me amava. Eu o deixei para me casar com Virgílio. Mas fui uma tola. Confesso estar arrependida. Podemos recomeçar.

— Faz parte do passado. Eu gostei de você, mas depois os anos foram passando, e isso ficou lá atrás. Não tem mais nada a ver. Garanto.

— Tolinho!

Ela se levantou e avançou sobre a mesa, encostando seu rosto no dele. Os rostos estavam tão próximos que Sidnei podia sentir uma mistura estranha de perfume com cigarro. Ele afastou-se e saltou da cadeira.

— Ivana, por favor.

— O que foi? Não vai dizer que não me quer?

— Não é isso, é que... bem...

— Então o que é, gatão?

— Estou comprometido.

— Bobagem. Eu só preciso de carinho, mais nada.

— Por favor. Eu tenho namorada e vou me casar. Eu sou-lhe fiel.

Ivana estancou o passo.

— Mentiroso! Você nunca foi dado a namoro.

— Mudei. Estou pensando em me casar. Encontrei a mulher de minha vida.

— Não pode ser. Eu fui sua um dia.

— Há muitos anos. Acabou.

— Você está me rejeitando?

— Por favor, não insista.

Ivana deu um grito tão alto que a clínica toda entrou em grande rebuliço. Sidnei acuou-se num canto do consultório, enquanto Ivana quebrava tudo que via pela frente. Saiu de lá esbravejando e ruminando. A secretária de Sidnei pegou o telefone.

— Vou ligar para a polícia.

— Não será necessário — ponderou Sidnei.

— Ela é louca, doutor. Não se pode deixar uma louca dessas à solta pelas ruas.

— Deixe-a ir embora em paz. Caso apareça novamente, aí então você liga para a polícia.

A secretária pousou o fone no gancho e meneou a cabeça para os lados. Sidnei voltou para sua sala, pensando:

"Essa mulher é uma doida varrida. Precisa ser internada num sanatório."

Ivana saiu da clínica completamente fora de si. Se alguém aparecesse em sua frente, ela era capaz de tirar a vida do pobre coitado. Ela foi até seu carro, deu partida e saiu queimando os pneus. Precisava de Otília, a qualquer custo.

Meia hora depois ela chegou à casa da amiga. Largou o carro de qualquer jeito e foi entrando, passos rápidos e nervosos. Uma das empregadas de Otília, que conhecia bem o gênio de Ivana, balbuciou:

— Dona Otília está no quarto.

Ivana nem respondeu. Com o cenho fechado, subiu e irrompeu no quarto da amiga.

— Que susto! — exclamou Otília. — Você está com aspecto horrível. O que aconteceu?

Ivana acendeu um cigarro. Tragou nervosamente e deu suas baforadas.

— Estive na clínica do Sidnei e ele me rejeitou.

Otília inclinou o corpo na cama e puxou os lençóis até o pescoço.

— Eu fui lá, linda e cheirosa. Eu me ofereci a ele, Otília, me ofereci, e o canalha me rejeitou.

— Como?

— Disse que vai se casar! Pode uma mentira dessas?

Ivana acendeu outro cigarro. Estava possessa. Seu rosto estava vermelho, inchado. Parecia que as veias estavam prestes a saltar do pescoço.

— Eu não pude acreditar, amiga. Fui lá, e ele veio com uma desculpa esfarrapada, dizendo que está namorando, que vai se casar. — Ela gargalhou. — Essa foi boa! Sidnei nunca foi chegado a matrimônio.

Otília colocou o penhoar e aproximou-se da amiga.

— Ivana, em que mundo você vive?

— O quê?

— É isso mesmo. Em que mundo você vive? Não acompanha o noticiário?

— Não sei o que quer dizer.

Ela levantou as mãos para o alto.

— Eu não queria falar, porquanto achava ser assunto constrangedor, mas...

— Mas o quê?

Otília olhou ao redor. Havia muitas peças caras e valiosas em seu quarto. Ela tinha certeza de que Ivana iria se descontrolar e quebrar tudo. Então, com delicadeza, puxou a amiga e foi conduzindo-a até a beirada do *hall*, na ponta da escada.

— Ivana — disse séria. — Por favor, preste atenção.

— O que é?

Otília respirou fundo. Soltou o ar e disparou:

— Sidnei vai se casar com sua sobrinha.

Ivana não entendeu de pronto.

— O que disse? — indagou ela, como se estivesse surda, dando largas tragadas no cigarro.

— Sidnei vai se casar com a Cininha. Deu nos jornais. Até na televisão.

A última palavra que Ivana registrou foi Cininha. E mais nada. A sua vista ficou turva, ela perdeu o equilíbrio e rolou escada abaixo. Otília deu um grito desesperado e correu até a amiga.

— Ivana, pelo amor de Deus, acorde!

Otília gritou e chamou, mas não obteve nenhuma resposta. Nem poderia. Ivana fora acometida de um derrame cerebral.

Capítulo 26

Teresa começou a arrumar as malas. Guilherme puxou-a com delicadeza.

— Minha rainha, deixe isso de lado. Temos empregados para fazer as malas.

— Eu quero escolher meus vestidos.

— Escolha-os, e os empregados lhe fazem a mala.

— E se esquecerem de alguma peça?

— Eu lhe compro quantas você quiser, minha rainha. Suas unhas estão tão lindas! Não gostaria de vê-las quebrarem-se.

Teresa beijou-o longamente nos lábios.

— Eu o amo, Guilherme Moura, o meu Gui.

— Eu também a amo — declarou ele. — Agora vá se vestir. Pegue sua mala de mão e vamos ao aeroporto. As malas grandes seguirão em seguida.

Ela concordou com a cabeça. Tomou banho, arrumou-se, escolheu um belo vestido Yves Saint-Laurent e apanhou sua bolsa de mão.

— Estou pronta.

Guilherme fez sinal a um dos empregados. O rapaz aproximou-se e pegou as malas. Colocaram tudo numa perua tipo *van* e partiram.

Dentro do avião, num vôo de primeira classe, evidentemente, Teresa bebia sua champanhe e sorria feliz. A cada dia que passava, o medo de Tonhão perdia força e ela foi se esquecendo da dívida, das falcatruas, do passado que a condenava.

É, mesmo sem um pingo de moral ou valor, completamente desonesta e impostora, Teresa estava se dando bem.

O vôo decorreu tão agradável que ela nem percebeu que o avião estava aterrissando. Cutucou Guilherme, que dormia profundamente.

— Gui, o avião está pousando.

Ele remexeu-se na cadeira, sonolento.

— Mas já?

— Chegamos.

O avião fez o pouso. Eles se livraram do cinto de segurança, pegaram as malas de mão e desceram do avião, abraçados e felizes. Teresa contemplava o pôr-do-sol.

— Adorei a idéia de vir para cá. Você é um homem encantador, Gui.

Guilherme colocou a mão no peito. Seu rosto contraiu-se numa expressão de lancinante dor. Teresa assustou-se:

— O que foi, Gui?

— Nada — ele passou a mão pelo peito. — Dormi e esqueci de tomar meu remédio do coração. Preciso ir ao banheiro.

— Vou com você.

— Não, rainha. Vá e pegue nossas malas. Eu a encontro na saída, ao lado da Imigração.

Teresa assentiu:

— Está bem.

Guilherme dirigiu-se ao banheiro, arfante. Teresa sorriu. Pensou:

"Vou me casar e esse homem não vai durar muito. Vou ficar rica, milionária, e ainda vou sair com os homens que quiser. Vou escolher a dedo. Deus está sendo muito bom comigo."

Ela olhou para o alto e murmurou:

— Nunca acreditei em Deus, mas agora estou até começando a acreditar. Viver é muito bom.

Teresa disse isso e correu até a esteira para pegar as malas.

Demorou um pouco, pois havia muitos passageiros, mas ela estava feliz e não se importou com a demora. Logo depois apareceram as malas. Ela pegou-as e colocou-as no carrinho. Ficou esperando, mas Guilherme não aparecia. Os minutos passaram, e nada. Ela impacientou-se. Será que ele passara mal?

Teresa pensou em procurá-lo. Empurrava o carrinho em direção ao sanitário quando foi agarrada por duas mãos bem fortes. Ela deu um grito de dor.

— Ei, o que é isso?

Um dos policias alfandegários lhe respondeu em inglês. Ela não entendeu. Ele lhe apontou uma placa logo à sua frente. Teresa entendeu algumas palavras. Entretanto, ao olhar dois enormes cães farejadores sobre suas malas, ela gelou. O outro policial, que dominava o espanhol e conhecia um pouco de português, foi categórico:

— Teresa Aguilar, você está presa. Narcotráfico.

Ela esperneou, gritou, mas não teve jeito. Foi presa imediatamente. Teresa implorou, falou de Guilherme, contou sua história, explicou que ele estava no banheiro e passara mal, tudo em vão. Ele havia sumido. Nenhum Guilherme embarcara com ela. Afirmavam que era tudo fantasia de sua cabeça. Ela fora pega em flagrante e agora tentava se defender.

Guilherme assistia a toda a cena escondido atrás de um pilar. Usara outros documentos, evidentemente. Embarcara como Leonel Strega. Teresa nem percebera.

Ele sorriu e disse para si mesmo:

— Teresa, minha rainha. Esqueci de lhe dizer que, sem querer, coloquei três quilos de cocaína na sua mala. Ah — ele bateu a mão na testa —, esqueci também de lhe avisar que as leis na Indonésia são duras em relação ao narcotráfico. Creio que você vai ter o que merece.

Ele rodou nos calcanhares e dirigiu-se à esteira. Pegou outra mala, passou pela imigração e ganhou a rua. Havia um motorista esperando-o no meio-fio. Assim que chegou ao hotel, Guilherme solicitou ligação para o Brasil.

— Alô, Tonhão? Sou eu. Sim. Ela foi presa. O que gastamos com vestidos e passagens compensa. Ela vai para o inferno. Você se vingou.

Guilherme desligou o telefone e foi para o banho, assoviando uma antiga música do repertório de Roberto Carlos.

Você foi,
dos amores que eu tive,
o mais complicado
e o mais simples pra mim.
Você foi
o melhor dos meus erros . . .

Nicole e Artur não resistiram aos excessos da droga. O corpo físico de ambos estava com as funções vitais comprometidas. Pouco tempo depois do envio da carta para Virgílio, o casal desencarnou. Artur morreu primeiro. Atacado por uma forte diarréia, seu corpo padeceu no banheiro do hotel. Nicole, já quase cega e com a saúde bastante abalada, morreu horas depois.

Geralmente os que desencarnam por conta dos excessos de droga são imediatamente arremessados em um tipo de vale, no umbral, conhecido como Vale dos Drogados, ligado ao Vale dos Suicidas, porquanto o uso excessivo da droga não deixa de ser um tipo de suicídio, embora lento e gradual, porém fatal.

O plano superior permitiu que Everaldo e outros espíritos amigos de Nicole e Artur pudessem resgatá-los e encaminhá-los para um posto de atendimento próximo da crosta terrestre, exclusivo para atender espíritos desencarnados em conseqüência das drogas.

Mas, se ao desencarnar os drogados são arremessados automaticamente no vale, por que Nicole e Artur foram privilegiados? Ora, não podemos esquecer que Michele e Bruno, juntamente com Daniel, Sílvia, Letícia, Rogério e até mesmo Mariana e Inácio, reuniam-se toda semana e faziam orações, enviavam a Nicole vibrações de conforto, equilíbrio e lucidez. Cininha desgrudava-se do corpo físico e seu espírito prestava auxílio à prima.

Embora Nicole e Artur captassem muito pouco das vibrações, porquanto a atenção de ambos era voltada para as drogas, as vibrações foram suficientes para que, ao desencarnar, ambos pudessem ser socorridos. Artur recebeu as vibrações porque estava ligado em Nicole. O grupo de orações não sabia ser ele o namorado que viajara com Nicole, todavia enviavam vibrações a ela e um tal de Celso. O que valeu, nessa questão, foi a intenção do grupo pela melhora do casal.

Everaldo, lágrimas nos olhos, sustentou nos braços o frágil e debilitado perispírito de Nicole. Outros amigos espirituais fizeram o mesmo com Artur. Inconscientes, os espíritos conduziram os jovens para o posto de atendimento.

— Não sinta culpa, Everaldo, de forma alguma — considerou Consuelo.

— É muito triste. Eu bem que tentei ajudá-la.

— Não se esqueça de que ela escolheu seu caminho, e a maneira de desencarnar foi fruto daquilo que ela plantou ao longo de sua existência. Nicole foi advertida, antes de reencarnar, que teria contato com as drogas. Ela prometeu superar o vício.

— Talvez, se não tivesse entrado em contato com as drogas...

Consuelo bateu-lhe levemente no ombro.

— Nicole precisou confrontar-se com esse mundo da dependência química. Como é que iríamos saber se seu espírito estaria forte o bastante sem passar pela experiência? Por isso existe a bênção da reencarnação. A cada nova vida, vamos amadurecendo nosso espírito, fortalecendo nossa crença no bem. A vida não erra, Everaldo. Nicole vai poder experimentar a possibilidade de nova vida na Terra, e talvez tenha a chance de vencer o vício. Todos caminhamos para o melhor, sempre.

— Isso me conforta. Espero sinceramente poder estar ao seu lado, numa próxima possibilidade de encarnação. Creio que no plano físico eu lhe serei mais útil.

— Vamos aguardar e serenar. Agora precisamos tirá-los daqui. O tempo urge e, mesmo com amigos espirituais dedicados e amigos, logo seremos atacados por falange de espíritos ávidos por sugar o pouco de energia vital que ainda emana dos perispíritos de Nicole e Artur.

Everaldo assentiu com a cabeça. Num instante eles sumiram no ar e dirigiram-se ao posto de atendimento.

Virgílio não ficou sabendo de imediato da morte da filha. Ele ficara cismado com a foto, com o detalhe que Cininha apontara na data, mas preferiu acreditar que a filha estava bem. A seu modo, também rezava todos os dia para que nada de mau acontecesse a Nicole. Isso ajudou bastante.

Salete também contribuiu favoravelmente para o resgate do espírito de seu filho. Ela podia ser fofoqueira, metida e bisbilhoteira ao extremo, mas nutria profundo amor por Artur. Tinha o hábito de se confessar com o padre Alberto. Ela estranhava não ter mais notícias do filho. Sentia que algo grave havia lhe acontecido.

Padre Alberto sugeria que ela rezasse muito pelo filho. Salete todo santo dia acendia uma vela branca, próximo a um altar que mantinha embaixo da escadaria de seu sobrado. No altar, além da vela, deixava uma imagem de Nossa Senhora e um retrato de Artur, ainda jovem, sorridente e feliz.

A polícia encontrou os corpos uma semana depois, em adiantado estado de putrefação. Recolhidos ao necrotério de Amsterdã, foi constatada morte por *overdose* de heroína. Os documentos apreendidos naquele pequeno quarto fétido indicavam serem dois jovens brasileiros, de nome Ana e Celso. Passados dois meses, e sem o aparente interesse da família, os corpos de Nicole e Artur foram enterrados no cemitério local.

Sem mais notícias da filha, e cismado com a insistência de Cininha de que algo ruim havia acontecido, Virgílio solicitou à polícia brasileira que entrasse em contato com órgãos internacionais para localizar a filha e o namorado.

Enquanto isso, os irmãos Inácio e Sílvia acertavam os detalhes de seus casamentos. Resolveram casar-se no mesmo dia.

Mariana tirou licença na clínica de Sidnei e, juntamente com Sílvia e Ingrid, trataram dos preparativos comuns de qualquer casamento: *buffet*, festa, convites e lista de convidados. Nair e Cininha ofereceram-se para confeccionar os vestidos das noivas. Os noivos, Inácio e Daniel, tratavam dos últimos detalhes da decoração de seus respectivos apartamentos.

Num domingo à tarde, numa chácara próxima à capital, os jovens se casaram. Foi uma bonita cerimônia.

Um amigo de Daniel, juiz de paz, proferiu linda mensagem sobre a importância do casamento, da união de duas pessoas que se amam. Falou do amor e, principalmente, da manutenção e sobrevivência desse nobre sentimento ao longo dos anos, sem se deixar influenciar por filhos ou por problemas naturais, financeiros, etc.

Após a cerimônia, os noivos, felizes e emocionados, receberam os cumprimentos dos convidados. Ingrid estava muito feliz. Era como se tivesse cumprido e encerrado sua missão de mãe. Casara os dois filhos e tinha certeza de que ganhara uma nora e um genro maravilhosos. Ela gostava muito de Mariana e tinha bastante admiração por Daniel. Tinha certeza de que seus filhos seriam muito felizes e lhe dariam lindos netos.

Em uma mesa localizada à sombra de uma árvore, Ingrid, Virgílio e Nair conversavam. Ingrid procurou entretê-lo, visto que ele andava bastante amargurado por não ter notícias da filha.

— Agradeço por ter comparecido.

Virgílio esboçou leve sorriso.

— Não poderia deixar de vir. Meu filho gosta muito dos seus, e Mariana é como se fosse minha filha...

— Virgílio tem tentado levar vida normal — tornou Nair. — Entendo o esforço que vem fazendo.

Ingrid pousou sua mão sobre a dele, transmitindo-lhe força e coragem.

— Caso eu possa fazer algo, não hesite em me procurar.

— Obrigado — respondeu ele, sincero.

Ingrid trocou mais algumas palavras com os dois:

— E Ivana, como está?

Virgílio exalou profundo suspiro:

— Continua em coma. O derrame destruiu muitas de suas funções. Só saberemos do estrago efetivo quando ela voltar do coma. Se voltar.

— Isso é muito triste. Uma mulher tão jovem! Jovem e inválida... — considerou.

— Mesmo que saia do coma, Ivana não vai sair da cama. Isso Sidnei já confirmou. O lado direito do seu corpo perdeu suas funções. Ela não terá condições de andar nem de falar.

Ingrid botou a mão na boca, demonstrando seu estupor.

— Santo Deus! Que tragédia!

— Sem dúvida — replicou Virgílio.

Um braço tocou no ombro de Ingrid e ela voltou seu rosto

para cima e para trás. Ainda bem que estava sentada. Ela perdeu a fala. Empalideceu. Aluísio cumprimentou-a:

— Como vai, Ingrid?

Ela recuperou-se do susto.

— Pensei que não viesse. Você deveria fazer par comigo no altar. Contudo...

Aluísio interrompeu-a:

— O vôo atrasou, não pude chegar a tempo. Mil perdões.

— Viu nossos filhos?

— Acabei de parabenizá-los — disse ele, sorrindo. — Estou impressionado. Nunca os vi tão felizes.

Ingrid recompôs-se. Levantou-se da cadeira e apresentou-o a Virgílio e Nair. Em seguida ele a puxou discretamente pelo braço.

— Preciso falar com você.

— Comigo?

— Sim.

— Aconteceu alguma coisa?

Eles se afastaram, e Aluísio conduziu-a até pequeno bosque, rodeado de flores as mais variadas. Sentaram-se sob um caramanchão, revestido de trepadeiras cujas flores os convidavam à contemplação.

— Que lugar lindo! — suspirou ela, enquanto aspirava o perfume das flores.

— Faz-me lembrar dos bosques que percorríamos a pé, próximo de Estocolmo.

Ingrid sorriu.

— Quanta saudade daqueles bosques! Tenho tanta vontade de voltar à Suécia. Meus tios estão velhinhos, e, se demorar muito, irei me arrepender depois.

— Por que não vai para lá? Agora que nossos filhos se casaram, você está livre e pode distrair-se.

— Penso nisso. Mas vou esperar que tudo se ajeite. O apartamento de Inácio ainda não ficou totalmente pronto, e ele e Mariana vão morar uma temporada comigo. Nossa casa é muito grande.

— Nunca estive lá.

— Poderá conhecê-la. É um casarão bonito, mas muito grande. Eu me sinto muito só.

Aluísio apertou-lhe as mãos e olhou-a nos olhos.

— Ingrid, você está só porque quer.

— Não, por favor...

— Sim. Você está sozinha porque quer. Tenho certeza de que outros homens a procuraram mas você os recusou. Você continua linda e exuberante.

Ela sorriu e em seguida fechou o cenho. Levantou-se nervosa.

— De que adiantam os elogios? Você me abandonou por uma mulher que tem a idade de nossa filha.

— Foi paixão, mas passou.

— Júlia tem a idade de nossa filha. Você não tem vergonha?

Aluísio levantou-se.

— Não, não tenho. Entendo o seu lado. Sei que a desapontei, que a fiz sentir-se triste. Nosso sonho de amor ruiu. Mas fui sincero.

— Como disse?

Ele a abraçou e trouxe a cabeça dela ao encontro de seu peito.

— Ingrid, meu amor, escute. Eu poderia continuar levando nosso casamento e ter minhas aventuras extraconjugais. Nossa sociedade aceita e avaliza o adultério. Um homem que tem amante é visto como másculo e viril, garanhão. Eu sempre lhe fui fiel. Sempre.

— Mesmo?

— Sim, sem dúvida. Nunca me aproximei ou mesmo tive relações com outra mulher. No entanto, você andava fria, me evitava, não queria mais fazer amor comigo.

— E por isso correu para o primeiro rabo de saia que lhe deu trela.

— Júlia me seduziu. Eu estava carente. Você não me dava mais atenção, recusava meus carinhos.

— Bom, eu... — ela tinha vergonha de falar sobre a menopausa, seus medos, as alterações do seu corpo.

Aluísio beijou sua mão e prosseguiu:

— Um dia, caminhando na praia, encontrei-me com o Dr. Martins, seu médico.

Ingrid gelou.

— E o que ele lhe disse?

Aluísio sorriu.

— Eu havia levado um chute bem grande da Júlia, andava cabisbaixo, triste. Conversamos bastante e, num determinado ponto eu o indaguei se você havia lhe confidenciado algo. Martins me disse que nunca trocaram confidências, mas que suspeitava que você tinha medo de me dizer que tinha entrado na menopausa.

— Mas...

— Eu sei, minha querida. Não deve ter sido fácil para você. Mas o Martins me deu uma aula, explicou-me que, com a perda da produção de alguns hormônios na menopausa, a mulher fica com menos lubrificação vaginal, devendo ter maior cuidado durante o ato sexual, porquanto o ato poderá ser-lhe extremamente dolorido e desagradável. Martins me explicou que você deveria usar cremes lubrificantes, bem como considerar a possibilidade de reposição hormonal. Outro fenômeno que ocorre é a perda da gordura localizada nos grandes lábios, fazendo com que a vagina diminua de tamanho e esteja mais propensa a sofrer dor no coito.

— Eu tive medo de lhe contar. Pensei que não fosse me entender. Senti-me frágil.

— E eu me senti um completo idiota. Nunca tivemos problemas de cama, e eu deveria suspeitar que algo errado estava acontecendo com você. Fui tolo e mesquinho. Comprei livros, estudei o assunto. Agora sei como fazer, como tratá-la. E gostaria que me perdoasse.

— Perdoá-lo?

— Sim. — A voz de Aluísio estava entorpecida de emoção. — Ingrid, case-se comigo.

Ela procurou ocultar a emoção:

— Isso é impossível. Nós nos divorciamos.

— Não tem problema. Casamo-nos de novo.

— O que me pede é insano, Aluísio.

— Não. Elizabeth Taylor e Richard Burton casaram-se duas vezes. Eu me casaria tantas outras com você. Eu preciso de você.

— Aluísio, eu...

— Você é a mulher da minha vida.

Ele disse isso e a tomou nos braços. Inclinou seu corpo e beijou-a demoradamente nos lábios.

Só terminaram e afastaram-se quando viram-se cercados pelos filhos e outros convidados, batendo palmas e dando gritinhos de felicidade.

Ingrid abraçou-se a Aluísio. Ela ainda o amava muito. E estava pronta para lhe dar uma segunda chance. E, também, de dar a si própria mais uma chance de ser feliz.

Capítulo 27

Assim que passou mal, rolou escada abaixo e entrou em convulsão, Ivana foi levada para o hospital. Otília conseguiu chamar rápido por socorro. Afinal, nos casos de derrame cerebral, também conhecido como acidente vascular cerebral, ou AVC, quanto mais rápido se prestar socorro, menores serão as chances de lesões cerebrais que irão resultar em seqüelas.

Infelizmente, isso não ocorreu com Ivana. Sua amiga Otília fora prestativa e a ambulância chegara a tempo. O motorista, preocupado em chegar rápido ao hospital, ligou as sirenes e saiu a toda brida. Foi cortando caminho até desembocar na Avenida 23 de Maio. Mas ele não contava com um grave acidente que ocorrera ali minutos antes.

Um ônibus e um automóvel se chocaram e mais cinco carros envolveram-se no acidente. O engavetamento congestionou a avenida e suas adjacências. Por mais que o motorista da ambulância tentasse, não dava para passar por cima dos veículos. Ele manobrou aqui e ali, mas não chegou ao hospital a tempo para que Ivana ficasse imune a lesões graves.

O acidente entre o ônibus e o automóvel fora ocasionado por um motorista bêbado, que levara uma fechada e, entorpecido pela bebida e com a coordenação motora comprometida, atravessou a pista e, na contramão, chocou-se com o ônibus. O motorista, um ex-gerente de banco que fora demitido tempos atrás por avalizar o saque de um cheque falsificado, morreu na hora.

Dois passageiros que estavam em pé no ônibus foram arremessados pelo vidro e tiveram morte instantânea. Duas velhas conhecidas. Uma delas era Creusa, vizinha de Salete e Nair. A outra era a gerente da loja onde Letícia trabalhara tempos atrás. Uma pena.

Ivana foi medicada e levada para a unidade de terapia intensiva. Otília conseguiu o telefone de Bruno e alcançou-o no serviço. O rapaz correu até o hospital. Sidnei realizava atendimento duas vezes por semana naquele mesmo ambulatório. Bruno ligou para ele e Sidnei, ainda constrangido com a cena de escândalo que Ivana lhe aprontara horas atrás, foi para o hospital prestar ajuda. Afinal, sabia separar as coisas, e seu lado profissional falava mais alto.

Sidnei chegou e conversou com os médicos que atenderam Ivana. Uma hora depois, ele sentou-se com Bruno e lhe expôs a situação:

— É grave, doutor?

— Receio que sim.

— O que minha mãe teve?

Sidnei colocou-o a par do ocorrido:

— Muitas das pessoas que sofrem um derrame cerebral, infelizmente, chegam tarde demais ao hospital para que possam receber um tratamento eficaz. Foi o que aconteceu com a sua mãe. O trânsito na cidade hoje está impossível, todas as principais vias estão engarrafadas.

— E então?

— Para que você me entenda melhor, Bruno, é importante saber que o tipo de derrame mais freqüente é chamado de isquêmico, que acontece quando uma artéria que nutre o cérebro tem o seu fluxo sangüíneo interrompido por um coágulo. Quando uma artéria se rompe, provocando derramamento de sangue dentro do cérebro, o derrame é considerado hemorrágico. Na situação mais freqüente, a do derrame do tipo isquêmico, a administração intravenosa de um medicamento é capaz de dissolver o coágulo e restabelecer a circulação na área cerebral afetada. Isso — ressaltou ele — se a intervenção for realizada a tempo, a fim de evitar as lesões cerebrais que resultarão em seqüelas graves. O ideal seria identificar o derrame o mais precocemente possível.

— Como assim?

— Ficar atento ao aparecimento repentino de sinais como, por exemplo, adormecimento no rosto, braço ou perna, especialmente se localizados em um lado do corpo; dificuldade de falar e de se fazer entender; dificuldade de andar, tonturas e perda de equilíbrio; e — finalizou — dor de cabeça forte, sem causa aparente.

Bruno assustou-se.

— Minha mãe tinha fortes dores de cabeça, sem causa aparente. Sabe como é, ela sempre foi nervosa, agitada, irritada.

— Quando essas dores começaram, Ivana devia ter sido avaliada por um neurologista, a fim de iniciar tratamento adequado.

— E agora, doutor?

— Creio que é tarde demais. Não quero tirar conclusões precipitadas, mas Ivana, caso volte do coma, ficará com graves lesões.

— Que tipo de lesões?

— Talvez ela fique presa a uma cama e não possa mais articular som. Não sei, por enquanto procure serenar seu coração e rezar. Os médicos estão dando o melhor de si para ajudar sua mãe. Confie.

Bruno saiu do hospital desolado. Sua vida havia progredido bastante. Associara-se ao pai e tinha três farmácias populares, localizadas em áreas pobres da cidade. Seu relacionamento com Michele estava indo muito bem e marcaram a data do casamento.

Entretanto, sempre que a data se aproximava, ele a adiava, na esperança de que a irmã voltasse a tempo de participar da cerimônia. Embora Michele o alertasse, nas reuniões de oração, que temia pela integridade física da irmã, Bruno acreditava que a esperança é a última que morre.

E agora sua mãe adoecia. Embora Ivana tivesse cortado relação com todos logo depois de assinar a separação e ter se mudado para um *flat,* Bruno era seu filho e sentia-se na responsabilidade de fazer por ela o que estivesse a seu alcance. Ivana fora uma mãe relapsa e ausente, mas isso era problema dela. Bruno aprendera com Michele:

— Sua mãe fez o que pôde. Você não podia cobrar dela o que ela não podia lhe dar.

— Ao menos um pouco de carinho e consideração...

— Mas ela não achava isso necessário. Ela tem seu jeito de ser. Você é diferente e, por mais que queira lutar, seu coração está ligado ao dela. Sei que é duro admitir, mas, mesmo com todos os defeitos do mundo, você ama sua mãe.

— Não posso negar. Mesmo ela tendo temperamento estouvado e dotada de atitudes frias e distantes, eu gosto dela.

— Sentimento não tem como deixar de sentir. Se ela não o ama à sua maneira, problema dela. Faça diferente: ame-a a seu modo.

Bruno entrou no carro e resolveu:

— Eu gosto muito de minha mãe e vou cuidar dela. Se não fizer isso, terei forte crise de consciência.

Nicole e Artur receberam tratamento intensivo de desintoxicação no posto de socorro. O posto assemelhava-se a uma pequena colônia espiritual, rodeado de um lindo jardim florido. As janelas dos quartos eram grandes e, das camas, enfileiradas em harmonia, dava para apreciar um pouco do verde que se perdia no horizonte. Quando os pacientes se livravam de miasmas e energias densas acopladas ao perispírito, tinham permissão para receber visitas de amigos do astral, bem como fazer curtas caminhadas nas alamedas do pequeno hospital.

Havia três pavilhões repletos de desencarnados, na maioria compostos por jovens recém-desencarnados, ora recolhidos do Vale dos Drogados, ora levados ali por parentes e amigos espirituais. Outros dois grandes pavilhões estavam sendo construídos, em virtude do grande número de espíritos que desencarnavam em conseqüência do abuso de drogas.

Everaldo não arredava pé do posto. Todos os dias conversava com médicos e enfermeiros, e alegrou-se quando soube que Nicole voltara à consciência e seu perispírito mostrava sinais de reequilíbrio. Embora ainda estivesse com sua visão comprometida, ela sentia-se leve e aliviada.

Foi numa tarde ensolarada que ela recebeu a visita de Everaldo.

— Não faz idéia de como é bom revê-la!

Nicole tinha grande dificuldade em enxergar, contudo, em seu íntimo, sabia reconhecer aquela voz. Era-lhe profundamente familiar, além de lhe trazer sentimentos há muito tempo esquecidos nos escaninhos de sua alma.

— Quem está aí?

— Um amigo de longa data.

Everaldo aproximou-se da cama e tomou-lhe a mão.

— Como se sente?

— Um pouco melhor, embora bastante cansada. Ontem fiz pequena caminhada, respirei ar puro, senti-me revigorada.

— Você vai ficar mais um bom tempo por aqui.

— Onde estou?

— Num hospital.

— Como fui encontrada?

— Eu e mais outros amigos preocupados com você fomos ao seu encontro.

— Estou cheia de dúvidas e...

Nicole começou a falar com voz entrecortada. Estava visivelmente cansada. Uma simpática enfermeira aproximou-se da cama.

— Ela precisa descansar. Vai ficar bastante tempo nesse estado, até que seu perispírito se veja livre das energias danosas que absorveu.

— Sua recuperação está indo muito bem, eu sinto isso. No entanto, percebi que ela está com tremenda dificuldade de enxergar.

— Por mais que tentemos ajudá-la, Nicole provavelmente ficará com a visão comprometida. Creio que, talvez numa eventual reencarnação e livre das drogas, seu novo corpo físico terá a visão limitada. Ela enfrentará problemas, como todo deficiente, mas poderá ter um novo ciclo longe das drogas.

— Há males que vêm para o melhor.

— Sempre, Everaldo. Sempre.

Everaldo pousou delicado beijo no rosto de Nicole. Ela adormeceu em seguida. Ele se afastou e, ao ver a cama ao lado vazia, indagou:

— O Artur está passeando? Está melhor?

A enfermeira meneou a cabeça para os lados:

— Lamento muito, Everaldo.

— O que aconteceu?

— Fizemos o possível, mas Artur não respondeu bem ao tratamento. Tão logo descobriu que não fazia mais parte do mundo terreno, revoltou-se e rebelou-se. Agrediu um de nossos funcionários e partiu.

— Partiu?

— Sim.

— Mas para onde? Como?

— Não sei. Fizemos pequena oração em seu favor, mas ele está muito abalado. E você sabe: nós não podemos prender ninguém nesta instituição. Ninguém é obrigado a ficar aqui. Artur escolheu sair.

— Isso pode retardar seu processo de melhora.

— Sim. Mas o tempo cuida de tudo. Em determinado ponto de sua evolução, ele será chamado a rever suas crenças e mudar sua postura. Talvez, então, ele tenha uma nova chance de ser feliz.

Everaldo saiu do quarto desolado. Sentia muito por Artur. O espírito do rapaz devia estar em forte desequilíbrio. Mentalmente ele lhe enviou vibrações positivas.

Ao tomar conhecimento de que morrera vítima de *overdose*, Artur negou-se a acreditar. Agrediu funcionários do hospital, falou um monte de impropérios e, com sua força mental, seu espírito deslocou-se do posto de socorro e foi arremessado diretamente ao *Vale dos Drogados*.

Em pouco tempo ele se juntou a um bando de espíritos rebeldes que partiam em caravana para a Terra, em várias partes do globo, à procura de pessoas que se drogavam. Não era uma tarefa difícil. Os espíritos os encontravam aos montes.

Ingrid resolveu e decidiu: ela amava muito Aluísio e resolveu dar a ele e a si mesma uma nova chance. Casaram-se pela segunda vez e foram para Estocolmo, capital da Suécia. Ingrid queria rever alguns parentes e depois fazer turismo pela Europa.

Aluísio e Ingrid conversaram bastante, falaram sobre suas frustrações, medos e inseguranças. Estavam prontos para começar do zero, uma nova etapa. Queriam ser felizes e, diante das afinidades e do amor que os uniam, foram se expressando e tornando mais intensa sua relação amorosa.

O casal parecia estar numa constante lua-de-mel. Saíram de Estocolmo e foram a Londres. De lá, foram a Paris, depois Berlim e, por último, fizeram parada na Holanda. Aluísio mantinha muitos contratos de fornecimento de carne com países da Europa e tinha dois grandes clientes holandeses. Precisava rever os contratos e queria encontrar seus clientes pessoalmente. Ingrid entendia e falava o neerlandês, a língua nativa dos habitantes dos Países Baixos.

Felizes e apaixonados, ele andaram pelos canais de Amsterdã, visitaram vários museus, entre eles o de Van Gogh, a casa de Anne Frank, bares e cafeterias e até casas noturnas.

Foi num jantar com os clientes do marido que Ingrid soube de algo inusitado. Dois jovens brasileiros haviam morrido há um bom tempo e a família não aparecera para reclamar dos corpos. Entraram em contato com a embaixada brasileira no país, mas não obtiveram retorno.

A conversa fluiu agradável, mas Ingrid ficou intrigada. Ao seu lado, o espírito de Everaldo sussurrava-lhe palavras, implorava-lhe que se interessasse mais por aqueles jovens. Por intermédio dela, Everaldo queria que o mistério do desaparecimento de Nicole e Artur fosse desvendado e que Virgílio e Bruno, assim como Salete, pudessem lidar com a trágica realidade e tocar suas vidas adiante, sem mais dúvidas ou esperanças.

No fim do jantar, Ingrid perguntou a um dos clientes:

— O que mais sabem sobre o caso desses jovens?

— Minha esposa trabalha na polícia. Posso lhe arranjar os nomes, se se interessar.

— Eu gostaria muito — tornou ela, agradecida.

No hotel, Aluísio estava intrigado:

— Por que esse interesse repentino no caso desses jovens indigentes?

Ingrid levou a mão ao peito.

— Não sei explicar. É algo que está me atormentando.

— Pensou em nossos filhos?

— Também. Imagine os pais desses jovens! Como devem estar se sentindo?

— Vai ver, eles nem tinham pais. As famílias não apareceram. E, segundo sei, os nomes foram divulgados na imprensa brasileira.

— Não sei ao certo, Aluísio. Estou preocupada. Não sei por que razão, mas tenho pensado muito na filha do Virgílio.

— Por quê?

— Ela era viciada em drogas.

— Puxa, que maçada!

— Pois é. A menina vivia entre clínicas de desintoxicação e, tempos atrás, quando aparentava estar bem, ela roubou o próprio pai e fugiu com o namorado para a Europa.

— E daí? Muitos jovens fazem o mesmo. Principalmente os filhos de pais ricos.

— Preciso ir mais fundo nesse caso.

— O que a faz pensar nisso?

— Faz meses que Nicole não dá notícias. Ela sumiu, desapareceu.

— Você acha...

Ingrid assentiu:

— Acho. Nicole teve sangue-frio para pegar toda aquela quantia. Foram milhares de dólares. Ela deve ter comprado documentos falsos. Não sei, Aluísio, mas gostaria de investigar melhor a morte desses jovens.

— Nosso vôo parte depois de amanhã. Não sei se teremos notícias a tempo.

— Por favor — suplicou ela. — Cancele o vôo. Vamos ficar aqui até resolvermos essa questão. Eu jamais me perdoaria se descobrisse que esses jovens são Nicole e o namorado. Eu sou mãe, imagino como Virgílio deva estar se sentindo.

Aluísio sentou-se na cama e consolou-a:

— Chi! Calma. Você tem razão. Uns dias a mais não vão comprometer meus negócios. Aproveitaremos e faremos mais passeios.

— Obrigada.

Everaldo respirou aliviado. Agradeceu Ingrid e partiu, rumo ao posto onde Nicole se encontrava.

A triste notícia da verdadeira identidade dos corpos arrasou Virgílio e Bruno, como também devastou o pobre coração de Salete.

Virgílio era pessoa conhecida da mídia. As revistas de fofoca tratavam o caso como algo circense, carregando nas tintas do sensacionalismo. A imprensa não poupou a dor da família.

Quando os corpos foram trasladados para o Brasil, havia uma quantidade imensa de jornalistas e repórteres no aeroporto. Afinal de contas, sabemos que todo cadáver tem o mesmo cheiro. No caso de gente famosa ou conhecida da sociedade, o cadáver tem um cheiro especial, fede de maneira bem distinta dos pobres mortais.

Virgílio teve de ser afastado e levado para uma chácara no interior paulista até que a repercussão do caso fosse superada por outra tragédia. Isso levaria alguns dias somente. Bruno, devastado com a notícia da morte da irmã, teve forças para dar todo o apoio e assistência ao pai. A presença de Michele naquele momento foi fundamental para ambos.

Eles conversavam, e, aos poucos, ela tentava mostrar a Virgílio que Nicole morrera por conta e risco do resultado de suas atitudes.

— Não é justo. Quando percebi que podia ter minha filha de volta, quando decidi me tornar um pai amoroso e participativo, a vida a tirou de mim. Chego a duvidar se Deus existe de verdade.

As conversas foram muitas. Virgílio não se perdoava. Afastara-se inclusive de Nair. Não sentia mais vontade de nada. Sua vida acabara.

Durante um passeio pela chácara, Virgílio bateu na mesma tecla:

— Deus não existe!

Michele exalou profundo suspiro. Precisava lhe falar certas verdades, e a hora era aquela. Ela gentilmente o conduziu até um banco rodeado de gerânios e se sentaram.

— Creio que essa atitude não vai trazer sua filha de volta.

— Não me perdôo. Minha vida acabou.

— Você nunca seria capaz de resolver essa história.

— Como não? Era minha filha.

— Mas o problema não era seu. Nicole poderia receber ajuda e tratamento, mas deixaria de se viciar somente quando *ela* quisesse — enfatizou. — Não é nada agradável ver um filho estirado num chão, cheirando ou injetando-se drogas pelas veias. É uma doença terrível, que, por vezes, destroça uma família inteira, acaba com sua harmonia.

— Foi o que aconteceu comigo. Eu e Bruno fizemos tudo que estava ao nosso alcance para que ela melhorasse. Sabíamos que não podíamos contar com Ivana para nada. Mas nós dois nadamos, nadamos e, no final, morremos na praia.

— Você acreditou que devia superproteger sua filha, desculpando-a por toda falha que cometesse, acreditando que com isso estivesse ajudando. Ao contrário, esse comportamento aumentou a insegurança de Nicole, mantendo-a mais presa ao vício.

— Será?

— Sim. No momento em que o sofrimento se torna insuportável é que um viciado vai sinceramente atrás de ajuda, vai procurar a cura. Ele usa sua própria força e consegue vencer. No caso de Nicole, isso já vem ocorrendo há mais de duas encarnações.

Virgílio encarou-a estupefato.

— Como assim?

— É a terceira vez que Nicole desencarna em conseqüência do abuso de drogas.

— Então fui um pai relapso três vezes! — exclamou, entristecido.

Michele sorriu.

— Não. Nas duas últimas encarnações, você não foi pai de Nicole.

— Não?

— Posso garantir, pelo que meus amigos do astral superior

me disseram. Virgílio — ela tocou em seu braço —, você não é responsável por Nicole nem pelo que lhe ocorreu. Jamais poderia curá-la, porque isso é ilusão. Um dia ela vai encontrar uma maneira de vencer essa fraqueza. Talvez já na próxima encarnação.

— Juro que gostaria de estar com ela de novo.

— Nunca se sabe. Não tenho informações de como sua filha está. Aliás, a partir do momento em que Nicole desencarnou, ela deixou de ser sua filha.

— É duro admitir isso.

— Sei. Mas ela é um espírito livre, dona de si. E você não pode estragar sua própria vida.

— Mas...

— Não adianta acabar com sua felicidade por conta de algo que não depende de você e não está sob seu domínio. Bruno precisa muito de seu carinho.

— Ele vai se casar com você. Não precisará mais de mim.

— Mas precisará do seu amor. Pensa que ele não sofre? Ele também perdeu alguém que amava muito. Tente compreender. A vida faz tudo pelo melhor. Não deixe que a morte de sua filha atrapalhe seus sonhos. Não transfira esse infortúnio para sua vida.

— É difícil separar as coisas.

— Mas precisa aprender a separar. Você não tem o poder de mudar as pessoas. Aceite essa verdade. Não leve para casa energias pesadas que só irão infelicitá-lo.

— Eu não tenho lar. Pus minha casa à venda. Desde que soube da morte de Nicole, não entrei mais naquele lugar. Bruno tratou de tudo: desfez-se dos móveis, vendeu algumas peças, doou o resto aos empregados e instituições.

— E você vai ficar morando num hotel até quando?

— Não sei.

— E Nair?

Virgílio estremeceu. Ele a amava, tinha certeza disso. Entretanto, não tinha forças para levar adiante uma nova relação afetiva. A morte de Nicole ferira-o fundo.

Michele parecia tomada por algo mais forte que ela. Com a modulação de voz alterada, considerou:

— Nair merece uma nova chance, merece viver num ambiente alegre e harmonioso. Entregue sua filha nas mãos de Deus e pare de se torturar. Cuide de sua felicidade. Garanto a você que Nicole vai encontrar seu próprio caminho. Ela não está só.

— Rezo por isso.

— Você deve pensar em você e preservar sua paz — finalizou Michele.